CB028707

Um amor de verdade

Diretor de Arte: Luiz A. Gasparetto
Editoração Eletrônica e Revisão: João Carlos de Pinho
e Fernanda Rizzo Sanches
Capa e Editoração Eletrônica: Kátia Cabello

1ª edição – 43ª impressão
10.000 exemplares – janeiro 2016
Tiragem total: 464.000 exemplares

Dados Internacionais de Catalogação na Publicação (CIP)
(Câmara Brasileira do Livro, SP, Brasil)

Lucius (Espírito).
Um amor de verdade / ditado por Lucius; [psicografado por]
Zibia Gasparetto — São Paulo: Centro de Estudos Vida &
Consciência Editora.

ISBN 978-85-85872-92-2

1. Espiritismo 2. Psicografia 3. Romance espírita
I. Gasparetto, Zibia. II. Título.

08-10898 CDD-133.9

Índices para catálogo sistemático:
1. Romances espíritas psicografados: Espiritismo 133.93

Este livro adota as regras do novo acordo ortográfico (2009).

Editora Vida & Consciência
Rua Agostinho Gomes, 2.312 – São Paulo – SP – Brasil
CEP 04206-001
editora@vidaeconsciencia.com.br
www.vidaeconsciencia.com.br

Zibia Gasparetto
ditado por Lucius

Um amor de verdade

Introdução

Em meio à tempestade que molhava seu rosto, Nina caminhava alheia a tudo, indiferente à chuva pesada que ensopava seu corpo, aos trovões que rugiam iluminando o céu de quando em quando, misturando as lágrimas que embaçavam sua visão com a torrente incontida da tormenta.

É que a tempestade interior irrompia mais forte do que a de fora, e ela não conseguia acalmar seu coração tumultuado e aflito.

Na rua não havia ninguém. Até os carros haviam parado, esperando que a tempestade amainasse. Ela, porém, continuava andando, como se aquele andar fosse imperioso e inadiável.

Por trás das vidraças embaçadas, alguns rostos assustados, vendo-a passar, lançavam olhares temerosos, intimamente indagando por que ela enfrentava a tempestade.

Nina, porém, voltada para seu drama interior, continuava caminhando, tendo consciência apenas de sua dor. Dentro de seu coração, a revolta, a raiva, o inconformismo por tudo que a vida estava lhe negando como se ela fosse menos, não merecesse a felicidade.

Ela parou um momento e cerrou os punhos com força, dizendo baixinho:

— Eles não vão me vencer! Eu ainda estou viva. Daqui para a frente, tudo vai mudar. André não será feliz com ela.

A visão dos dois abraçados e sorridentes surgiu novamente, e ela gritou desesperada:

— Vou ter meu filho e viver para minha vingança, eu juro! Eles não perdem por esperar.

Um relâmpago mais forte iluminou seu rosto naquele momento, mostrando sua fisionomia contraída, pálida, sofrida. Ela sentiu como se as forças da natureza estivessem confirmando seu juramento.

Suas lágrimas cessaram. Precisava poupar as forças, pensar no que fazer, como enfrentar os cinco meses que faltavam para a criança nascer.

Olhou o céu cinzento e escuro no prenúncio da noite que se aproximava. A chuva havia passado. Decidiu ir para casa. Seu rosto estava pálido, porém sem lágrimas. Havia chorado tudo que podia. Sentia um vazio dentro do peito, mas ao mesmo tempo uma força nova.

Entrou na pequena e graciosa casa onde residia disposta a arrumar suas coisas. Pretendia ir embora no dia seguinte. Quando André a procurasse, não mais a encontraria.

Pediria demissão do emprego na manhã seguinte e iria embora. Possuía algumas economias que a ajudariam a viver modestamente até seu filho nascer. Enquanto isso, resolveria que rumo dar à vida.

Conhecera André havia três anos. Quando ele a cortejou, ela já estava apaixonada. Ele era de família abastada e estava se formando em advocacia. Trabalhava no escritório do tio, um advogado famoso e conceituado.

Nina recordou-se da felicidade que haviam desfrutado juntos, da casa que ele havia alugado, onde ela passou a residir e ele ficava a maior parte do tempo.

André pedira-lhe segredo, alegando que sua família não queria vê-lo casado antes de formar-se e ganhar o suficiente. Havia lhe prometido que logo depois da formatura formalizaria o compromisso.

De cima da mesinha de cabeceira, Nina apanhou um porta-retratos em cuja foto André sorria feliz. Disse com voz fria:

— Traidor! Agora que se formou, escolheu Janete para casar-se. Chegou a pedir que eu abortasse. Falou em ilusão da juventude, disse que eu devia esquecer, como se o passado fosse nada. Aconteceu ontem, e hoje eu os vi juntos, aliança nos dedos, olhando-se com amor.

Colocou o porta-retratos no lugar e continuou:

— Pois você está enganado, André! Não vou esquecer nunca! Eu o amei com toda a pureza do meu coração. Eu me entreguei de corpo e alma a esse sentimento e você jogou fora, como se eu não existisse, como se tudo fosse mentira. De agora em diante vou me lembrar de tudo, todos os dias. Vou viver cada minuto pensando em mostrar a vocês que eu sou gente, sou pessoa, e que não podem me descartar como um objeto usado e inútil.

Decidida, abriu o armário, apanhou uma mala e começou a arrumar suas coisas. Passava da meia-noite quando deixou tudo pronto para a mudança. Só ia levar roupas e objetos pessoais. O resto ficaria para André decidir.

Ele lhe dissera que continuaria pagando o aluguel e as despesas da casa e que ela poderia ficar despreocupada. A esse pensamento, Nina trincou os dentes com força. Nunca aceitaria essa migalha. Era forte e inteligente o bastante para manter-se. Na manhã seguinte, depois de demitir-se do emprego, iria ao pensionato das freiras conseguir uma vaga. Trabalharia a troco de casa e comida até ter o filho. Ficaria lá até resolver o que fazer. Guardaria suas economias para mais tarde.

Sentiu o estômago doendo e lembrou-se de que não havia comido nada o dia inteiro. Foi à cozinha, fez um lanche reforçado e comeu. Precisava cuidar da saúde. Dali para a frente só poderia contar consigo mesma.

Lembrou-se dos pais. Eles não sabiam de nada. Melhor assim. Saberiam quando fosse oportuno. Moravam no interior de Minas Gerais, e Nina preferia poupá-los.

Quando se deitou, ela esforçou-se para não pensar em mais nada. Qualquer lembrança triste minaria sua força; precisava dela para sobreviver.

Assim, decidida a reagir, deitou-se e, mantendo o firme propósito de não pensar em nada, logo adormeceu.

Nina olhou o relógio e levantou-se rapidamente. Não perderia aquele encontro por nada. Tratava-se de um contato importante e que poderia abrir-lhe as portas do mundo em que desejava entrar.

Lançou um olhar sobre a escrivaninha, fixando-o no porta-retratos em que um menino sorria alegre. Seu rosto abrandou-se, mas em seus olhos havia um brilho determinado e forte.

Marcos era sua força, seu enlevo, seu tesouro. Desde que nascera, cinco anos atrás, tomara conta de seus pensamentos, do seu amor. Apesar disso, não esquecera os votos que havia feito naquela tarde tempestuosa.

Se antes havia forte motivo para desejar subir na vida, o nascimento de Marcos viera reforçar sua determinação.

Nunca mais tivera contato com André. Francisca, uma amiga e vizinha da casa onde morara com ele, informava-a dos acontecimentos.

Depois de demitir-se do emprego, fora ter com ela para se despedir. Francisca tentou demovê-la da ideia de deixar a casa. Mas foi inútil. Nina estava decidida.

— Você é a única pessoa que sabe para onde vou. Não conte a ninguém. Apanhe a correspondência que chegar. Depois virei buscá-la. Não quero que minha mãe saiba o que está acontecendo.

— Acho que você está se precipitando. O André virá procurá-la, estou certa. O que lhe direi?

— Que não sabe de nada.

— Você está acostumada com um padrão de vida bom. Agora que está grávida, precisa de cuidados. Não pode ficar sem recursos, depender da caridade das freiras do pensionato.

— Tenho algumas economias. Posso pagar. Depois, lá estarei protegida. Só não quero que André saiba onde estou.

— Ele vai ficar desesperado.

— Não se iluda. Ele ficará aliviado. Estou saindo do caminho. Estará livre para fazer o que quiser.

Francisca ainda tentou argumentar, mas Nina foi irredutível. Enquanto viveu no pensionato, foi por meio de Francisca que ela acompanhara os passos de André.

A princípio, ele ficou aflito, tentou de todas as formas descobrir seu paradeiro. Não conseguiu.

Em uma fria madrugada de junho, Marcos nasceu. Olhando o retrato sobre a escrivaninha, Nina recordou-se do momento em que o teve em seus braços pela primeira vez. Um misto de alegria e dor. Um sentimento de plenitude e ao mesmo tempo de tristeza diante do seu filho sem pai.

André preferira outro amor, e ela imaginou o quanto ele estava perdendo por não poder sentir essa plenitude. Apertando-o de encontro ao coração, Nina pensou:

— André não fará falta. Eu farei tudo por meu filho: serei mãe, pai, guia, apoio. O que for preciso.

Durante o tempo em que ficara no pensionato, Nina havia trabalhado no colégio das freiras, que ficava no prédio ao lado. Prestativa, incansável, educada, fez amizade com os professores, granjeou a simpatia e admiração deles.

Havia feito o curso de secretariado e, depois de pouco tempo, foi convidada para assumir a secretaria da escola, que ia até o ensino médio.

Seus vinte anos, sua gravidez assumida corajosamente, sua disposição de trabalhar a ajudaram a progredir rapidamente. Quando Marcos nasceu, ela continuou trabalhando. Seu filho ficava na creche do pensionato, onde continuou morando.

Ganhando bom salário, gastando muito pouco, ela conseguiu juntar algum dinheiro. Levava vida regrada. Seu tempo livre passava com Marcos.

Nina olhou a sala onde trabalhava havia cinco anos. Gostava da sobriedade dos móveis, da simplicidade daquele ambiente. Se o encontro que ia ter desse certo, logo deixaria aquele lugar onde se sentira segura e amparada.

Mas era preciso seguir adiante, cuidar do seu futuro e de seu filho. Foi até o banheiro e olhou-se no espelho. Precisava causar boa impressão.

Ajeitou os cabelos, retocou a delicada maquiagem, apanhou a bolsa e saiu. A tarde estava fria e ela abotoou o casaco. Sabia que estava elegante. Comprara a roupa para aquela ocasião.

Apanhou o bonde para o centro da cidade. Desceu na Praça da Sé e foi andando até a Rua Marconi, olhando atentamente o número. Encontrou o que procurava: era um prédio elegante, ela entrou.

O elevador a deixou no quarto andar. No corredor, ela leu na placa: *Doutor Antônio Dantas – advogado*.

Tocou a campainha e logo uma moça abriu-a, fazendo-a entrar.

— Meu nome é Nina Braga.

— O doutor Antônio a espera. Sente-se, por favor. Vou avisá-lo que chegou.

Nina sentou-se no sofá, olhando atentamente o ambiente luxuoso e sóbrio com satisfação. Admirou o vaso sobre a mesinha lateral, de onde um arranjo de rosas vermelhas exalava delicado perfume.

A moça voltou, dizendo amável:

— Pode entrar. O doutor Antônio a espera.

Nina levantou-se imediatamente e com passos firmes entrou na sala. Vendo-a, ninguém imaginaria o quanto estava nervosa. Fixou o olhar no homem de meia-idade que estava em sua frente. Moreno, cabelos grisalhos nas têmporas, o rosto era sério, mas seus olhos ágeis e alegres contrastavam com sua postura ereta e discreta.

— Boa tarde, doutor.

Ele, que se levantara quando ela entrou, apertou firme a mão que Nina lhe estendeu, pedindo-lhe que se sentasse.

Vendo-a acomodada à sua frente, olhou-a por alguns instantes, depois disse:

— Você é muito jovem. Quantos anos tem?

— Vinte e cinco.

— Desculpe não ter perguntado quando se candidatou à vaga. Eu havia pensado em uma pessoa mais velha.

Nina sustentou o olhar e disse séria:

— Tenho experiência e muita vontade de vencer. Posso me dedicar inteiramente, pois não tenho compromisso. Sou solteira.

— Sei que tem um filho.

— Sim. Mas tenho com quem deixar. Como sabe, passei cinco anos trabalhando no colégio, mas durante esse tempo estudei Direito e posso afirmar que só não tenho diploma porque não pude ir para uma faculdade.

— Na carta que escreveu, você disse que conhecia leis. Pensei que pelo menos houvesse frequentado os primeiros anos de uma faculdade.

— Eu não podia. Mas estudei muito. Tenho convicção de que o conhecimento, a vontade de aprender, o desejo do sucesso, são mais importantes do que um diploma. Se eu pudesse, teria conquistado um. Contudo, sinto-me confortada por observar que em muitos casos um diploma não garante o bom desempenho de um profissional.

Os olhos dele apertaram-se um pouco, fixando-a, como querendo penetrar nos pensamentos dela, que não desviou o olhar.

— Concordo com você — disse ele, por fim. — Noto que deseja muito esta vaga.

— Sim. Tenho certeza de que estou capacitada e posso oferecer um serviço à altura da fama desta empresa.

— Você se importaria de fazer um teste?

— Estou à disposição.

— Então, muito bem. Vou preparar tudo e esperá-la amanhã, às nove horas.

— Estarei aqui.

Nina despediu-se e saiu. Sentia as pernas um pouco trêmulas, mas estava contente. Pelo menos ele lhe dera uma oportunidade.

Saberia aproveitá-la. Queria fazer carreira no mesmo ramo que André. Como não pôde fazer a universidade e concorrer com ele de igual para igual, concluiu que precisaria estudar por conta própria.

Conseguiu o currículo de uma faculdade de Direito e orientou-se por ele, adquirindo os livros conforme podia, dedicando todo o seu tempo livre estudando-os. Além disso, decidiu atualizar seus conhecimentos.

Passou a ler diariamente os jornais, revistas que o colégio recebia, acompanhava as notícias do rádio, mantendo-se informada de todos os assuntos da atualidade. Seguia atentamente os temas judiciários, procurando nos livros as leis relativas, anotando tudo, pensando em como agiria se tivesse de advogar aquela causa.

Por tudo isso, sentia-se preparada para o teste da manhã seguinte. Não estava nervosa por causa dele, mas sim pela impaciência em conseguir seus objetivos.

Sabia que André trabalhava com o tio e usufruía de sua fama, não tendo que lutar para conseguir o próprio sucesso. De vez em quando lia uma ou outra notícia sobre ele nos jornais. Via fotos dele com a esposa nas revistas da sociedade.

Nesses momentos, pensava com tristeza em seu filho sem pai, mas ao mesmo tempo sentia redobrar a vontade de vencer, de mostrar a André que ela podia dar ao filho tudo quanto ele não dera.

Apressou os passos. Pretendia chegar ao colégio depressa. Quando entrou na Rua Barão de Itapetininga, sentiu que alguém a puxava pelo braço:

— Nina!

Voltou-se e viu André olhando-a ansioso. Sentiu as pernas tremerem, mas controlou-se. Disse apenas:

— André!

— Finalmente a encontrei. Precisamos conversar.

Ela puxou o braço que ele segurava, dizendo com voz firme:

— Não temos nada para conversar.

— Eu tenho. Não sabe como tenho procurado você. Por que fez isso comigo?

Ela fixou-o séria e respondeu:

— Eu?! Não fiz nada. Você decidiu seguir outro caminho e eu tratei de cuidar da minha vida.

— Tenho me perguntado o que aconteceu com você...

— Não se preocupe. Está tudo bem. Preciso ir.

— Não. Por favor. Venha, vamos tomar alguma coisa. Não posso deixá-la ir dessa forma.

— Pois eu vou. Não temos nada a nos dizer.

— Você está bonita, bem-vestida... — Hesitou um pouco, depois perguntou: — Você se casou?

Pelos olhos de Nina passou um brilho irônico:

— Por que pergunta? Acha que eu não poderia cuidar de minha vida sozinha?

— Não quis dizer isso. É que está mais bonita do que antes, melhorou sua aparência. Deve ter progredido.

— Melhorei. Pretendo melhorar ainda mais. Se quer saber, não me casei nem pretendo me casar. Na verdade, ficar sozinha foi bom: descobri minha própria capacidade.

Ela fez menção de andar. Ele segurou seu braço novamente.

— Sinto saudade. Vamos conversar pelo menos alguns minutos, em consideração ao tempo em que vivemos juntos.

Ela riu bem-humorada e respondeu:

— Esse é um tempo que passou e já esqueci. Gosto de andar para a frente. Não quero olhar para trás. Adeus.

Puxou o braço e, antes que ele reagisse, ela andou apressada, parou um táxi que passava e entrou. Olhando para trás, viu que ele a seguiu sem conseguir alcançá-la.

Dentro do carro, Nina deu vazão à irritação. O que ele pretendia? Voltar a relacionar-se com ela? Dizer que sentia muito o que havia feito e recomeçar?

Trincou os dentes com raiva. Se dependesse dela, André nunca se aproximaria do filho. Felizmente o encontrara quando estava bem arrumada, usando roupas elegantes, bem maquiada. Isso devolveu-lhe o bom humor.

Precisava estar preparada. No novo emprego teria muitas chances de encontrá-lo. Aliás, escolhera cuidadosamente aquela carreira para isso. Queria que ele presenciasse seu sucesso, que se arrependesse por tê-la trocado por outra. Se voltasse a apaixonar-se por ela, então seria sua oportunidade de desprezá-lo e mostrar que o passado não significava mais nada.

De volta ao trabalho, tentou esquecer aquele encontro. Precisava concentrar-se no teste que faria na manhã seguinte. À noite, em casa, pretendia rever alguns tópicos que julgava importantes.

Apesar desse propósito, o rosto surpreendido de André não lhe saía do pensamento. Ele também estava mais bonito. Mais amadurecido, muito bem-vestido. Ela sabia que ele estava muito bem. Ganhara nome e dinheiro na profissão. Várias vezes encontrara referências a ele nas colunas sociais.

Uma vez em casa, tentou estudar, porém não conseguiu concentrar-se. Nervosa, procurou um comprimido. Depois de ingerir o calmante, recostou-se no sofá e fechou os olhos, tentando reagir.

Não podia deixar-se impressionar. André tripudiara sobre seus sentimentos, a enganara. Sentiu acentuar-se seu rancor. Era assim que queria se lembrar dele. Era desse sentimento que tirava sua força de seguir em frente, sua vontade de subir na vida.

Sorriu, lembrando-se do brilho de admiração que vira nos olhos dele. Haveria de conseguir muito mais. Para isso, precisava ser fria, dura, esquecer completamente que um dia o havia amado. Esse amor estava morto. Agora só havia lugar para a mulher traída, abandonada.

Respirou fundo. Em seu coração não havia lugar para mais nada, só para seus objetivos de sucesso.

Apanhou novamente o livro, decidida a estudar. Mergulhou na leitura e dessa vez conseguiu esquecer completamente tudo que não fosse o que estava lendo.

***

André chegou em casa pensativo. O encontro com Nina o perturbara. Durante o trajeto, recordou com saudade os momentos que haviam desfrutado juntos. Haviam se amado com a força e a pureza da juventude.

O doutor Romeu Cerqueira César, seu pai, formado em engenharia, herdou do avô, além de considerável fortuna, uma empresa de construção civil muito respeitada, com uma carteira de clientes importantes. Competente e dedicado, Romeu conseguiu não só manter como fazer progredir essa empresa, desfrutando da confiança e do respeito da alta sociedade.

Tinham um casal de filhos. Tanto ele quanto Andréia, sua esposa, gostariam que André houvesse seguido a carreira do pai. Ele, porém, estava determinado a ser advogado, e depois de alguma insistência acabaram concordando, afinal um bom advogado poderia assumir o controle da empresa quando chegasse o momento. Era esse o sonho de Romeu: encaminhar o filho, torná-lo um cidadão útil.

Apesar de haver nascido em berço de ouro e de nunca ter passado nenhum tipo de necessidade, Romeu entendia que um homem precisa do trabalho para viver bem. Era contra qualquer tipo de ociosidade. Ele mesmo deu o exemplo, trabalhando sempre com alegria e disposição.

Já Milena, cinco anos mais nova do que André, possuía um temperamento difícil e pouco afeito aos estudos. Com facilidade ia da euforia à depressão, ou vice-versa, confundindo os pais, professores, amigos e parentes.

Seu humor instável tornava difícil qualquer programa para o futuro. Na adolescência, deu tanto trabalho à família que os pais procuraram ajuda psiquiátrica, sem conseguir sucesso.

Quando ela tomava determinado remédio, mergulhava na depressão, falava em suicídio, não se alimentava nem queria sair da cama. O médico então, mudava o tratamento, e ela tornava-se eufórica, agitada, mergulhava em festas até o dia clarear.

Estava atrasada nos estudos. Aos dezenove anos, não conseguira concluir o ensino médio. Cansada, Andréia dizia ao marido:

— Acho melhor Milena ficar só no ensino médio e não ir para a faculdade. Afinal, não vai precisar de uma profissão para viver.

— Talvez ela encontre um bom marido — respondia Romeu. — O amor, os filhos, mudam as pessoas. Ser esposa e mãe vai fazê-la amadurecer.

— Acho difícil que um homem aguente o gênio dela.

Ele balançava a cabeça e, tentando confortá-la, respondia:

— O amor é cego. Ela é uma moça bonita. Depois, há gosto para tudo. Há quem goste de mandar e de ser mandado, de confortar ou de proteger.

— Deus o ouça. Seria uma bênção. Alguém que a ajudasse a se equilibrar.

— Vai aparecer. Você verá.

Andréia suspirava esperançosa. A filha era seu problema, mas André seu enlevo. Desde cedo concentrara nele seu afeto e era com orgulho que observava o quanto ele se destacava no clube, o quanto as moças o admiravam.

Ele, sim, haveria de corresponder ao seu sonho de mãe. Seria um brilhante advogado.

***

André entrou em casa. Janete estava na sala e, vendo-o entrar, aproximou-se atenciosa:

— Você chegou mais cedo. Aconteceu alguma coisa?

— Não — respondeu ele, beijando-a levemente na face. — Fui a uma audiência que acabou agora. Mamãe nos convidou para jantar. Se eu fosse ao escritório, fatalmente iria me atrasar. Você sabe: papai faz questão de pontualidade.

— Não sei como ele consegue ser tão formal.

André olhou-a sério e não respondeu. Janete era seu oposto: não tinha hora para nada. Odiava ter de programar alguma coisa com antecedência. André olhou o relógio e considerou:

— Teremos que sair dentro de uma hora. Espero que esteja pronta.

— Estarei. Agora gostaria que você desse uma olhada nestas revistas que separei. Estive pensando em mudar o jardim em volta da piscina.

— Mudar? Está tão bonito! Além disso, reformamos tudo antes do nosso casamento.

— Estou enjoada de olhar sempre para a mesma coisa. Pensei em fazer um *deck* moderno. Chamei um paisagista para refazer os canteiros. Tenho tudo planejado dentro da cabeça. Vai ficar lindo.

— Vamos deixar isso para outro dia. Além do mais, gosto muito do jeito que está. Não vejo razão para mexer nisso agora.

Ela franziu o cenho, contrariada.

— Pois eu não gosto. Semana passada fui passar a tarde na casa da Elvira e fiquei humilhada. Ela reformou tudo. Você precisa ver que beleza! Fez igual a uma casa que ela visitou em Hollywood, daquela artista famosa, como é mesmo o nome dela?

— Eu não sei.

— Quando voltei para casa, notei o quanto está ultrapassada.

André olhou-a sério:

— Estou cansado, Janete. Tive um dia estafante. Por favor, vamos deixar este assunto para outro dia. Vou subir, tomar um banho, e você trate de arrumar-se, porque não quero me atrasar.

Sem dar tempo a que ela respondesse, André subiu para o quarto. Janete engoliu a raiva. Se ele pensava que ela ia desistir, estava muito enganado.

Uma vez no quarto, André sentou-se na cama para tirar os sapatos. Na sua mesa de cabeceira estava um retrato de Janete. Olhou-o pensativo. Morena, olhos grandes, rosto oval, cabelos lisos, boca bem-feita, era muito bonita.

Talvez por tudo isso ele tenha se deixado envolver pela mãe, cujo sonho era vê-lo casado com a filha do desembargador Fontoura.

Andréia era amiga da família, conhecia Janete desde pequena. Altiva, rica, bonita, instruída, era a esposa ideal para André. Quando ele decidiu tornar-se advogado, Andréia pensou logo que um sogro desembargador, respeitado, iria ajudá-lo a fazer brilhante carreira.

O que Andréia mais desejava era que o filho brilhasse, conquistasse nome, se tornasse famoso e, quem sabe, até um político importante. Talvez ele viesse a tornar-se um grande estadista. Ele merecia tudo, até tornar-se presidente da república.

A princípio, André não havia se interessado por Janete. Amava Nina, sentia-se feliz a seu lado. Andréia, porém, sonhava alto e não perdia ocasião para tentar convencer o filho a fazer o que ela desejava.

Ouvindo sua mãe discorrer sobre os projetos do seu futuro, tinha receio de falar sobre seu relacionamento com Nina, mulher bonita, instruída, mas longe de preencher as expectativas de Andréia.

Para agradar a mãe, que vivia convidando a família de Janete para jantares, reuniões no clube, festas e recepções às quais lhe pedia que comparecesse, ele começou a dançar com ela, conversar, levá-la em casa.

Andréia dizia que a moça estava apaixonada por ele, que tanto ela como seu pai gostariam que eles se casassem. Ela era a mulher ideal.

Janete frequentava a alta sociedade e era muito cortejada. Sua paixão por ele o lisonjeava. Os amigos o invejavam, tinham o casamento como certo. Ninguém imaginava que ele pudesse não querer.

Quando Nina lhe disse que estava grávida, ele foi arrancado de seus devaneios. Ficou assustado. Não podia assumir aquela paternidade. Seria um escândalo. Seus pais nunca aprovariam. Sua mãe teria um enorme desgosto. Não poderia causar-lhe tal decepção. Ela esperava que ele se tornasse um grande sucesso. Como casar-se com uma moça pobre, comum, abdicando dos belos projetos com que haviam sonhado?

O encontro com Nina naquela tarde o havia impressionado. Uma semana após o rompimento, fora à sua procura. Mas ela havia desaparecido. Nos meses que se seguiram, tentou encontrá-la, saber o que havia acontecido, inutilmente. Francisca cumpriu à risca o que havia prometido a ela.

Nina estava mais linda, mais mulher. Muito bem-vestida. Como estaria vivendo? Imaginava que, vendo-se abandonada, ela houvesse mudado de ideia e recorrido ao aborto. Afinal, aquela gravidez bem poderia ter sido uma maneira de pressioná-lo ao casamento. Como ele não havia cedido, ela teria se livrado daquele compromisso.

Foi para o chuveiro, mas de repente uma dúvida o assaltou. E se ela houvesse continuado com a gravidez? Nesse caso, a criança já estaria grande.

Não. Ela não teria sido tão imprudente. Sempre fora uma moça ponderada, com os pés no chão. Não mergulharia em uma aventura como essa.

Saiu do chuveiro e, enquanto se vestia, a dúvida voltava, provocando-lhe uma inquietação desagradável.

Tentava acalmar-se, imaginando que, se houvesse mesmo uma criança, ela o teria procurado para que ele a ajudasse a sustentá-la. Não. Certamente, ela teria dado um jeito e esse filho nunca teria nascido.

Janete apareceu no quarto e ele considerou:

— Está quase na hora. Já disse que não podemos nos atrasar.

— Vou tomar um banho e me arrumar.

— Já vi que vai demorar mais de uma hora. Por favor, deixe esse banho para mais tarde.

— Você hoje está mal-humorado... O que houve?

— Faça o que estou lhe pedindo, por favor. Estarei esperando você lá embaixo.

André sentou-se na sala irritado. Não gostava de esperar. Lembrou-se de que Nina era rápida e nunca se atrasava.

Respirou fundo. Sentia-se nervoso, inquieto. Foi difícil esperar por Janete, que, como sempre, atrasou-se. Ele estava a ponto de explodir quando ela finalmente desceu.

— Até que enfim! — desabafou ele. — Você sabe que não gosto de esperar e, mesmo assim, nunca está pronta na hora.

Ela deu de ombros:

— É cedo. Que mania vocês têm de jantar com as galinhas. Em sociedade é de bom-tom jantar depois das nove.

— Para mim é de bom-tom respeitar os hábitos dos anfitriões. Meus pais gostam de jantar às sete e meia. Vamos logo.

Durante o trajeto, André ficou silencioso. Reconhecia que estava sendo desagradável, mas não se sentia à vontade.

A criada os fez entrar na sala onde Romeu os esperava, degustando seu uísque. André aproximou-se do pai dizendo:

— Desculpe o atraso, papai. Foi involuntário.

— Tudo bem, meu filho. Quer beber alguma coisa?

— O mesmo que você. Tive um dia tenso, preciso relaxar. — Vendo que o pai se levantava para servi-lo, interrompeu-o: — Não se incomode, eu me sirvo.

Romeu olhou-o sério. Vendo-o sentar-se na poltrona com o copo na mão, perguntou:

— Aconteceu alguma coisa?

André olhou disfarçadamente para Janete, que havia se sentado no sofá e estava folheando uma revista, e respondeu:

— Não. Nada.

— Como vão as coisas em seu escritório?

— Bem. Você sabe que o Breno é ótimo. Com ele tudo caminha rápido.

— Ele me surpreendeu. Você sabe que fui contra recomendá-lo para trabalhar com o Olavo. Afinal, apesar de ter cursado a mesma faculdade que você, ele não pertence à nossa roda. Não sou preconceituoso, mas considero a educação fator muito importante.

— Ele estudou tanto quanto eu.

— Mas não tem berço. Isso é básico. Mas, como eu dizia, nestes dois anos ele tem me surpreendido. Olavo não tem lhe poupado elogios. Se você não tomar cuidado, ele pode acabar fazendo carreira mais rápido do que você.

André sorriu e respondeu:

— Não corro esse risco. Também tenho feito um bom trabalho. O tio também está satisfeito com meu desempenho.

Aproveitando que Janete deixara a sala, Romeu disse baixinho:

— Se não é no trabalho, o que é?

— Não há nada.

— Mas você disse que estava tenso. Significa que tem algum problema. Está tudo bem entre você e Janete?

— Claro. Fique tranquilo. Não há nada. Tive uma audiência de um caso desagradável e fiquei irritado. Mas já passou.

— Ainda bem.

A criada apareceu e avisou que o jantar estava sendo servido. Andréia estava logo atrás e abraçou o filho dizendo:

— Ainda bem que chegaram. Seu pai estava impaciente.

André não respondeu. Beijou a mãe e acompanhou-a até a sala de jantar. Acomodados ao redor da mesa, Andréia mandou que o jantar fosse servido e tentou animar a conversação.

Viu logo que estava difícil. André parecia distraído; Janete, entediada; Milena, de cara fechada, estava em um daqueles dias de depressão: não comeu nada, não conversou.

Andréia olhava desconsolada para Romeu, mas nenhum dos dois se atrevia a conversar com ela. Sabia que se fizessem isso seria pior. Depois do jantar, Milena fechou-se no quarto, e os demais foram para a sala conversar.

Andréia sentou-se ao lado da nora, enquanto Romeu e André acomodaram-se um ao lado do outro, conversando sobre a empresa da família. Era o assunto predileto de Romeu. Pretendia com isso interessar o filho para que um dia se decidisse a assumir o patrimônio que ele se orgulhava de ter conseguido ampliar e manter.

Andréia conversou com a nora, comentando as últimas notícias sociais. Mas aos poucos foi encaminhando o assunto para o que lhe interessava:

— Faz quatro anos que vocês se casaram.

— É. Passou rápido.

Andréia fez ligeira pausa e continuou:

— Está na hora de pensar em um filho, você não acha?

Janete estremeceu e tentou dissimular a contrariedade.

— É cedo, Andréia. Temos muito tempo para pensar nisso.

— Romeu e eu sonhamos com um neto. Uma criança completa a felicidade de um casal.

Janete apertou os lábios, tentando controlar a irritação.

— Por enquanto não quero. Estamos muito bem assim. Uma criança agora viria atrapalhar nossa vida.

Andréia olhou-a um pouco escandalizada.

— Uma criança nunca atrapalha. Você não gosta de crianças?

— Não se trata disso, Andréia. Quero viver mais algum tempo sozinha com André. Usufruir mais sua companhia, dar-lhe toda a minha atenção. Ainda não é hora.

— Você me assustou. Cheguei até a pensar que não desejasse ter filhos.

Janete sorriu, tentando esconder a raiva. Não gostava de intromissões em sua vida. Precisava tomar cuidado. Andréia era manipuladora. Fazia isso com o filho o tempo todo. Mas com ela ia se dar mal. Não era ingênua como ele. Filhos, não estava em cogitação. Ainda bem que André nunca falara sobre isso.

Olhou no relógio, disfarçando o tédio. André conversava animadamente com o pai, e ela desejava ir embora logo.

Quando Andréia saiu da sala por alguns instantes, ela aproximou-se do marido, dizendo com voz que procurou tornar delicada:

— André, gostaria de ir para casa. Estou com uma tremenda dor de cabeça.

— Peça um comprimido a mamãe, descanse um pouco.

— Quando tenho esta dor de cabeça, só passa relaxando no quarto escuro. Remédio não adianta.

— Tem sempre isso? — indagou Romeu, preocupado. — Já consultou um médico?

— Já. Trata-se de enxaqueca. Apreciaria muito poder ir para casa descansar.

André levantou-se dizendo:

— É melhor irmos embora. Se eu puder, amanhã passarei em seu escritório para continuar nosso assunto.

— Faça isso, meu filho. Estarei esperando.

Na viagem de volta, André permaneceu calado. A imagem de Nina tomava conta de seus pensamentos. Janete, por sua vez, também ficou calada. Inventara a mentira e precisava fingir que estava mesmo com dor de cabeça.

Não desejava indispor-se com André. Ele gostava muito da família. Ela não podia demonstrar seu desagrado.

Naquela noite, enquanto Janete dormia tranquila, foi muito difícil para André conciliar o sono. As lembranças do passado voltaram fortes e ele não conseguia esquecer seu encontro com Nina.

Precisava vê-la novamente, encontrar respostas para as indagações que o estavam incomodando. Mas onde encontrá-la? Por que a deixara ir sem saber seu endereço? E se nunca mais a visse?

A esse pensamento, remexia-se no leito inquieto. Não era possível. Haveria de encontrá-la, mesmo que tivesse de contratar alguém para isso. Queria saber a verdade.

Nina apressou o passo. Não desejava chegar atrasada. Fazia dois meses que estava trabalhando no novo emprego. Ao contratá-la, Antônio lhe dissera:

— Apesar de você não ter formação universitária, seu teste foi muito bom. Por esse motivo, vamos dar-lhe uma chance. Começará como auxiliar de escritório.

— Obrigada, doutor. Não vai se arrepender.

Neide, a chefe do escritório, era uma mulher sisuda, beirando os cinquenta anos, exigente, discreta, fria. Quando se dirigia a um subalterno, raramente sorria. Falava pausadamente, mas firme. Vestia-se com classe e elegância.

Todos os advogados da organização estavam bastante satisfeitos com seus serviços e sua experiência, confiando a ela as providências mais delicadas.

Nina era o oposto dela. Exuberante, jovem e bonita, notou logo que sua contratação não fora vista com simpatia. Percebeu que aquela mulher poderia atrapalhar seus planos. Então, no fim do primeiro dia de trabalho, procurou-a em sua sala.

— O que deseja? — indagou Neide, olhando-a nos olhos.

— Conversar com a senhora — respondeu Nina sem desviar o olhar.

— Sente-se e vá direto ao assunto.

— Obrigada. Vim pedir uma orientação pessoal. Estudei muito, esforcei-me para conseguir este emprego, mas hoje, vendo-a, senti que, embora tenha conhecimento profissional, falta-me a classe, a postura, que notei na senhora.

Nina fez ligeira pausa e, vendo que Neide a ouvia com atenção, continuou:

— Gostaria que me orientasse, que me dissesse como me tornar uma funcionária exemplar. Prometo obedecer a seus conselhos e dedicar-me inteiramente ao trabalho.

Sem mover um músculo do rosto, Neide respondeu:

— Vejo que é perspicaz. Muito bem. Em primeiro lugar, devo dizer-lhe que, para trabalhar em um escritório onde os advogados são homens, precisa ser muito discreta nas roupas, nas atitudes e ser muito profissional. Por tudo isso pedi que contratassem alguém de mais idade. Você me parece muito nova para a função.

— Garanto que, se me disser como deseja que eu proceda, obedecerei e não terá motivo para lamentar haver me contratado.

— Bom, vejamos... Deve mudar seu penteado. Melhor cabelo preso. Escolher roupas de boa grife, mas com cores discretas. Os complementos deverão ser de cores básicas. A maquiagem, suave; a postura, séria. Os assuntos dentro do escritório deverão ser exclusivamente profissionais. Conversas com os colegas só admitimos fora da empresa. Isso vale também com relação aos advogados, desta ou de outras empresas que circulam aqui.

— Entendi. Farei o possível para atender a suas considerações. Obrigada por ter me orientado. Até amanhã.

No dia seguinte, Nina já compareceu ao trabalho com um conjunto discreto, cabelo preso e atitude séria. Neide não lhe disse nada, mas Nina percebeu que ela aprovara sua aparência. Antônio olhou-a surpreendido, mas não comentou.

A partir desse dia ela dedicou-se ao trabalho, procurando fazer o melhor que sabia. Entretanto, notou logo que Neide evitava ao máximo que alguns dos advogados conversassem com ela ou com as outras três moças sob sua direção.

Neide ficava atenta para que eles só se dirigissem a ela, evitando a todo custo que abordassem as outras funcionárias.

Ficou claro para Nina que ela manipulava tudo, objetivando aparecer sempre como a pessoa-chave, nunca permitindo que as outras se destacassem. Desejava que elas se tornassem inexpressivas, sem nada que chamasse a atenção. Todas elas se vestiam igual, falavam igual, atuavam igual. Eram como robôs nas mãos de Neide.

Nina, apesar de perceber o jogo dela, submeteu-se temporariamente à sua tutela. Estava chegando, não havia tido ocasião para mostrar sua capacidade. Se Neide desejasse despedi-la, seria fácil. Claro que sua opinião seria ouvida e ela não teria como provar o contrário.

Mesmo assim, continuou se esforçando, nunca chegando atrasada, ficando depois do horário sempre que lhe pediam.

Naquele dia, ao entrar no escritório, Nina notou logo que alguma coisa não estava como de costume. As colegas estavam tensas e nervosas. Foi para sua mesa e tratou de se preparar para começar seu trabalho.

Foi quando ouviu vozes alteradas na sala de Neide. Depois de alguns instantes, Antônia, sua colega, saiu de lá chorando e foi ao banheiro.

Nina sentiu vontade de ir atrás, mas conteve-se. Neide apareceu na sala, dizendo séria:

— Não tolero falta de controle. Tratem de começar a trabalhar logo. Temos muitas coisas para hoje.

Ninguém se atreveu a dizer nada. Cada uma tratou de obedecer. Nina estava com raiva. Aquela mulher não podia tratar assim uma pessoa. Antônia era uma moça doce, delicada e muito esforçada. Tinha certeza de que, se ela perdera o controle, deveria ter um motivo sério.

O tempo foi passando e Antônia não voltava. As três se entreolhavam aflitas, mas não se animavam a ir atrás dela. De repente, ouviram um grito. Imediatamente saíram correndo, e no corredor a faxineira soluçava em pânico.

Neide apareceu no corredor, indagando séria:

— O que foi, Augusta? Por que está fazendo esse escândalo?

— É a Antônia, dona Neide. Fui limpar o banheiro e ela estava lá, estendida no chão. Acho que está morta!

Neide foi ao banheiro e as outras a acompanharam assustadas. Antônia estava estendida no chão.

— Avisem a telefonista para chamar uma ambulância. É isso que dá a falta de controle.

— Ela está muito pálida — disse uma das moças.

Olhando o rosto pálido de Antônia, Nina sentiu um aperto no peito. Viu logo que seu estado era grave.

A ambulância chegou e o médico, depois de ligeiro exame, disse sério:

— Sinto muito, mas é tarde. Ela está morta! Alguém pode me dizer o que aconteceu?

Neide tomou a dianteira, dizendo:

— Não sabemos, doutor. Sou a encarregada do escritório. Antônia é nossa funcionária há dois anos. Ela fechou-se no banheiro, foi a faxineira que a encontrou.

— Alguém tocou em alguma coisa?

— Não — respondeu Neide.

O médico deu uma olhada em volta e apanhou um frasco em um canto da pia, ao lado de um copo.

— Está parecendo suicídio. Tenho que avisar a polícia.

— Não podemos evitar o escândalo? Seria melhor se pudéssemos chamar a família e resolver tudo.

— Não posso. Avisem a família, mas eu vou avisar a polícia. Não toquem em nada. Vamos fechar a porta. Onde posso falar ao telefone?

— Queira me acompanhar, doutor. — Voltando-se para as moças, ela disse: — Saiam do corredor e voltem ao trabalho. Tratem de controlar as emoções.

Elas voltaram para seus lugares, mas ninguém conseguiu trabalhar. Falavam baixinho, assustadas. Antônio chegou preocupado, conversou com o médico e levou-o à sua sala para esperarem a chegada da polícia.

Meia hora depois, o delegado chegou acompanhado de algumas pessoas. Antônio e o médico informaram ao delegado o que havia acontecido.

— Tudo indica que foi suicídio — disse por fim o delegado.

— É o que parece — confirmou o médico.

— Ela não deixou nenhum bilhete, nada?

— Penso que não — informou o médico.

Ele interrogou a faxineira que encontrara o corpo, e seus homens confirmaram que não havia nenhum bilhete.

Enquanto isso, um dos investigadores conversava com as três funcionárias do escritório.

— O que levaria uma moça jovem e bonita a cometer uma loucura dessas?

— Não sei — comentou Gilda. — Nunca imaginei que ela pudesse fazer isso.

— Sempre foi uma boa funcionária, boa colega — tornou Maria.

— Apesar de hoje ela ter chegado muito pálida e nervosa. Parecia doente — disse Gilda.

— Eu a vi chorando às escondidas — ajuntou Maria. — Tanto que dona Neide a chamou para uma conversa. Sabe como é: aqui temos que ser profissionais. Os problemas pessoais precisam ficar em casa.

— Acham que ela foi repreendida? — perguntou ele.

— Bem... não sei. É que... — Gilda hesitou e mordeu os lábios.

— O que foi? — perguntou ele. — Pode dizer. Fica entre nós.

— Nós a ouvimos discutindo com dona Neide. Depois, ela saiu correndo e trancou-se no banheiro.

— Acham que ela se suicidou por causa dessa discussão?

— Isso não — respondeu Maria. — Ela já chegou nervosa.

— Peço que não diga nada ao delegado — pediu Gilda. — Preciso muito deste emprego. Se dona Neide souber que eu lhe contei, posso ser despedida.

— Fique tranquila. Não vai acontecer nada.

Ele foi juntar-se ao delegado e Maria comentou:

— Não devíamos ter dito nada.

— Pois eu acho que fizemos bem. Ninguém me tira da cabeça que, se dona Neide fosse mais humana, teria evitado essa tragédia.

— É possível. Antônia estava desesperada. E o desespero anula a razão e o bom senso — comentou Nina, que estivera silenciosa até então.

Ela sentia o coração apertado. Recordava-se da sua desilusão, do desespero que sentira vendo ruir seus sonhos de amor. Teria acontecido o mesmo com Antônia?

Não saberia dizer. Ela era uma moça doce, mas muito calada. Nunca fazia confidências nem falava sobre sua vida. Assim que a polícia permitiu, Antônio reuniu todos os funcionários. Tomou a palavra, dizendo emocionado:

— Estamos consternados pelo que aconteceu. Infelizmente, não pudemos evitar. Estão todos dispensados por hoje. Amanhã nosso escritório ficará fechado. Assim, poderão ir ao enterro. Como é sexta-feira, retornaremos na segunda normalmente. Mandei colocar o endereço da casa dela no mural. Peço-lhes discrição. Comentar esta tragédia só vai agravar um caso que já é muito triste.

Nina deixou o emprego na hora em que o corpo estava sendo transportado. Uma onda de tristeza a acometeu. Também pensava que, se Neide houvesse sido mais humana e perspicaz, talvez tivesse evitado aquele suicídio.

Nina achava que ela mesma, por sua vez, deveria ter seguido seu impulso e ido atrás de Antônia. De certa forma, sentiu-se culpada. Ela estava sendo muito passiva. Neide as dominava e ela aceitara esse controle sem fazer nada. Aquilo não podia continuar assim. Precisava recuperar a posse de si. Elas estavam se tornando bonecos que Neide manipulava conforme desejava. Precisava reagir, fazer alguma coisa. Arrependeu-se profundamente de ter contemporizado.

Na manhã seguinte, ao telefonar para o endereço de Antônia para informar-se sobre o sepultamento, teve uma surpresa: ela morava em uma pensão. A dona informou-a de que não sabia quando e onde Antônia seria velada.

Nina ficou pensativa. Precisava dessa informação. Decidida, ligou para a casa de Neide.

— Aqui é Nina. A senhora sabe onde será o velório de Antônia?

— Não. Você não anotou o endereço dela?

— Ela morava em uma pensão e a dona não sabe de nada.

— Pois eu também não.

— A senhora não vai ao enterro?

— Por que iria? Ela não é minha parente. Já chega a confusão que ela nos arrumou com esse suicídio. É isso que dá ser tão destrambelhada.

— Desculpe. Eu não devia tê-la incomodado. Passe bem, dona Neide.

Nina desligou o telefone irritada. Apanhou sua agenda, encontrou um número e discou. Uma voz de mulher atendeu:

— Por favor, posso falar com o doutor Dantas?

— Quem deseja?

— Nina. Sou uma funcionária do escritório dele.

Depois de alguns segundos ele atendeu:

— Alô.

— Doutor Dantas, sou eu, Nina. Trabalho em seu escritório. Desculpe incomodá-lo em sua casa, mas não tive alternativa. Falei com dona Neide, mas ela não está interessada.

— Do que se trata?

— Eu desejo ir ao velório da nossa colega Antônia. Acontece que ela morava em uma pensão, parece que não tem família. A dona da pensão não sabe de nada e não deseja envolver-se com o caso.

— Isso é o diabo! — comentou ele, sério. — Tem certeza do que está dizendo?

— Sim, senhor.

— Vou ver o que posso fazer. — Fez silêncio por alguns segundos, depois continuou: — Teremos que investigar. Você pode ir até o escritório agora?

— Posso.

— Nós nos encontraremos lá. A polícia levou a carteira profissional dela, mas nela só consta o endereço que você tem. Teremos que dar uma busca no escritório. Ela deve ter família.

— Se não a encontrarmos, ela será enterrada como indigente.

— Tem razão. Estarei no escritório dentro de meia hora.

Nina tratou de arrumar-se. Olhou-se no espelho e decidiu. Ia se arrumar do jeito que gostava. Neide não a dominaria mais. Aprontou-se e foi para o escritório.

Quando chegou lá, Antônio já se encontrava. Vendo-a, olhou-a admirado, mas não disse nada.

Antônio pediu que Nina procurasse a ficha de Antônia nos arquivos. Ela foi à sala dele com a pasta. Ele abriu-a e, contemplando seu retrato, disse triste:

— Ela era tão bonita! Por que teria feito isso?

— O desespero é mau conselheiro. Ontem ela chegou ao escritório muito abatida e triste. Tanto que não podia conter as lágrimas.

— Nesse caso, por que não conversou com ela e tentou saber o que estava acontecendo?

— Sinto-me culpada por não haver feito isso. Dona Neide a chamou em sua sala.

Ele abanou a cabeça negativamente:

— Ela não era a pessoa mais indicada para ajudar.

— Não mesmo. Elas discutiram e Antônia saiu de lá chorando. Passou por nós e foi fechar-se no banheiro. Tive vontade de ir atrás dela, mas me contive. Estou muito arrependida por não ter feito nada.

Ele suspirou fundo e considerou:

— Tenho uma filha quase da idade dela. Estou muito chocado. Gostaria muito de ter percebido e feito alguma coisa.

— Todos nós estamos nos sentindo assim, doutor. Por esse motivo quero despedir-me dela.

— Vamos ver o que há na ficha. "Antônia Alves — vinte e três anos – professora – natural de Campinas, SP – filha de José Alves e Clementina Alves."

Nada mais, além do endereço que eles já conheciam.

— Não é possível, Nina. Precisamos fazer alguma coisa. Não permitirei que ela seja enterrada como indigente. Ligarei para o delegado.

Ele ligou e ficou sabendo que o delegado estava tentando localizá-lo pelo mesmo motivo. Nenhum dos dois conseguiu outra informação. Antônio estava inconformado.

Nina sugeriu:

— O senhor pode colocar um anúncio no jornal.

— É uma boa ideia. Pode cuidar disso?

— Certamente. Posso mandar publicar a foto dela?

— Pode. É muito pequena, mas é a que temos.

Nina foi até o balcão de anúncios do jornal levando a foto. Ficou esperando que eles a copiassem e voltou ao escritório. Antônio ainda estava lá e Nina, depois de recolocar a foto na ficha de Antônia, foi à sala dele e perguntou:

— Há alguma coisa mais que eu possa fazer?

— Penso que não. Teremos que esperar.

Nina estendeu-lhe um papel, dizendo:

— Este é o número do telefone de onde moro. Se precisar de mim para qualquer coisa, estarei à disposição. — Hesitou um pouco e concluiu: — Gostaria de ter notícias do caso.

— Fique tranquila. Se eu souber de alguma coisa, telefonarei.

— Obrigada, doutor.

Ela saiu e ele suspirou triste. O suicídio de Antônia o impressionara muito. Resolveu ir para casa.

***

Nina comprou o jornal no dia seguinte e o anúncio da morte, com a foto ampliada de Antônia, foi publicado, pedindo o comparecimento da família à delegacia.

Como Antônio não telefonou, Nina deduziu que não haviam tido nenhuma notícia. Foi à tarde que ele finalmente ligou. Uma mulher havia procurado a delegacia dizendo ser tia de Antônia.

— O delegado me avisou e pediu para conversar com ela. Eu gostaria muito que você me acompanhasse.

— Está bem. Onde é a delegacia?

— É melhor me dar seu endereço e passarei para apanhá-la. Quero ir o mais rápido possível.

Meia hora depois ele passou e foram para a delegacia. Mílton os recebeu imediatamente e os conduziu a uma sala onde foram apresentados à tia de Antônia. Era uma mulher de uns cinquenta anos, magra, alta, muito bem-vestida. Via-se que tinha classe e dinheiro.

— Esta é a senhora Olívia Fontoura, tia de Antônia — disse o delegado. — Viu o anúncio e nos procurou.

— Meu nome é Antônio Dantas, advogado, e esta é Nina. Antônia trabalhava em meu escritório. Nós colocamos o anúncio porque Antônia nunca nos deu informações sobre sua família.

Olívia levantou-se e apertou a mão que ele lhe estendia, dizendo:

— Ainda estou chocada. Apesar de tudo, não esperava uma notícia dessas.

— Sentem-se e fiquem à vontade — disse o delegado. — Vou ver se consigo o resultado da autópsia para poder liberar o corpo.

Eles se acomodaram e Antônio indagou:

— A senhora é tia dela?

— Sim. A mãe dela era irmã de meu marido.

— Já avisou o resto da família?

— Com exceção de meu marido e eu, ela não tem mais ninguém. Para dizer a verdade, eu não queria vir. Mas meu marido insistiu. Ele está fora do país.

— Ainda bem que a senhora veio — disse Antônio. — Todos estamos chocados com o caso.

— Certamente ela causou transtorno à sua empresa. Isso ela sempre soube fazer muito bem. Quando a mãe morreu em um acidente de carro, ela era adolescente e meu marido, um homem muito caridoso, a trouxe para nossa casa. Mas ela só nos deu trabalho. Quando resolveu se mudar, foi um alívio. O senhor deve ter se aborrecido. Ela bem poderia ter se suicidado em outro lugar.

Nina remexia-se na cadeira inquieta. Era-lhe insuportável presenciar a atitude daquela mulher.

Antônio considerou:

— Não vejo dessa forma. Se houvesse percebido o que ela pretendia fazer, teria me esforçado para impedir. Fico me perguntando por que teria feito isso. Era jovem, bonita. Tinha todo um futuro pela frente.

— O senhor é um homem educado. Mas ela era assim. Nunca se importava com os problemas dos outros. Era instável, cheia de altos e baixos. Só podia dar no que deu.

Nina interveio:

— Vejo que a senhora não a conhecia bem. Antônia era uma moça inteligente, doce, meiga, delicada e gentil. Todas as colegas a estimavam, além de ser uma funcionária exemplar. Para fazer o que fez, ela deve ter sofrido muito.

Olívia fulminou-a com o olhar e não respondeu. Antônio tornou:

— Essa também era minha opinião. Seja como for, o importante agora é saber que providências a senhora deseja tomar com relação ao enterro.

— Bem, meu marido não vai poder vir. Está em um seminário importante na Suíça. Ele é médico, oftalmologista. Mas vamos pagar todas as despesas. Será enterrada ao lado da mãe dela. Agora preciso ir. Aqui está meu cartão. Aguardarei notícias.

Depois que ela se foi, Nina não se conteve:

— Que mulher antipática! Desculpe doutor, mas foi difícil me conter.

— Deu para notar que ela não gostava de Antônia. Em todo caso, conseguimos nosso objetivo. Agora só falta saber quando o corpo será liberado. Temos que tomar providências para o funeral. Ela vai pagar, mas deixou claro que não deseja incomodar-se com nada.

— Se quiser, posso obter todas as informações a respeito e o senhor resolve o que preferir.

— Faça isso. Vamos embora. Vou levá-la em casa.

— Não se incomode, doutor. Posso tomar um ônibus. O senhor está cansado.

— Faço questão.

Uma vez no carro, ele disse:

— Você mora em um colégio. Não tem família?

— Meus pais moram no interior de Minas Gerais. Como sabe, tenho um filho pequeno que nasceu no pensionato das freiras. Antes de trabalhar com o senhor, trabalhei no colégio. Mudei de emprego, mas continuo morando lá. Meu filho fica na creche do colégio.

— Você é uma moça corajosa.

— Precisei ser. Tenho que criar meu filho sozinha. Desejo dar-lhe uma boa educação.

Nina pensou que ele fosse perguntar pelo pai do menino, mas ele não o fez. Foi discreto, e ela apreciou sua atitude. Mas, se ele perguntasse, não teria acanhamento em responder. Havia assumido sua situação com naturalidade e não se importava com o juízo que pudessem fazer dela.

Ele deixou-a em casa e Nina, depois de ver o filho, tomou as informações para o sepultamento de Antônia. Combinou tudo com Antônio.

O corpo foi liberado no domingo pela manhã e o enterro marcado para a tarde do mesmo dia.

Nina cuidou de tudo e Antônio ficou aliviado por haverem-se desembaraçado de tão desagradável tarefa. Aliás, Nina organizou tudo, poupando-lhe o trabalho.

No velório, Nina permaneceu o tempo todo. Havia avisado todos os funcionários, inclusive Neide, apesar de ela haver dito que não iria. Suas colegas Gilda e Maria compareceram logo após o almoço e ficaram até a hora do enterro. Neide não compareceu. A tia de Antônia esteve lá, não mais do que quinze minutos. Meia hora antes do enterro, Antônio compareceu com a esposa e acompanharam o corpo até a sepultura.

Quando tudo terminou, na saída do cemitério, Antônio aproximou-se de Nina e apresentou-lhe sua esposa. Mercedes era uma mulher bonita e elegante, de olhos vivos e francos.

— Esta é Nina, que muito nos ajudou nesta hora.

Mercedes estendeu a mão, olhando-a nos olhos com simpatia:

— Tenho muito prazer em conhecê-la. Estou muito grata pelo que fez. Antônio ficou muito chocado com o caso. Seria muito penoso para ele cuidar dos detalhes.

— Gostaria de poder ter evitado esta tragédia. Ainda estou me sentindo um pouco culpada.

— Não diga isso. Você não poderia prever o que aconteceu. Apesar de o momento ser de tristeza, apreciei muito conhecê-la. Espero tornar a vê-la em uma ocasião mais alegre. Antônio me disse que você é muito eficiente.

— Será um prazer. Se precisar de alguma coisa, estarei à sua disposição.

Eles se despediram. Gilda e Maria, que os observavam, aproximaram-se:

— Não sabia que você era tão importante — disse Gilda.

— Trabalho lá há mais de quatro anos e nunca fui apresentada à dona Mercedes — tornou Maria. — Você já a conhecia?

— Não — respondeu Nina com naturalidade. — É muito simpática. Agora preciso ir. Deixei meu filho com as freiras. Fizeram-me esse favor e não posso abusar. Até amanhã.

Depois que Nina se foi, Gilda comentou:

— Se dona Neide soubesse dessa intimidade com o doutor Antônio, ficaria muito irritada.

— Você não pensa em contar, não é?

— Pensando bem, até que seria muito bom. Dona Neide iria disfarçar, mas ficaria comendo fogo. Isso eu gostaria de ver.

— Mas ela iria perseguir a Nina, e ela não merece.

— Isso é verdade. Mas, depois do que vimos aqui hoje, penso que a dona Neide não conseguiria nada com o doutor Antônio.

Depois de comentarem sobre a morte da colega, o enterro bonito, as flores e a antipatia de Olívia, elas se despediram.

A tarde morria lentamente e as folhas caíam das árvores sobre o túmulo de Antônia, onde os funcionários terminavam de fechar com reboque a laje que haviam aberto, e o vento forte que soprava as movimentava como a querer varrer a tristeza e a dor por aquela vida truncada tão cedo, chorando as oportunidades perdidas.

Nina chegou ao escritório apressada. Olhou o relógio e suspirou aliviada. Apesar de o bonde ter atrasado, ela conseguira chegar dentro do horário. Colocou a bolsa no armário e, antes mesmo de sentar-se, Neide já estava em pé do seu lado.

— Bom dia, dona Neide.

— Bom dia. Tenho um serviço urgente. Você precisa levar estes documentos ao escritório do doutor Camargo.

Nina olhou-a séria. Desde o falecimento de Antônia, quatro meses atrás, Neide procurava mandá-la para fora do escritório, encarregando-a de serviços que poderiam ser executados pelo mensageiro.

Nina notou que isso começara a acontecer depois que ela percebeu que o doutor Antônio a chamava em sua sala e às vezes parava em sua mesa para cumprimentá-la.

Gilda lhe dissera que Neide fora perguntar como Nina conseguira tal proximidade, e Maria prazerosamente lhe contara sobre o enterro de Antônia.

O dia em que Mercedes ligou e pediu para falar com Nina deixou Neide enfurecida. Mesmo não tendo ouvido a conversa, não conseguiu dissimular a contrariedade.

Bem que havia desconfiado da boa vontade de Nina, sempre disposta a fazer tudo, a ficar depois do horário. Estava claro que ela desejava tomar-lhe o lugar. Arrependeu-se de não ter tomado as providências do enterro de Antônia.

Também, como iria adivinhar que Antônio, um advogado experiente, fosse ficar tão impressionado com o ocorrido?

Precisava mandá-la embora. Não podia ficar em paz enquanto aquele perigo a estivesse rondando. Estava claro que o doutor Antônio se deixara levar pela "boa vontade" de Nina.

Havia observado também que Nina não mais obedecia às suas orientações, comparecendo ao escritório maquiada, com roupas vistosas. Ela havia dito como deveria se vestir. Agora que se sentia importante, Nina fazia isso para afrontá-la.

Muitas vezes o doutor Antônio procurava por Nina. Desejava encarregá-la de algumas providências, mas ela nunca estava. Neide o informava que Nina adorava ficar na rua e vivia pedindo para fazer esse tipo de serviço.

Nina estava percebendo o jogo dela e resolveu reagir. Neide continuava com o envelope estendido, e Nina perguntou:

— A senhora não pode mandar o menino entregar isso?

Neide enrubesceu de raiva.

— Como se atreve? Você está aqui para me obedecer.

Nina abriu o jogo:

— Tenho notado que a senhora tem procurado manter-me afastada do escritório, mandando-me fazer serviço que qualquer menino de recados pode fazer. Não é essa minha função.

— Sua função é fazer o que eu determino. Quem você pensa que é?

— Uma pessoa responsável.

— Pegue este envelope e vá entregá-lo agora no escritório do doutor Camargo.

— E se eu não for?

— Se não for, falarei com o doutor Antônio. Você será despedida.

O telefone tocou e Nina atendeu. Era o doutor Antônio:

— Ainda bem que a encontrei. Venha à minha sala.

— Sim, senhor.

Nina desligou o telefone e, olhando Neide, disse séria:

— Sinto muito, mas não poderei ir mesmo. O doutor Antônio está me chamando.

Neide fulminou-a com o olhar e foi para sua sala. Gilda e Maria dissimularam a alegria. Assim que Nina foi à sala de Antônio, elas se aproximaram:

— Você viu a cara dela? — disse Maria.

— Pensei que ela fosse ter um ataque — respondeu Gilda, satisfeita.

Nina bateu ligeiramente na porta e Antônio a mandou entrar.

— Finalmente consigo falar com você — disse ele.

— Quando o senhor ligou eu estava justamente dizendo a dona Neide que qualquer menino poderia entregar aquele envelope. Tenho consciência de que o salário que o senhor me paga é para fazer outro tipo de serviço.

— Que envelope era aquele?

— Para levar ao escritório do doutor Esteves Camargo.

— Não era para você levar, mas para o mensageiro. Por que ela mandou você?

— Não sei. Ela ficou muito irritada. Ameaçou despedir-me.

— Ela disse isso?

— Sim. Eu perguntei se o mensageiro não poderia fazer isso e ela não gostou. Em todo caso, se o senhor achar que é melhor eu ir, irei.

— Não. Deixe isso, que eu resolvo. Chamei-a aqui para tratar de outro assunto. Lembra-se de Olívia, a tia de Antônia?

— Sim.

— Ontem, fomos a um jantar na casa de um amigo e lá estava ela com o marido. Um homem muito educado, fino. Soube pelo meu amigo que eles são muito ricos e bem-vistos na sociedade. Mercedes pediu que eu lhe contasse. Disse que vai lhe telefonar para comentar.

— Ela mencionou Antônia?

— Não. Nós conversamos ligeiramente. Mercedes também não simpatiza com ela.

— Ficou indiferente à morte da sobrinha.

— Já o marido pareceu-me muito agradável. Era isto que eu queria lhe dizer. Mas, já que está aqui, bata este contrato e esta petição. Quando terminar, traga-o direto para mim.

Nina saiu pensando que Neide iria ficar ainda mais irritada quando soubesse que ele a encarregara de um serviço passando por cima da autoridade dela. Ele não lhe parecia tão formal quanto ela.

Era bem provável que toda aquela disciplina "linha dura" fosse criada apenas por ela para conservar sua autoridade e manter as outras funcionárias distantes do patrão.

Nina, vendo Neide se aproximar, disse séria:

— O doutor Antônio me disse que mandou o mensageiro entregar aquele envelope. Acho que a senhora se enganou.

Neide mordeu os lábios e tornou:

— De fato. Mas isso não justifica sua atitude. Você me desafiou.

— Não se trata disso, dona Neide. É que estou sendo paga para fazer um serviço mais complexo. Sai caro para o escritório usar meu tempo com coisas que qualquer um pode fazer.

— Não lhe pedi opinião. Sei o que estou fazendo. — Hesitou um pouco e perguntou: — Afinal, o que o doutor Antônio queria?

— Falar comigo um assunto particular. Também me pediu para fazer alguns serviços para ele.

Neide não respondeu. Saiu quase correndo, para delícia de Gilda e Maria, que se entreolharam maliciosas. Aproximaram-se de Nina querendo saber o que havia acontecido, mas ela disse simplesmente:

— Vamos deixar isso de lado. Não tem nenhuma importância. Tenho muitas coisas para fazer.

As duas foram trabalhar e Nina se dispôs a fazer o que o doutor Antônio lhe pedira. Quase na hora do almoço, Mercedes ligou:

— Nina, gostaria de conversar com você. Pode vir à minha casa hoje, quando sair do escritório?

— Sinto muito, dona Mercedes, mas preciso buscar meu filho. Não tenho com quem deixá-lo. Gostaria muito de ir...

— Não faz mal. Amanhã é sábado. Por que não vem tomar um lanche à tarde e traz seu filho? Gostaria muito de conhecê-lo.

Nina hesitou um pouco, depois respondeu:

— Ele é muito levado.

— Não se preocupe. Venha, que nos dará muito prazer.

— Nesse caso, iremos. Pode esperar.

— Quero conversar com você. Vou precisar de sua ajuda.

— Pode contar comigo.

Nina desligou o telefone e voltou ao trabalho. Apesar das amizades que tinha no colégio, ela não frequentava a casa de ninguém. Havia notado que sua situação de mãe solteira não era bem-vista pela maioria das mulheres, que viam nela uma perigosa rival.

Por esse motivo, não desejava expor seu filho à maledicência das pessoas e ao preconceito.

Mas gostara de Mercedes. Depois, ela sabia a verdade e mesmo assim insistira em convidá-la. Momentos havia em que, apesar de ter o filho, sentia-se muito só. Seus pais moravam distante. Sabiam a verdade, continuavam apoiando-a, mas moravam em uma cidade pequena onde sua presença serviria de escândalo.

Por esse motivo, ela nunca mais fora visitá-los. Eles, quando podiam, vinham a São Paulo vê-la. Mas, naqueles quatro anos, vira-os apenas duas vezes. Por tudo isso, aceitou o convite de Mercedes. Sentia que era uma pessoa franca, sem preconceitos.

***

Neide desligou o telefone com raiva. Desde que notara a simpatia que Antônio nutria por Nina, sempre que ela atendia o telefone ficava ouvindo na extensão. O convite de Mercedes a deixou muito contrariada.

Era fora de dúvida que Nina estava se insinuando para a família do seu chefe, tentando tomar seu lugar. Isso ela não podia tolerar. Conseguira aquele emprego com muito esforço e não estava disposta a perdê-lo.

De nada lhe valera dizer a Nina que sua aparência exuberante não condizia com a sobriedade do escritório. Ela agradecera o conselho, mas continuava do mesmo jeito. Não lhe passaram despercebidos os olhares de admiração que os homens lhe lançavam.

Neide não se conteve. Chamou-a em sua sala e disse:

— Você precisa deixar de arrumar-se como quem vai a uma festa. Aqui é um lugar de trabalho. Tem que ser discreta.

Nina sorriu, deu uma volta e respondeu:

— Um costume verde-folha, uma camisa de seda creme, sapatos fechados marrons... Parece-me muito indicado.

— Pois não é. Além disso, seu exemplo tem sido pernicioso. Suas colegas estão querendo imitá-la. Você tem que mudar.

— Aprecio sua opinião, dona Neide. Mas o doutor Antônio não pensa como a senhora. Ainda ontem me disse que todas as moças aqui deveriam vestir-se com a mesma classe que eu. Então, vou continuar me vestindo do jeito que gosto.

Neide mordeu os lábios com raiva. A situação estava pior do que havia imaginado. Como ela se atrevia a dar aquela resposta? Estava claro que tinha o chefe sob controle.

Era bem possível que Nina estivesse dando em cima do chefe. Precisava abrir os olhos de Mercedes. Seria um bom pretexto para acabar de uma vez com o atrevimento de Nina. Ficou pensando na melhor forma de fazer isso.

***

Na tarde seguinte, Nina e o filho foram visitar Mercedes, que os recebeu com carinho.

— Seu filho é muito lindo! — disse ela.

— Ele é toda a minha vida — respondeu Nina, com um brilho emocionado nos olhos.

Estavam tomando lanche na copa quando chegou uma jovem, elegante, morena, olhos escuros e brilhantes, lábios carnudos e vermelhos, cabelos castanhos e ondulados que lhe caíam sobre os ombros.

— Esta é minha filha Marta — apresentou Mercedes.

Nina olhou-a nos olhos e perguntou:

— Não nos conhecemos de algum lugar?

— Acho que não. Engraçado, eu também tive a impressão de conhecê-la.

— Isso já me aconteceu — disse Mercedes. — Vai ver que se conhecem de outra encarnação.

Marta sorriu e respondeu:

— É o mais provável. Mas quem é esse menino lindo?

— Marcos, meu filho.

Ela aproximou-se do menino:

— Como vai, Marcos?

— Bem, obrigado.

Marta sentou-se ao lado dele e os dois logo começaram a conversar. Nina ficou admirada. Marcos, apesar de conviver educadamente com as pessoas, era muito reservado. Com Marta, depois de alguns minutos de conversação, já estava lhe falando de seus amiguinhos da creche.

— Ele é muito inteligente — comentou Marta.

— Eu também acho. Mas sabe como é mãe...

— Ele tem carisma e seus olhos são muito expressivos. É um espírito lúcido, experiente. Já viveu muitas vidas.

— Como sabe?

Mercedes interveio:

— Marta tem muita sensibilidade. Pode acreditar no que ela está dizendo.

— Eu acredito. Sei que ele é inteligente, amadurecido. Diz coisas que me surpreendem. Mas você disse que ele já viveu muitas vidas.

— Sim. Você não crê na reencarnação?

Apanhada de surpresa, Nina não soube o que responder. Algumas vezes ouvira referências a isso, mas nunca se interessara pelo assunto. As freiras costumavam fazer piadas a respeito, afirmando ser impossível.

— Para ser sincera, nunca pensei a respeito.

— Nina trabalhou com freiras e ainda mora com elas. Talvez seja melhor não entrarmos nesse assunto.

— Pois eu acho que está na hora de ela começar a enxergar a verdade. Dessa forma poderá entender melhor o que lhe aconteceu e jogar fora do seu coração toda a mágoa que a está infelicitando.

Os olhos de Marta brilhavam convictos e Mercedes calou-se. Ela sabia que Marta não falava por si mesma. Nina fitou-a admirada. Elas sabiam que ela era mãe solteira, mas a mágoa que ela guardava no coração nunca dissera a ninguém. Ficou calada, esperando que ela continuasse.

— Quando não enxergamos os fatos como são, adotamos a posição de vítimas, acreditamos estar sendo injustiçados, então cultivamos o ódio, o desejo de vingança. Mas tudo isso desaparece quando aprendemos que tudo sempre esteve certo, que tudo precisava ser do jeito que foi, seja para nosso amadurecimento, para o desenvolvimento da nossa consciência, seja também para resolver assuntos mal acabados de outras vidas. Nosso destino é a felicidade, mas ninguém pode ser feliz sem ter a alegria no coração. Por tudo isso eu digo: está na hora, Nina, de conhecer a vida espiritual. De saber como as coisas realmente são.

Marta suspirou, sorriu e disse alegre:

— Mãe, pode me servir um pedaço daquela torta? Estou morta de fome.

Nina estava emocionada. Alguma coisa diferente estava acontecendo ali e ela não sabia o que era. Depois de comer, Marta olhou para Nina e pediu:

— Posso levar Marcos até meu quarto? Quero mostrar a ele algumas gravuras.

— Claro. Só que ele é muito levado.

— Deixe comigo. Vamos, Marcos.

Depois que ela se foi levando o menino pela mão, Mercedes tornou:

— Você deve estar intrigada com o que ela lhe disse. Vou tentar lhe explicar. Tive duas filhas. Marta nasceu primeiro. Seis anos depois nasceu Valquíria. Infelizmente, não veio com saúde. Não se desenvolveu como deveria e morreu ao completar três anos. Esse problema nos causou muito sofrimento. Fizemos tudo na tentativa de salvá-la, mas foi inútil.

Desde aqueles tempos, notamos que Marta era diferente das outras pessoas. Aos dois anos, ela conversava com seres invisíveis, brincava, falava e muitas vezes nos surpreendeu dizendo que conversava com alguns parentes nossos falecidos. Falava com tal firmeza e riqueza de detalhes, que acabamos acreditando, apesar de ela ser muito pequena.

Quando Valquíria nasceu, ela permanecia longo tempo olhando-a e muitas vezes nos dizia que ela tinha vindo apenas por algum tempo e logo regressaria.

Notando que eu chorava quando ela falava isso, Marta me acariciava e dizia:

— Não fique triste, mãezinha. Ela veio para se curar. Quando ela se for, estará boa. Vai ser feliz.

— Eu não entendia. Conversava com Antônio, que, aconselhado por alguns amigos, começou a estudar o espiritismo. Mas eu, de formação católica, não lhe dava ouvidos. Ele logo se convenceu de que Marta era sensitiva e, sempre que ela falava alguma coisa séria, ele acreditava. Ela previu a morte da irmã com precisão. Vendo meu desespero, ela me disse séria:

— Não chore, mãe. Fique feliz. Agora ela está curada. Libertou-se.

— Diante da irmã morta, não derramou nenhuma lágrima. Acariciou-a com muito amor e orou por ela, desejando-lhe felicidade. Todos ficamos muito impressionados com a atitude dela. Tinha apenas nove anos.

— Depois disso, Antônio conversou muito comigo e aos poucos também comecei a estudar o espiritismo. Lá encontrei muitas respostas para o drama que tínhamos vivido. Confortei-me. Descobri que nós já vivemos outras vidas, sempre com a finalidade de amadurecer, aprender a viver melhor.

Nina tinha lágrimas nos olhos. Sentia que Mercedes falava com sinceridade.

— Dona Mercedes, avalio sua dor. Se a senhora encontrou conforto para isso, o espiritismo só pode ser uma coisa boa.

— Isso mesmo. Depois, não foi apenas conforto o que encontrei. Eu comecei a estudar tentando entender o que nos acontecera, mas com o tempo percebi que tudo era verdadeiro. No dia a dia fui encontrando a comprovação desses ensinamentos. Atualmente, não tenho nenhuma dúvida: sei que a morte é apenas uma viagem, que o nosso espírito é eterno. Quando nosso corpo morre, continuamos vivos em outra dimensão do Universo. Tudo continua. O corpo de carne é apenas um vestido que, quando se rompe, abandonamos.

Nina sobressaltou-se.

— O que foi? — indagou Mercedes.

— Lembrei-me de Antônia. Quer dizer que ela pode estar viva em outro lugar?

— Certamente. Não sei se já está consciente. O suicídio é um ato de revolta que só aumenta o sofrimento, uma vez que a vida continua e os problemas permanecem. Mas, se ela já acordou no outro mundo, deve estar muito arrependida do seu gesto.

— Por que será que ela se matou?

— Difícil saber. Ela não deixou nada escrito.

— Meu Deus! Estou penalizada.

— Suicídio não é solução. É um ato de falsa coragem. A verdadeira coragem é enfrentar os problemas, sejam quais forem.

— Concordo.

A partir daquele dia, Nina passou a frequentar a casa de Mercedes com regularidade. Entre ela, Mercedes e Marta nasceu uma amizade sincera. Nina sentia-se feliz vendo-as rodear Marcos de carinho.

Uma tarde de sábado, enquanto tomavam lanche na varanda, Marta brincava com Marcos e de repente parou, aproximou-se de Nina e disse:

— Sua vida vai mudar. Muitas coisas vão acontecer. Mas lembre-se de que, enquanto guardar a mágoa e o desejo de vingança no coração, não conseguirá ser feliz!

Nina empalideceu. Apesar da amizade que as unia, ela nunca havia lhes contado o verdadeiro motivo pelo qual desejava subir na vida. Marta falava com firmeza e seus olhos estavam fixos em um ponto distante.

Quando Nina conseguiu sair da surpresa e ia responder, Marta estremeceu e disse:

— Mamãe pode me servir uma xícara de chá?

Enquanto ela tomava o chá como se nada tivesse acontecido, Nina, impressionada, estava pensativa. Depois de alguns segundos, perguntou:

— O que ela disse pode acontecer mesmo?

— Pode e sempre acontece.

— Como é que ela sabia que eu guardo uma mágoa no coração? — indagou Nina.

Desta vez foi Marta quem respondeu:

— Eu senti isso desde que a vi pela primeira vez. Mas hoje foi uma amiga espiritual quem deu esse recado.

Mercedes interveio:

— Como eu lhe disse, Nina, estamos cercados de seres que vivem em outras dimensões do Universo. Quem morre neste mundo continua vivo em outro lugar.

— Mesmo os que são maus? — perguntou Nina.

— Todos. A vida continua e o espírito é eterno. Digamos que os que se iludem com o mal são ignorantes das leis perfeitas da vida. Mas um dia eles também terão aprendido e se tornarão espíritos lúcidos e bons.

Nina pensou em André e considerou:

— É difícil crer que alguém que foi mau, que causou sofrimento às pessoas, possa tornar-se bom.

— O progresso é para todos. Deus é amor e deseja nossa felicidade, mas quer que sejamos lúcidos, que nossa consciência se desenvolva. Só assim poderemos valorizar e apreciar devidamente o bem. Sem isso seremos indiferentes, incapazes de perceber os valores eternos e verdadeiros.

— Há pessoas tão más que isso parece impossível.

— Não é. Para isso nós temos toda a eternidade. A dor incomoda, o sofrimento constrange. Todos queremos nos libertar deles. Assim, vamos procurando novos caminhos menos dolorosos. No fim aprendemos que somos responsáveis por tudo quanto nos acontece, que somos nós que com nossas atitudes atraímos o bem ou o mal.

Nina ficou alguns instantes pensativa. Ela nunca fizera mal a ninguém, entretanto fora vítima da maldade de André. Marcos era inocente e não merecia ser desprezado pelo pai.

— O que a senhora está dizendo é bonito, mas na prática não acontece.

— Por que acha isso?

Nina olhou em volta e, vendo que Marta se dirigira para o jardim brincando com Marcos, disse:

— Porque em minha vida não foi assim. Eu amei um homem e a ele dei tudo que tinha de melhor. Fui sincera, leal, carinhosa, dedicada. Ele era estudante e fizemos planos para quando ele se formasse. Entretanto, quando se formou, ele me abandonou, mesmo sabendo que eu estava esperando um filho.

— É essa a mágoa que você guarda no coração.

— Eu o odeio! Ele trocou meu amor sincero, o amor do nosso filho, pela ambição. Casou-se com uma moça da sociedade. Enganou-me todo o tempo. Nunca me amou. Como eu posso ser responsável pelo que me aconteceu se o culpado foi ele?

Mercedes colocou a mão sobre a de Nina, acariciando-a levemente, e disse:

— Você está se colocando como vítima. Isso não é verdade. No jogo do amor há duas pessoas, e para dar certo é necessário que ambas desejem ficar juntas. Quando uma mulher começa um relacionamento, precisa encarar a realidade, usar bom senso e decidir até que ponto vale a pena ousar. Você era inexperiente e isso a levou a entregar-se, baseando-se apenas em seus próprios sentimentos, sem questionar que ele não era você e poderia valorizar as coisas de maneira diferente.

— Eu estava muito apaixonada. Não conseguiria resistir.

— Você sabe que queria estar com ele. Decidiu isso. Só não pensou na possibilidade de ele escolher outro caminho.

— Mesmo que eu houvesse pensado nisso, teria ficado com ele enquanto ele me quisesse. Atualmente me envergonho de dizer isso. Mas naquele tempo eu estava cega.

— Se reconhece isso, se sabe que fez o que desejava, por que o culpa por haver escolhido outro caminho? Você fez o que quis e desejava continuar, mas ele mudou. Isso pode acontecer a qualquer um.

— Depois de haver mergulhado de corpo e alma nesse amor, foi muito triste vê-lo ao lado de outra. Seu desprezo pelo nosso filho foi o que doeu mais. Insinuou que eu abortasse. Prometeu continuar pagando as despesas da casa que ele havia montado para nós. Claro que eu não quis. Na manhã seguinte fui embora, mas não consegui esquecer o que ele nos fez.

— Ele conhece o menino?

— Não. Quando saí da casa, não deixei endereço. Apenas uma amiga sabia onde eu estava, mas a proibi de contar-lhe.

— Quer dizer que ele não soube que era pai?

— Durante cinco anos nunca nos vimos. No dia em que fui à empresa para a primeira entrevista com o doutor Antônio, ao sair nos encontramos na rua. Eu não o tinha visto, mas ele me segurou pelo braço ansioso, querendo saber tudo. Respondi com evasivas e não contei nada. Nem sequer dei meu endereço.

— Talvez fosse melhor conversar, afinal um filho é sempre uma responsabilidade.

— Marcos não precisa dele. Eu sou suficiente para dar-lhe tudo que for necessário. Não quero que ele saiba que seu pai o rejeitou. Um pai assim não merece o prazer da sua convivência.

Mercedes olhou-a pensativa. Ficou calada por alguns instantes, depois disse:

— O orgulho é mau conselheiro.

— Não gostei de como ele me olhou quando contei que estava grávida. Havia desconfiança em seu olhar. Talvez tenha imaginado que eu estava usando esse ardil para induzi-lo ao casamento. Ele é de família rica, e eu não. Decidi assumir toda a responsabilidade pelos meus atos. Meu filho não precisa; eu posso cuidar dele bem.

— De fato. Ele está ótimo. É um menino adorável.

— Marcos é tudo que tenho neste mundo. É por ele que eu tenho estudado, trabalhado.

Marta entrou na sala com Marcos, dizendo alegre:

— Este menino é muito vivo. Aprende com facilidade.

— Gostei da história do camelo. Depois eu conto para você, mãe — disse Marcos, contente.

— Pode contar agora — disse Mercedes.

— Não. Vou contar na hora de dormir. Ela sempre me conta a do burrinho e hoje eu vou contar a do camelo.

A tarde estava findando quando Nina se despediu e saiu com o filho. Mercedes e Marta queriam que ficassem para o jantar, mas Nina não quis abusar.

No trajeto da volta, pensava nas conversas que haviam tido. Tanto Mercedes quanto Marta tinham boas intenções, mas nunca poderiam avaliar o quanto ela havia sofrido.

Para quem estava fora da situação, era fácil encontrar explicações, aconselhar. O difícil era conseguir esquecer, perdoar, quando a ferida ainda estava sangrando e doía.

Lembrou-se do encontro com André e sentiu um aperto no coração. Ele certamente estava feliz, vivendo sua vida com a esposa, tendo sucesso na carreira, enquanto ela carregava o peso daquela traição, de um amor que a transformara em uma pessoa infeliz e rejeitada.

Não. Ela não ia esquecer. Um dia André ainda haveria de arrepender-se de tudo quanto lhe fizera.

Nina entrou na sala do doutor Antônio dizendo:

— O senhor deseja alguma coisa?

Ele deixou de lado o relatório que estava examinando. Olhou-a e respondeu:

— Quero conversar com você. Sente-se, por favor.

Ela sentou-se em frente à mesa dele e esperou. Ele continuou:

— Faz dois anos que trabalha comigo e tem se revelado muito eficiente. Gostaria de fazer-lhe uma proposta.

Os olhos dela brilharam alegres.

— Sou muito grata pela oportunidade que tem me dado. Tenho aprendido muito neste escritório.

— Como sabe, nosso trabalho tem aumentado muito.

— O senhor tem sido brilhante. Estamos com uma invejável carteira de clientes.

— Tenho trabalhado demais. A princípio pensei em convidar outros advogados para fazer uma sociedade. Conversei com Mercedes. Ela ponderou que seria problemático colocar um advogado desconhecido em nosso escritório. Fez uma sugestão e achei muito melhor. Você tem se esforçado muito. Conhece leis tanto quanto eu.

— Bondade sua, doutor.

— Estou sendo sincero. Você é uma excelente advogada. Eu entregaria muitos casos em suas mãos, o que me aliviaria bastante. Infelizmente, você não tem um diploma.

— De fato. Sou autodidata.

— Gostaria de entrar na faculdade e conseguir seu diploma?

— Esse é meu sonho.

— Nesse caso, vou dar-lhe um aumento de salário, suficiente para pagar o curso. Em troca, depois de formada, você trabalhará comigo.

Nina sentiu a voz embargada e não respondeu logo.

— Então, o que me diz?

— Claro que aceito.

— Conversarei com o reitor de uma faculdade. É meu amigo. Pedirei que a examine e verifique em que ano você pode matricular-se.

— Acha que vai conseguir?

— Você fará os exames e eles avaliarão. Tenho certeza de que não precisará começar do primeiro ano.

Quando voltou para casa no fim da tarde, Nina procurou a diretora do colégio para contar a novidade. Madre Pierina, além de a haver ajudado quando fora ao pensionato pela primeira vez, havia se tornado sua grande amiga.

Para poder estudar, Nina precisaria da cooperação dela. Além de estar trabalhando o dia inteiro, estudando à noite, só voltaria para casa muito tarde.

Nina dispensava ao filho todo o seu tempo livre. Adorava ficar com ele, mas ao mesmo tempo, pelo fato de ele não ter pai, considerava que precisava suprir essa falta.

Apesar de desejar muito esse diploma, seria justo privar o filho da sua companhia por tanto tempo? Isso não o distanciaria dela?

Por outro lado, essa era a grande oportunidade que sonhara alcançar para poder progredir e dar ao filho uma vida boa, confortável. Depois, havia jurado não poupar esforços para chegar aonde queria e fazer André arrepender-se de havê-la preterido.

Este último argumento a convenceu de que não podia recusar. Marcos dormia cedo e não sentiria tanto sua falta. Procuraria compensar essa ausência cercando-o de mais amor.

Conversaria com ele e o faria compreender que era um sacrifício justificado para que pudessem melhorar financeiramente.

Procurou por madre Pierina, expôs a situação e finalizou:

— O doutor Dantas disse que vou prestar exame. Talvez nem precise começar do primeiro ano. Meu único problema é ficar mais tempo longe do Marcos. Mas se a senhora concordar que eu o busque mais tarde, aceitarei. Como vou receber um aumento de salário, poderei pagar uma mensalidade maior para o colégio.

Pierina olhou-a séria e perguntou:

— Você tem certeza de que precisa desse diploma?

— Bom, o doutor Dantas me ofereceu uma oportunidade única: tornar-me sua colaboradora direta, talvez até sócia. É um advogado conceituado e muito respeitado. Vários profissionais gostariam de ter essa chance.

— Estudar, melhorar de vida é uma coisa boa. Ainda mais que você tem um filho para criar. Mas, além desse, você tem outro objetivo, que considero perigoso. Gostaria de saber se já esqueceu o passado, se já conseguiu perdoar.

Nina estremeceu. Levantou a cabeça com altivez e respondeu:

— Não, madre. Não esqueci. Acho que nunca esquecerei.

— É isso que me preocupa. É hora de esquecer o que passou, de olhar para a frente, reconstruir sua vida afetiva.

— Não, madre. Para mim, o amor acabou. Só o meu filho conta. Por ele faço tudo, quero que ele seja muito feliz.

— É preciso aceitar a vontade de Deus, minha filha. Ele sabe o que faz.

— Obrigada, madre. Sei que deseja meu bem. Eu respeito sua fé, mas não sou religiosa. Não tenho a mesma certeza que a senhora. Sei que preciso tomar conta de minha vida e estou tentando fazer o melhor. É nisso que eu creio.

Madre Pierina suspirou desanimada. Fazia anos que tentava fazer Nina tornar-se mais conformada com seu destino. Ela havia se entregado ao namorado antes do casamento e ele a trocara por outra. Se tivesse preservado sua intimidade, não teria sofrido tanto. Em vez de assumir a própria responsabilidade, tornara-se revoltada.

— Está bem, minha filha. Podemos tomar conta de Marcos para você estudar.

Nina levantou-se e abraçou-a com carinho:

— Eu sabia que podia contar com a senhora! Pode ter certeza de que ainda se orgulhará de mim.

Pierina sorriu. Gostava de Nina. Embora a jovem pensasse tão diferente dela, respeitava seu esforço para sustentar o filho, sua dedicação ao trabalho e sua honestidade.

Uma semana depois, Nina estava cursando a faculdade. Antônio a apresentara para o reitor, que conversou com ela durante algum tempo e informou que, apesar de ela ter muito conhecimento, precisaria cursar um número certo de aulas para poder graduar-se.

Entusiasmado com o conhecimento que ela demonstrava, principalmente com sua redação impecável e repleta de argumentos inteligentes, prometeu ajudá-la como pudesse.

Nina mergulhou nos estudos com entusiasmo. Marcos estranhou a princípio, mas aos poucos foi se acostumando.

— É só por algum tempo — explicava ela quando o via triste. — Logo terminarei os estudos, então terei todo o tempo para você. Vou ganhar muito dinheiro e vamos poder ter uma casa só nossa. Você terá um quarto bonito, cheio de brinquedos.

— Mas eu quero ficar com você! Outro dia eu caí, machuquei a perna e você não estava!

— Doeu muito?

— Eu chorei, queria você.

Ela beijou-o com carinho. Sabia que o choro fora mais de saudade do que de dor. Ele sentia falta dela.

— Eu estou aqui. Todas as noites, eu chego e você está dormindo. Carrego você no colo e o levo para o quarto.

— Eu não vou dormir mais. Quero estar acordado quando você chegar.

— Vamos fazer assim: você dorme cedo e, quando eu chegar, acordo você para tomar leite comigo.

A partir daquele dia, Nina, quando voltava da faculdade, acordava-o e ambos tomavam lanche juntos. Depois, ela o levava para a cama e ficava com ele até que dormisse.

Muitas vezes Nina, depois de acomodá-lo, voltava a estudar, só parando de madrugada.

Antônio notou que ela havia emagrecido e comentou:

— Não sei se foi uma boa ideia voltar a estudar.

— Por quê, doutor? Acha que não vou conseguir?

— Ao contrário. Acho que se esforça demais. Tem estado abatida, emagreceu. Mercedes disse que não tem ido lá em casa. Desse jeito, vai adoecer.

— Estou bem. Não se preocupe. Tenho sentido saudade de dona Mercedes e de Marta.

— Ela reclama que Marcos não tem aparecido.

— Sábado iremos vê-las. Pode deixar.

— Eu sabia que você ia exagerar.

— Eu valorizo muito essa chance. Quero aproveitar.

— Muitas coisas que vai estudar na faculdade, nunca vai usar. Servem apenas para melhorar seu nível cultural. A experiência no exercício da profissão unida à perspicácia, que eu sei que você tem, é que vão torná-la uma boa profissional. Por tudo isso, pense no essencial, e não se desgaste estudando o que não lhe será útil.

— Aqui tenho aprendido muito.

— Vou contratar uma pessoa para nos secretariar e passar para você alguns casos em andamento.

— O senhor acha que estou preparada?

— Acho. Vamos trabalhar juntos.

Antônio apanhou o telefone e chamou:

— Neide, venha até aqui.

Ela bateu levemente na porta e entrou.

— Quero que contrate uma nova secretária para nós.

Neide sobressaltou-se:

— Como? Entendi bem?

— Sim. Vamos precisar de uma nova secretária. De preferência com alguns conhecimentos jurídicos. De hoje em diante, Nina vai trabalhar diretamente comigo. Como está a sala ao lado?

— Depois que seu assistente saiu, está vazia.

— Vamos prepará-la para Nina. Deixe tudo em ordem que vou vistoriá-la.

Neide enrubesceu e esforçou-se para dissimular a raiva:

— Sim, senhor.

Depois que ela saiu, Nina considerou:

— Ela está me odiando. Sempre teve muito ciúme.

— Se quiser continuar aqui, terá que engolir o ciúme. Não vou deixar de fazer o que quero só porque dona Neide não concorda.

Quando Nina voltou para sua mesa, Neide não se conteve:

— Não sei que tipo de jogo é o seu. Sempre consegue tudo. Não dá para acreditar.

Nina olhou-a firme nos olhos e ponderou:

— Não fique contra mim. Eu não tenho nada contra a senhora. Podemos trabalhar juntas muito bem.

— Você nunca me enganou. Desde o primeiro dia vi logo que era perigosa. Aos poucos foi se infiltrando em tudo, até na casa do doutor Dantas, com a família dele. É revoltante.

— Não sei por que a senhora me odeia.

— Odeio, sim, odeio. Não vou suportar isso. Você, que nunca foi nada na vida, chegou aqui e tomou conta de tudo. Eu, que estou me esforçando há tantos anos, não consigo progredir. Na hora de ele precisar de alguém, procura você. Não é justo.

Neide foi elevando a voz e terminou aos soluços, gritando.

— O que está acontecendo aqui?

Antônio estava diante delas, irritado.

— O senhor é injusto, não gosta de mim, eu que sempre o servi com dedicação. Prefere uma mocinha bonita, sem experiência, e me deixa de lado. É demais.

Antônio franziu a testa visivelmente irritado:

— É demais mesmo. Ninguém vai me dizer o que fazer dentro de minha própria empresa. A senhora sempre foi eficiente, e por esse motivo tenho suportado sua mesquinhez com nossos funcionários. Mas hoje chegou ao limite. Está despedida.

— Ela está nervosa, doutor. Tem estado cansada. Vai refletir e perceber que não há nenhum motivo para se aborrecer — tornou Nina.

— Pois eu não preciso da sua boa vontade. Vou embora. Sou excelente profissional, logo terei outro emprego. Doutor, o senhor ainda vai se arrepender. Talvez dona Mercedes descubra o quanto errou recebendo essa mocinha em sua casa.

— Retire-se, Neide, antes que eu mesmo a expulse. Não temos mais nada que falar.

Diante das funcionárias que olhavam admiradas, ela apanhou seus objetos de uso pessoal e saiu pisando duro, olhos rancorosos, dizendo para Nina, que, constrangida, a olhava nervosa:

— Você não perde por esperar.

Dantas havia voltado para sua sala. Assim que Neide se foi, batendo a porta, Gilda e Maria cercaram Nina.

— O que aconteceu? — indagou Maria.

— Ela se irritou porque o doutor Antônio quer que eu o ajude com os processos e vai contratar outra secretária. Mandou que ela preparasse a sala do antigo assistente para mim.

— Imagine! — disse Gilda. — Ela vivia de olho naquela sala. Sempre desejou ser transferida para lá.

— Eu não sabia — respondeu Nina pensativa. — Foi o doutor Antônio quem decidiu isso. Eu não pedi nada.

— Foi bom. Assim ficamos livres dela. Ainda ontem ela implicou comigo porque atrasei cinco minutos. Chamou-me de preguiçosa, disse que, se eu me atrasasse de novo, ia me despedir. Bem feito! Quem saiu foi ela — comentou Maria, satisfeita.

— Não posso esquecer da Antônia. Se ela não tivesse sido tão dura, talvez ela estivesse viva — lembrou Gilda. — Eu nunca fui com a cara dela, mas depois desse dia ficou pior.

— Não adianta ficarmos falando dela. Afinal, uma pessoa assim, tão invejosa, sofre muito — disse Nina.

— Ela saiu ameaçando você — tornou Maria.

— Não tenho medo. Nunca fiz nada contra ela. Talvez ela volte e peça desculpas ao doutor Antônio.

— Ele não vai aceitar — disse Gilda. — Estava muito irritado.

— É, estava. Chegou a ficar pálido. Vou ver o que ele quer que seja feito.

Nina entrou na sala dele, preocupada:

— Sinto muito, doutor. Não esperava isso.

— Pois eu me sinto aliviado de não ter mais que olhar o rosto dela todos os dias.

— Ela vai se arrepender e pedir desculpas.

— Não creio. Mas mesmo que viesse eu não voltaria atrás. Agora temos que tomar providências. Vá falar com o Erasmo, que cuida da seção de pessoal, para tratar da exoneração dela. Veja também se ele tem algumas fichas de candidatas para examinarmos.

Nina saiu e providenciou tudo. Quando voltou à sua mesa, Gilda aproximou-se:

— Nina, você disse que o doutor vai contratar uma secretária. Minha prima é secretária e está desempregada. Trabalhou cinco anos em um escritório de advocacia e só saiu porque o dono da empresa morreu e eles fecharam. Os outros sócios não quiseram continuar.

— Ela deve ter experiência.

— Ela é muito esforçada e preparada. Além disso, é uma pessoa honesta. Se a contratar, não vai se arrepender. Ela precisa muito trabalhar. Tem uma filha pequena para criar.

— Mande-a vir amanhã falar com o doutor Antônio. É ele quem decide isso. Faço votos de que dê certo.

Gilda abraçou Nina com alegria:

— Ela vai ficar muito contente. Nem sei como lhe agradecer.

— Faço votos de que o doutor Antônio goste dela e a contrate. Vamos torcer para isso.

Gilda correu para telefonar e Nina sorriu. Na verdade, o ambiente do escritório ficaria muito melhor sem Neide. Mas não podiam perder qualidade no atendimento aos clientes.

Imediatamente Nina procurou Antônio:

— Falei com Erasmo. Ele tem algumas fichas. Mas nós já temos uma candidata: uma prima de Gilda. — Explicou os detalhes e finalizou: — Ela virá amanhã cedo para falar com o senhor.

— Faça você uma primeira entrevista. Se ela for o que Gilda disse, falarei com ela em seguida. Mude-se para sua nova sala. Atenda a nova secretária lá. É importante que ela a veja como chefe.

Na manhã seguinte, quando Nina chegou ao escritório, a prima de Gilda já a esperava. Era uma mulher de cerca de trinta anos, alta, bonita, vestia-se com classe e elegância.

— Esta é a minha prima Lúcia — apresentou Gilda.

— Muito prazer, eu sou Nina. — Voltando-se para Gilda: — Leve-a à sala de espera. Dentro de dez minutos conversaremos.

Nina foi para sua nova sala. O lugar era espaçoso, bem decorado. Sentando-se atrás daquela mesa, ela sentiu uma onda de entusiasmo. Aquele era o mundo em que ela sonhara viver. Aquilo era apenas o começo. Imaginou a surpresa de André quando descobrisse que aquela moça ingênua, pobre, simples que havia abandonado se tornara tão rica e poderosa quanto ele.

Havia flores sobre a escrivaninha e um cartão com os cumprimentos de Gilda e Maria pela promoção.

Nina apertou o botão do telefone e Gilda atendeu.

— Faça sua prima entrar.

Lúcia entrou e sentou-se diante da mesa, conforme Nina indicou. Era uma moça elegante, parecia segura de si.

No decorrer da entrevista, Nina observou com satisfação que Lúcia tinha muita experiência e garra, raciocínio rápido e boa vontade. Mas, para ser uma boa secretária, precisava conhecer o lado pessoal.

— Fale de você — pediu.

— Bem, tenho trinta e três anos. Sou solteira. Tenho uma filha de quatro anos. Minha mãe é irmã da mãe de Gilda, meu pai é de classe média alta. Rompemos relações por causa da minha gravidez.

Nina suspirou. Outra vítima da maldade dos homens.

— Posso compreender. Também sou mãe solteira — disse.

— Meus pais queriam que o pai de minha filha casasse comigo. Se fosse livre, ele teria feito isso. Quando perdi o emprego, fiquei muito aflita. Eu assumi minha filha sozinha. Apesar dos meus conhecimentos, não está fácil encontrar um emprego que me possibilite continuar criando minha filha com conforto. Por tudo isso, gostaria muito de vir trabalhar aqui. Gostei do ambiente, o salário é conveniente. Se me aceitar, vou dar o melhor de mim. O fato de Gilda ser minha prima não vai atrapalhar o trabalho. Sou profissional o bastante para saber separar as coisas.

— Muito bem, Lúcia. De minha parte gostaria que viesse trabalhar conosco. Mas é o doutor Dantas quem decide. Você pode ir e voltar mais tarde para conversar com ele.

Lúcia levantou-se.

— A que horas seria conveniente?

— Às quatro.

— Estarei aqui.

Depois que ela se foi, Nina sentou-se pensativa. A história de Lúcia era semelhante à sua. Isso a tornava solidária. Mas reconheceu que a moça tinha todas as qualidades para o cargo que deveria ocupar.

Naquela mesma tarde Dantas contratou Lúcia com satisfação. O rosto sério da moça, sua atitude educada, seus conhecimentos, sua elegância discreta, seus olhos que não se desviavam durante a conversa o convenceram.

Daquele dia em diante começou para Nina uma situação diferente. Lúcia começou a trabalhar e rapidamente tomou conta de todo o trabalho que lhe competia com eficiência e capricho, permitindo que Nina pudesse dedicar-se completamente à sua nova tarefa.

Nina não só redigia contratos, como estudava processos, emitindo pareceres de tal sorte inteligentes que Dantas com satisfação a encarregava também de algumas audiências.

Nina mergulhou no trabalho tendo como única distração os momentos prazerosos que dedicava ao filho.

Uma tarde em que ela e Lúcia haviam trabalhado até mais tarde, saíram juntas e Nina comentou:

— Obrigada, Lúcia, por ter ficado até esta hora. Já passa das nove.

— Sempre que precisar, é só dizer.

— Este caso é muito importante. Há muito dinheiro envolvido.

— Eu sei. Você nem foi à faculdade...

Quando saíram do elevador, Lúcia sobressaltou-se.

— O que foi? — indagou Nina.

— O Breno está me esperando. Não esperava vê-lo hoje. Deve ter acontecido alguma coisa.

Nina olhou e viu um homem alto, elegante, aparentando quarenta anos, que, vendo-as, aproximou-se.

— Pensei que você não fosse sair mais! — disse, beijando Lúcia levemente na face.

— Não sabia que estava aqui. Por que não ligou?

— Não queria atrapalhar. Você não deveria ficar trabalhando até esta hora.

Nina interveio:

— Hoje foi uma exceção.

Lúcia apressou-se em apresentá-la.

— Breno, esta é minha chefe. Este é o Breno.

Nina estendeu a mão, que ele apertou olhando-a com atenção.

— Nós não nos conhecemos? — indagou ele.

— Não.

— Engraçado... Seu rosto me parece familiar. Tem certeza de que não nos vimos antes?

— Impressão sua. Eu teria me lembrado. Agora preciso ir. Boa noite, Lúcia. Boa noite, Breno.

Nina se foi e Breno comentou:

— Continuo achando que já nos vimos.

— Vocês trabalham na mesma área. Nina é muito bonita, deve ter chamado sua atenção em algum lugar.

— Ainda vou descobrir de onde a conheço. Eu vim porque precisava vê-la. Estou preocupado.

— Aconteceu alguma coisa?

— Vamos até sua casa. Lá conversaremos.

Uma vez no apartamento, Lúcia verificou que sua filha, Mirela, e Rosa, a moça que contratara para tomar conta dela desde o nascimento, dormiam tranquilas. Sentou-se na sala, ao lado de Breno.

— Você se lembra daquele fim de semana que passamos no Rio de Janeiro antes de Mirela nascer?

— Claro. Nunca poderia esquecer.

— Pois alguém, que não sei ainda quem é, mandou-me algumas fotos nossas muito comprometedoras. Nossos momentos de intimidade no hotel foram violados.

Lúcia assustou-se:

— Que horror! Quem teria feito isso?

— Não sei, mas vou descobrir.

— Onde estão as fotos?

— Queimei imediatamente. Você sabe como Anabela é ciumenta. Se ela descobre, nem sei o que poderá fazer.

Lúcia suspirou nervosa:

— Sempre senti medo de que isso um dia viesse a acontecer.

— Pois eu, não. Sempre fomos discretos. Se ela descobre, vai ser o diabo. Tornará nossa vida um inferno.

— Acha que ela viria me procurar?

— Com certeza. Depois colocaria o pai contra mim. Você sabe da nossa diferença social. Eles são muito ricos, enquanto eu nasci em uma família humilde. Tenho progredido por meio do meu trabalho, mas, mesmo assim, muitas vezes meu sogro faz questão de lembrar essa diferença. Quando eles souberem, nem sei o que farão.

Lúcia olhou-o séria e disse:

— Talvez seja melhor darmos um tempo em nosso relacionamento.

Breno segurou as mãos dela, dizendo nervoso:

— Não, isso não. Você e Mirela são toda a razão da minha vida. Não suportaria viver sem vocês.

— Eu também amo você, mas às vezes me sinto muito incomodada com esta situação. Não foi o que desejei para mim.

— Nem eu. Você sabe: eu me casei muito jovem, queria vencer na vida. Estava deslumbrado com a posição social de Anabela. Onde ela aparecia era reverenciada, as pessoas apressavam-se em cumprimentá-la e atendê-la.

— É uma mulher bonita e elegante.

— Também. Acreditei que a amava sinceramente. A ilusão, porém, passou e um dia percebi que a atração havia desaparecido. Se não tivéssemos filhos, teria me separado.

— Não adianta ficar recordando o passado. O que pensa fazer?

— Ainda não sei. Estou certo de que se trata de uma chantagem. Só não sei quanto terei que pagar.

— Pensa em pagar?

— Não tenho alternativa. Exatamente nesse momento não posso envolver-me em um escândalo, estou cuidando de alguns casos importantes que vão exigir de mim uma conduta irrepreensível. Estamos mexendo com interesses ilícitos de gente bastante poderosa. Qualquer deslize que seja descoberto poderá custar minha carreira e, quem sabe, até a nossa paz.

— Eu penso que o melhor seria enfrentar, darmos um tempo em nosso relacionamento, descobrir quem está por trás disso e reagir. Não gosto de contemporizar. Isso nunca dá certo.

— Não, eu não posso fazer isso. Pagarei pelos negativos e pronto.

***

Nina deixou os dois sentindo o coração bater descompassado. Os anos haviam passado, mas é claro que ela se lembrava. Breno fora colega de faculdade de André e várias vezes haviam se encontrado. Sabia que eles eram sócios, mas preferiu fingir que não o conhecia. Ainda não estava pronta para o encontro com André.

Felizmente, ele não havia se lembrado claramente. No trajeto de volta, Nina refletia em como a vida é surpreendente, colocando Breno em seu caminho.

Nunca imaginou que o caso de Lúcia fosse ele, ainda que o nome fosse o mesmo. Se ele se lembrasse dela, contaria para André, que voltaria a assediá-la.

Ele nunca soube se aquela gravidez chegara a termo. Estava curioso. Mas ele não perdia por esperar. Um dia, quando chegasse a hora, ele saberia de tudo, não para voltar atrás ou tentar de novo, mas para lamentar o que perdera e chorar para sempre a distância do filho.

Nina tentou não dar importância, mas teve de reconhecer que o encontro com Breno a levara de volta ao passado. Lembrou-se do primeiro encontro com André, dos momentos que haviam vivido juntos, da desilusão e da raiva que ainda guardava no coração.

Chegou em casa pálida e triste. Vendo-a, madre Pierina disse:

— Você está abatida. Aconteceu alguma coisa?

— Não, madre. Estou bem.

— Você tem abusado, Nina. Não para de trabalhar, estudar. Precisa se cuidar. Desse jeito, vai acabar doente.

— Não se preocupe, estou bem.

Naquela noite, Nina levou Marcos para o quarto, mas não teve ânimo de brincar com ele como de costume. Depois do lanche, tornou:

— Vamos dormir, filho. Estou muito cansada.

— É cedo. Vamos jogar um pouco.

— Desculpe, mas estou com dor de cabeça. Prometo que amanhã jogaremos bastante.

Depois de acomodar Marcos, Nina preparou-se para dormir. Deitou-se, porém o sono não vinha. Em sua lembrança, as cenas do passado continuavam desfilando, vivas, como se houvessem acontecido naquele dia.

Lágrimas desciam pelo seu rosto e ela as enxugava com raiva.

— Ele não vale minhas lágrimas — pensava. — Nem merece o amor que um dia senti. Essa raiva só vai passar quando eu conseguir dar o troco. Tenho certeza de que, depois disso, nunca mais derramarei uma lágrima. Estarei curada para sempre.

Apesar de tentar se convencer disso, não conseguiu conciliar o sono. Era madrugada quando, cansada, finalmente conseguiu adormecer.

Depois desse dia, Nina passou a evitar a companhia de Lúcia. Gostava dela, mas, com receio de encontrar-se de novo com Breno, limitava sua relação com ela aos assuntos profissionais.

Uma tarde, aproveitando o horário livre, Lúcia a convidou para tomar um lanche na confeitaria ao lado.

— Obrigada, Lúcia, mas não quero.

Lúcia hesitou um pouco e resolveu:

— Eu fiz alguma coisa de que você não gostou?

Nina olhou-a surpreendida:

— Não. Por quê?

— Tenho notado que você mudou comigo. Antes saía comigo, me contava coisas pessoais. Agora noto que tem me evitado.

— Engano seu. Continuo a mesma de sempre. Se não tenho saído com você, é porque estou mais ocupada. À medida que o tempo passa, os estudos exigem mais de mim, sem falar que o doutor Antônio tem me encarregado de causas importantes, que requerem toda a minha atenção. Creia, Lúcia, gosto de você. Não é nada pessoal.

— Você mudou desde que conheceu o Breno. Talvez não aprove minha relação com um homem comprometido. Eu mesma não me sinto bem. Mas nós nos amamos muito. Não fazemos isso por leviandade. Aconteceu. Não tive forças para resistir. Depois, há Mirela.

Nina levantou-se e a abraçou:

— Você está enganada. Isso nunca passou pela minha cabeça. Esquece que também sou mãe solteira? Vamos fazer uma pausa e tomar um café na confeitaria. Quero conversar com você.

Uma vez sentadas em um canto discreto tomando o café, Nina tornou:

— Sinto muito que tenha pensado isso. Preciso contar-lhe a verdade, mas antes quero que me prometa guardar segredo. Principalmente com Breno.

Lúcia sobressaltou-se:

— Eu sabia que tinha alguma coisa. É a respeito dele?

— É a meu respeito. Promete não contar a ele?

— Prometo. Pode falar.

— Para que entenda, vou contar-lhe tudo desde o começo.

Nina narrou todo o seu relacionamento com André, e finalizou:

— Ele não sabe que tivemos um filho. Só vai saber quando eu achar oportuno. Tem me procurado para descobrir o que aconteceu.

— O que isso tem a ver com Breno?

— Ele foi colega de faculdade de André. São amigos e sócios.

— Por esse motivo ele disse que a conhecia.

— Ele nos via juntos. Se descobrir a verdade, contará a André. Não tenho saído com você para não encontrar Breno. Se me vir de novo, poderá lembrar-se.

— Desculpe, Nina. Eu pensei que fosse comigo. Você me deu esta oportunidade, tem me ajudado tanto... Não desejo perder sua amizade.

— Contei-lhe tudo para que me ajude. André não pode saber onde estou. Não quero que veja Marcos.

— Tem medo de que ele queira reconhecer o menino e possa tomá-lo de você?

— Tenho. Por esse motivo quero progredir, ter condições de dar a Marcos uma vida boa.

— Você é uma boa mãe. A lei está do seu lado. Nenhum juiz lhe tiraria o filho. Você sabia que ele não tem filhos? Breno me disse que sua mulher não gosta de crianças.

— Mais uma razão para ele ficar longe do Marcos.

— Ao mesmo tempo, é triste não sentir a alegria de ser pai.

— Ele escolheu assim. Não tenho nenhuma pena.

— Você ainda está magoada, não o perdoou.

— Não mesmo. Ele não merece o filho que tem.

— Conservar mágoa no coração machuca muito. Se você conseguisse perdoar e esquecer, ficaria livre para refazer sua vida afetiva.

— Não quero esquecer. Ao contrário, procuro ter sempre presente o que aconteceu. Em meio ao meu sofrimento, foi o que me deu forças para progredir. Eu poderia ter voltado para a casa de meus pais. Eles teriam me recebido bem. Mas isso seria confessar minha incapacidade de resolver meus problemas. Quando decidi vir para São Paulo, eles tentaram dissuadir-me, relacionando os perigos que eu poderia correr. Disposta a fazer o que desejava, respondi que assumiria toda a responsabilidade pela minha própria vida. Diante do que aconteceu, nem pensei em recorrer a eles. Não foi nada fácil. Eu não tinha profissão rendosa, sequer poderia trabalhar por causa da gravidez.

— Admiro sua coragem. Como conseguiu?

— Recorri ao pensionato das freiras. Elas me receberam com carinho. Lá mergulhei no trabalho, me esforçando para agradá-las. Era a raiva de André, a vontade de que ele soubesse o quanto eu era capaz que me deu forças para continuar. Depois, Marcos nasceu e me senti mais animada.

— Um filho é sempre uma bênção. O nascimento de Mirela também me sensibilizou muito. Às vezes me pergunto se não seria melhor eu romper com Breno. O que lhe direi quando crescer e começar a querer saber por que o pai não vive conosco? Mas eu o amo e não quero perdê-lo. Prefiro dividi-lo com outra a romper. Depois, ele nos cerca de muito amor.

— Você aceitou essa situação e não deseja sair dela. Portanto, quando Mirela começar a perguntar, diga a verdade.

Lúcia suspirou triste:

— Espero ter coragem. Não quero que ela pense que eu não tenho dignidade e que meus valores morais são falsos.

— Ouvindo-a, sinto que fiz bem ocultando de Marcos que o pai está vivo. Ele pensa que o pai morreu.

— O que acontecerá se um dia ele vier a saber a verdade?

— Ele vai saber, mas por mim, no momento oportuno. Por esse motivo lhe peço que não conte nada a Breno.

— Fique tranquila. Não direi nada.

A partir daquela dia, Nina e Lúcia estreitaram os laços de amizade dentro da empresa. Fora, cada uma seguia seu rumo.

Lúcia era uma profissional eficiente e dedicada. Antônio estava satisfeito com seu desempenho, pois Nina ficava mais disponível para ajudá-lo.

Nina progredia a cada dia, revelando-se muito talentosa, o que fazia Antônio dizer a Mercedes com satisfação:

— Se Nina continuar assim, logo teremos que contratar outra assistente. Ela age com tanta presteza e rapidez que, apesar de termos dobrado o número de clientes, meu trabalho diminuiu.

— Tem de tomar cuidado. Ela vem se esforçando demais. Não quero que fique doente.

— Depois das provas na faculdade, ela melhorou. O doutor Renato me ligou para dar os parabéns. Ela conseguiu fazer as provas de dois semestres e ser aprovada com louvor nas duas. Passou para o terceiro ano.

— Que beleza! Se continuar assim, logo estará formada.

— Hoje ganhamos uma causa importante, aquela que o doutor Olavo dizia que estava ganha.

— Não diga!

— Nove anos de discussão. O processo era tão volumoso que fiquei sem ânimo de estudá-lo. Entreguei-o a Nina, que fez um estudo completo, montou um dossiê minucioso e muito esclarecedor. Quando nos sentamos para discutir o assunto, fiquei surpreendido. Ela sugeriu providências, propôs um acordo muito razoável, tão bom que eu não teria feito melhor. Diante do juiz, o cliente aceitou e, o que é mais importante, nossos argumentos foram tão convincentes que ganhamos a causa. Ao final, o doutor Olavo teve que engolir a decepção. Veio cumprimentar-me.

— Que bom! Você deve dar um prêmio a ela.

— Claro. Dei-lhe a metade do que recebemos. Afinal, ela fez quase tudo.

***

Naquela mesma tarde, Breno foi esperar Lúcia no fim do expediente. Ela cumprimentou-o surpreendida:

— Breno! Que bom vê-lo! Não o esperava hoje.

— Quero conversar com você.

— Aconteceu alguma coisa? Você me parece aborrecido.

— Vamos jantar juntos e falaremos.

— Está certo. Vou ligar para casa e avisar. Mirela fica me esperando para jantar.

Foram a um restaurante nas proximidades e, depois de ela haver telefonado, sentaram-se em um lugar discreto e pediram o jantar. Enquanto aguardavam, ela comentou:

— Você não está bem. O que houve?

— Problemas no escritório. Hoje perdemos uma causa importante. O doutor Olavo ficou muito irritado.

— Não está acostumado a perder.

— O pior é que eu e André ficamos mal. Ele disse que descuidamos, que essa causa estava praticamente ganha e que a culpa é nossa. Apesar de que ele protege o André e desaba sua raiva mais em cima de mim.

— Claro, você não tem o sobrenome do André.

— Até o André ficou aborrecido. Ele não gosta quando o doutor Olavo me discrimina. Estava inconformado. Ficamos uma semana repassando todo o processo, fizemos tudo como ele mandou, não cometemos nenhum erro nem esquecemos de nada, mas aconteceu.

— Pode acontecer a qualquer um. O doutor Dantas é um excelente advogado.

— Sou forçado a concordar. O doutor Olavo disse que nunca perdeu uma causa para ele. Devo admitir que a defesa foi brilhante. Convenceu o juiz.

Lúcia sorriu:

— Sinto por você, mas Nina mereceu essa vitória. Ela é maravilhosa!

— Nina? Espere um pouco... É aquela que me apresentou?

Lúcia arrependeu-se de haver mencionado o nome da amiga.

— É...

— Ela é advogada?

— Ainda não é formada, mas o doutor Dantas a considera muito. Diz que ela sabe mais do que muitos advogados.

— Não pode ser. Eles devem ter consultado alguém muito experiente. Ela não seria capaz daquela defesa. Anulou todas as nossas alegações uma a uma de maneira convincente e clara.

— Que eu saiba, não consultaram ninguém.

O garçom trouxe a comida e Breno ficou calado enquanto ele os servia.

— Sinto que você tenha perdido. Não quero que fique aborrecido comigo por estar trabalhando com o advogado da parte contrária. Quando fui contratada, não sabia que eles estavam cuidando dessa causa.

— Não estou aborrecido com você. Precisa trabalhar, pagam um bom salário. Foi uma coincidência. Nós nos esforçamos ao máximo, mas ganhar ou perder não depende só de nós. O juiz é quem decide.

— É verdade. O doutor Olavo ficou nervoso, contava com a vitória, mas por certo pensará melhor e reconhecerá que vocês não têm culpa. Aliás, se houve alguma falha, foi dele, porque vocês não fazem nada sem que ele opine.

— É. Ele nos culpa por não termos imaginado alguns detalhes que eles usaram na defesa. De fato, foram bem achados, mas ele tanto quanto nós não teve essa visão.

Lúcia mudou de assunto, falando sobre Mirela, contando suas gracinhas, e Breno aos poucos foi desanuviando a fisionomia. Ele adorava a filha. Seu rostinho alegre, seu sorriso bonito, seu carinho inocente faziam-no ficar de bem com a vida.

Anabela, arrogante, atormentava-o com seu ciúme e ao mesmo tempo procurava diminuí-lo a qualquer pretexto mencionando sua origem humilde.

Ele não aguentava mais conviver com ela. Contudo, seus dois filhos e o medo de prejudicar-se na carreira impediam-no de pedir a separação.

Breno havia lutado muito para chegar à posição que desfrutava. Ganhava bem, estava economizando para fazer sua independência financeira.

Havia feito projetos para o futuro: quando houvesse consolidado sua reputação profissional, conquistado a confiança dos clientes, abriria seu próprio escritório. Então seria independente financeiramente, seus filhos estariam adultos, poderia desquitar-se de Anabela e casar-se, ainda que no exterior, com Lúcia.

Até conseguir o que pretendia, precisava ser paciente, esforçar-se, ignorar as humilhações que sua mulher lhe impingia.

Depois de ter levado Lúcia em casa e ter visto Mirela, Breno despediu-se.

— Obrigado pela força. Cada dia que passa, mais eu amo você. Um dia, não terei mais que me despedir deixando aqui o melhor pedaço de mim. Ficaremos juntos para sempre.

Lúcia tinha receio de que esse dia nunca chegasse. Mas não quis aborrecê-lo e sorriu ao responder:

— É o que eu mais desejo.

Breno chegou em casa passava das onze horas, torcendo para que Anabela já estivesse dormindo. Subiu para o quarto. Pela réstia de luz que passava por baixo da porta, sabia que ela estava acordada. Suspirou resignado, abriu a porta e entrou.

Sentada na poltrona ao lado da cama, Anabela folheava uma revista. Pela ruga na testa, ele viu logo que ela estava de mau humor.

— Finalmente você chegou! Pensei que tivesse de passar a noite inteira acordada. Onde esteve até esta hora?

Ele franziu o cenho e respondeu:

— Trabalhando. Tivemos um dia péssimo. Perdemos uma causa importante e ficamos no escritório reavaliando tudo para ver se ainda poderemos recorrer.

— Liguei para lá e não havia ninguém.

— Nós precisávamos de silêncio e concentração. Mandamos a secretária para casa e desligamos o telefone.

— Não acredito em nada do que está dizendo. Fique certo de que um dia ainda vou descobrir onde você passa o tempo depois do expediente.

— Não adianta falar com você. Estou exausto. Vou tomar um banho e ver se consigo dormir.

Apanhou o pijama e foi para o banheiro. Irritada, Anabela foi atrás, reclamando. Breno pediu licença, fechou a porta e abriu o chuveiro. Procurou demorar o mais possível para dar tempo a que ela dormisse. Não estava aguentando mais a pressão. Temia não conseguir controlar-se.

Mas, quando voltou ao quarto, Anabela continuava acordada.

— O que me irrita é que você vem tarde, não me avisa, e ainda me evita.

— Eu estou cansado, aborrecido, quero ver se consigo dormir.

— Você não me dá atenção. Bem que eu deveria ter ouvido minha mãe. Ela me avisou que nosso casamento não ia dar certo. Fomos educados de forma diferente. Você não tem consideração.

Breno empalideceu. Estava no limite de sua resistência. Trincou os dentes e retrucou:

— Se você disser mais uma palavra, vou dormir no quarto de hóspedes. Amanhã terei um dia cheio, preciso estar descansado. Se você continuar reclamando, essas rugas de sua testa vão marcar seu rosto para sempre.

Anabela sobressaltou-se:

— Rugas? Que rugas?

Correu ao espelho. Notou o vinco de preocupação e esforçou-se para distender a fisionomia. Tinha pavor de envelhecer. Foi ao banheiro e procurou o creme antirrugas. Examinou cuidadosamente o rosto com a lente e massageou a testa e o canto dos olhos com o creme.

Breno, aliviado, aproveitou para apagar o abajur, virou-se para o lado e fingiu que estava dormindo. Anabela voltou pouco depois e deitou-se. Ela continuava irritada, mas esforçou-se para controlar seus pensamentos.

Na manhã seguinte, Breno foi o primeiro a chegar ao escritório. Meia hora depois, André entrou. Estava aborrecido. Ele também não esperava a derrota. Desabafou com Breno.

— Nunca pensei que o doutor Dantas conseguisse nos derrubar. Ainda estou perplexo.

— Ele é um advogado conceituado. Tem nome.

— Nunca foi páreo para nós. Aliás, o Nunes me disse que ultimamente o doutor Dantas tem aparecido muito, conseguido contratos vultosos. O doutor Olavo não se conforma.

— Ontem fui ver a Lúcia. Sabe como é: ela me põe para cima. Essa história me deixou muito aborrecido. O doutor Olavo pensa que nós não fomos bons o suficiente.

— O doutor Olavo quando está nervoso desabafa em você. Para ser sincero, não gosto disso. Não é justo. Você é muito competente. Você aguenta. Se fosse comigo, eu responderia à altura.

— Você pode. Eu, não. Você se esquece da minha origem?

— Pelo fato de não ter um nome importante? O que vale é a competência. Você é tão competente quanto eu ou ele.

— Você é meu amigo. Saí daqui ontem muito aborrecido, mas a Lúcia devolveu-me o bom humor. É calma, paciente e sabe como me animar.

— O mesmo não ocorre comigo. Janete não se interessa pelo meu trabalho.

— Não sei se eu já lhe disse, mas Lúcia trabalha no escritório do doutor Dantas.

André surpreendeu-se:

— É mesmo? O que ela faz lá?

— É secretária da assistente do doutor Dantas.

— E quem é essa assistente, que tem até secretária?

— Lúcia a admira muito. Disse que ela é muito competente. Garantiu que o doutor Dantas deixou aquela causa aos cuidados dela.

— Nós a conhecemos?

— Você não sei, mas nos encontramos casualmente e Lúcia nos apresentou. É muito bonita. Embora Lúcia afirme isso, não creio que seja verdade. Ela ainda nem está formada. Ele não iria deixar um caso tão importante aos cuidados de uma estagiária.

— Concordo. Devem ter assessoria de alguém famoso que não quis aparecer e inventaram essa história. Isso deve ter-lhes custado muito dinheiro.

— Pode ser. O curioso é que essa moça não me é estranha. Tenho certeza de que a conheço de algum lugar. Não consigo me lembrar de onde.

— Ela trabalha em nossa área. Deve tê-la encontrado ao acaso.

— Lúcia disse a mesma coisa. Pode ser...

— Procure informar-se melhor. Gostaria de saber quem os está monitorando. Há uma outra causa cujo oponente é o doutor Dantas. Precisamos saber contra quem estamos trabalhando.

— Não gosto de envolver Lúcia. Está muito contente com o emprego. Depois, para mim é conveniente que ela ganhe algum dinheiro. Anabela me controla até nas despesas e fica difícil explicar certos gastos.

— Não sabia que ela era sovina.

— Não é mesmo. Ao contrário, gasta até demais. Ela vigia meus gastos por causa do ciúme. Sabe que uma amante custa caro.

André meneou a cabeça negativamente e respondeu:

— Às vezes penso que você gosta de viver perigosamente. Já pensou se Anabela descobrir?

— Já. Vai ser terrível. Mas eu adoro Lúcia, depois há Mirela. Não saberia viver sem elas. Prefiro correr o risco, mas confesso que não é nada fácil. Você soube escolher melhor, teve mais sorte no casamento.

André suspirou.

— É, eu queria um casamento conveniente e consegui. Hoje não sei se valeu a pena. Sufoquei meus sentimentos, paguei um preço alto demais. Se ao menos Janete concordasse em ter um filho...

— Um filho é uma emoção muito grande. Eu suporto esse casamento por causa dos meninos. Não quero que eles sofram com nossa separação.

André considerou:

— Um dia ela poderá descobrir e seus filhos sofrerão do mesmo jeito.

— Não enquanto eu puder evitar. Lúcia e Mirela são muito importantes para mim. Não suportaria viver sem elas. Já Anabela só pensa em si mesma. Vive se cuidando; se engorda alguns gramas, reclama, faz dieta. Tem medo de envelhecer. Para ela os filhos ficam sempre em segundo plano.

— Eu gostaria muito de ter um filho. Janete não gosta nem de tocar no assunto. Minha mãe vive dando indiretas, meu pai fala claramente, mas ela desconversa. É vaidosa demais, tem medo de deformar o corpo.

— Bobagem! Lúcia ficou mais bonita depois que Mirela nasceu. Tem um corpo perfeito.

— A natureza é perfeita. Mas a vaidade é maior. Voltando ao nosso assunto, com tato, talvez você possa informar-se melhor sobre o tal assessor. Claro que não vamos prejudicar Lúcia. Seremos discretos.

— O que pensa fazer se descobrir?

— Saber tudo sobre essa pessoa, agir sigilosamente. Ele nem vai saber que foi identificado. De posse dessas informações, teremos condições de montar melhor nosso esquema de defesa.

— Tem certeza de que ninguém vai saber quem foi nosso informante?

— Claro. Aliás, por segurança, nem o doutor Olavo deverá saber. Vamos fazer um trabalho de mestre. Ele vai ter que reconhecer nossa competência.

— A sua ele reconhece; é a minha que está em discussão.

— Mais uma razão para você fazer o que estou pedindo.

— Está certo. Vou tentar.

***

Duas semanas depois, André voltou ao assunto:

— E então, descobriu alguma coisa?

— Tentei, mas foi inútil. Lúcia afirma com convicção que não há ninguém os assessorando. Cheguei à conclusão de que diz a verdade.

André ficou pensativo por alguns instantes, depois disse:

— Não pode ser. Nosso trabalho estava perfeito. O argumento que eles usaram foi coisa de gabarito. Conheço o trabalho do doutor Dantas. É um bom advogado, mas não teria essa perspicácia.

— Lúcia continua afirmando que é sua chefe quem cuidou de tudo. Ela pode estar certa.

— O que você sabe a respeito dela?

— Muito pouco. Aliás, Lúcia evita falar dela. Sei que vive sozinha, tem um filho pequeno e cursa o último ano da faculdade.

— Não parece que tenha nada especial.

— Ah! Agora me lembrei. Ela deve ter mesmo alguma coisa especial. Não prestou vestibular como todo mundo. O doutor Dantas convenceu o reitor a aplicar-lhe alguns exames e parece que ela foi tão bem que conseguiu eliminar algumas matérias. Vai concluir o curso em menos tempo.

— Essa mulher deve ser superdotada, ter um QI superior à média. Se isso for verdade, poderia explicar nossa derrota.

— Lúcia tem grande admiração por ela.

— Vou procurar me informar. Tenho alguns amigos que lecionam em faculdade. Só preciso do nome dela e da faculdade.

— Vou tentar descobrir.

***

Naquele fim de semana, Nina havia ido com Marcos à casa de Mercedes e lhes contado que pretendia se mudar do colégio, dar mais conforto a Marcos. Marta lhe dissera que havia uma casa para alugar, perto da sua, térrea, com dois quartos espaçosos, jardim na frente e pequeno quintal, por um preço razoável. Naquele mesmo dia foram ver a casa e tanto Nina como Marcos adoraram.

Mercedes ofereceu-se para ser a fiadora, e uma semana depois Nina assinou o contrato. Tinha dinheiro para mobiliá-la. Finalmente estava conseguindo o que sempre desejara.

Marcos se afeiçoara muito a Ofélia, uma assistente que ajudava a tomar conta das crianças na creche, e Nina ofereceu-lhe emprego em sua nova casa. Ofélia estava no colégio havia muitos anos. Moça do interior, criada na roça, fora seduzida por um vendedor que de tempos em tempos frequentava a fazenda de seu patrão. Grávida, envergonhada perante a família, fugiu para a capital atrás do pai da criança.

Sem conhecer a cidade e ter para onde ir, perambulando sem rumo, foi levada pela polícia à Assistência Social do Estado, que a encaminhou para o colégio das freiras.

Lá prestava serviço sem remuneração. Continuou procurando o pai da criança e com a ajuda das freiras acabou localizando. Descobriu que era casado, tinha muitos filhos e não queria reconhecer a criança.

Quando o menino nasceu, foi avisado, mas nem apareceu para vê-lo. Ofélia jurou que nunca mais queria ninguém e que viveria para o filho. Quando Nina procurou o colégio, grávida, tornaram-se amigas. Ela ajudou Nina a criar Marcos. Infelizmente, seu filho morreu aos dois anos de idade. Desesperada, Ofélia apegou-se mais a Marcos.

Quando Nina foi trabalhar fora do colégio, Ofélia era quem tomava conta de Marcos, além do horário estabelecido pelas freiras, e ela a gratificava conforme melhorava seus vencimentos. Quando Nina a convidou para trabalhar com ela em sua nova casa, Ofélia aceitou e ficou muito alegre. Não queria nem salário. Mas Nina gostava muito dela e sentia-se feliz por poder levá-la junto e pagar-lhe um salário justo.

Foi com grande alegria que elas se mudaram para a nova casa. Marcos estava cursando o terceiro ano do Ensino Fundamental I e ela procurou o colégio mais próximo para matriculá-lo.

Ele havia sido criado no colégio onde nascera e nunca havia frequentado outra escola. Nina notou que ele estava ansioso e no primeiro dia ela o acompanhou conversando e procurando transmitir-lhe confiança e tranquilidade.

Apesar disso, ele estranhou a mudança. Perdeu a fome, seu sono era agitado, agarrava-se mais a ela e a Ofélia. Preocupada, Nina foi falar com a diretora, que a tranquilizou dizendo que sua reação era natural e logo ele estaria adaptado.

De fato, na segunda semana ele já havia voltado ao normal. Fizera novos amigos e mostrava-se mais alegre. Satisfeita, Nina notou que ele havia adotado uma postura mais desenvolta, mais própria de sua idade. Não era mais um bebê. Adotava postura mais adulta e Nina orgulhava-se dele.

Naquela manhã, Nina chegou ao escritório mais cedo e com muita disposição dedicou-se ao trabalho.

Lúcia colocou-a a par dos recados do dia e depois disse:

— Ontem Breno me perguntou seu nome completo.

Nina sobressaltou-se:

— Para quê?

— Ele disse que era por curiosidade. Mas eu desconversei e não dei.

— Fez bem.

— Mas senti que ele ficou ainda mais interessado. Tenho certeza de que vai voltar ao assunto.

— Será que ele se lembrou de onde me conheceu?

— Acho que não. Ele e André ficaram muito nervosos por terem perdido aquela causa.

Os olhos de Nina brilharam e ela retrucou:

— É apenas o começo.

Lúcia admirou-se:

— Você diz isso em um tom ameaçador!

Nina dissimulou:

— É o prazer da vitória. Pretendo conseguir ganhar outras causas.

— Se ele voltar ao assunto, o que farei?

Nina pensou um pouco e depois respondeu:

— Pode dar o meu nome.

— Tem certeza? Você não queria que André soubesse...

— Um dia ele teria que saber. Portanto, se Breno tornar a perguntar, pode dar o meu nome.

— Ele virá procurá-la.

— Não o receberei.

Lúcia suspirou.

— Não quero que fique aborrecida comigo. Farei o que você mandar. Estou do seu lado, adoro meu emprego, estou aqui para ajudá-la e não para trazer-lhe problemas.

— Você não tem culpa de nada. Estou começando a pensar que Marta tem razão. Quando a vida cria uma situação, é porque estamos maduros para enfrentá-la.

— Ela diz isso?

— Você precisa conhecê-la. É a pessoa mais lúcida que conheço. Suas palavras têm o condão de me fazer compreender as coisas de uma forma melhor. Ao lado dela me sinto muito bem.

— Do jeito que você diz, deve ser uma pessoa iluminada.

— Ela é. Várias vezes conversamos sobre André e ela sempre diz que a vida cria situações para nos forçar a enfrentar nossos medos. Que ia chegar um tempo em que eu não poderia mais esconder a verdade.

— Quando eu engravidei, Breno foi o primeiro a saber. Não conseguiria esconder isso dele. Você foi muito forte.

— Eu liguei-me a André por amor. Não aceito o fato de ele haver me trocado por dinheiro. E o que mais me dói foi a indiferença com relação a Marcos.

— Ele não sabe que Marcos existe!

— Ele soube e não valorizou. Não merece o filho que tem.

— Deus queira que você nunca se arrependa dessa atitude.

— Claro que não vou me arrepender.

— Em todo caso, farei o possível para não dar seu nome. Quando quero, sei escapar muito bem.

Lúcia saiu da sala disposta a não se envolver mais nesse assunto. Não queria criar dificuldades para Nina.

Depois que ela se foi, Nina recostou-se na cadeira, passando a mão pela testa como para afastar os pensamentos dolorosos. Ela não podia envolver-se mais com as lembranças. Sua cabeça precisava estar lúcida para dedicar-se ao trabalho com sucesso.

Sacudiu a cabeça como a libertar-se e mergulhou na leitura dos papéis à sua frente com firmeza e disposição.

6

Breno entrou no escritório apressado, à procura de André. Encontrou-o ao telefone e esperou inquieto que ele terminasse. André desligou o telefone e fitou-o, dizendo:

— O que foi? Parece que viu assombração!

— Aquela sua garota dos tempos de estudante, a Nina, como se chamava?

André meneou a cabeça admirado:

— Você disse: Nina. Por quê?

— Nina de quê? Qual o nome completo?

— Nina Braga. Por quê?

Breno deixou-se cair na cadeira, exclamando admirado:

— Então é ela!!

— Ela o quê?

— A assistente do doutor Dantas.

André abriu a boca e fechou-a de novo, sem articular palavra e esperou que ele continuasse:

— Estive com Lúcia ontem. Perguntei o nome da sua chefe, mas ela, como sempre, desconversou. Fiquei intrigado. Por que tanto mistério? Eu tinha certeza de que a conhecia. Então, na hora do almoço, passei na porta do prédio e vi quando elas saíram juntas. Esperei que se distanciassem e aproximei-me do porteiro. Ele me conhece como namorado da Lúcia. Disse-lhe que era muito grato pelas atenções que a chefe de Lúcia lhe dispensava e pretendia mandar-lhe flores em agradecimento. Era uma surpresa. Então ele a chamou de dona Nina e deu-me exatamente o nome que você disse.

André deu um pulo da cadeira:

— Finalmente sei onde ela está! Você sabe o quanto a tenho procurado. O que mais descobriu sobre ela?

— Quando ele disse Nina Braga, lembrei-me da sua antiga namorada. Claro, era ela. Isso explicava a dificuldade de Lúcia em me falar dela. Com certeza, ela me reconheceu e pediu-lhe para não dizer nada.

— O que mais? Sabe se ela se casou?

— Sei que é a chefe de Lúcia e que tem um filho.

— Um filho? Qual a idade dele?

— Não sei. Certa vez, Lúcia mencionou que ela tinha um filho e entendia seus problemas como mãe.

André deixou-se cair novamente na cadeira e tornou:

— Tem certeza de que ela é a tal assistente do doutor Dantas?

— Tenho.

— Você deve estar enganado. Ela era uma moça simples, ingênua, além do mais sem posses para estudar.

— Pode ter melhorado, não sei. O fato é que Lúcia fala nela com admiração e respeito. Diz sempre que é o braço direito do doutor Dantas. As colegas contaram-lhe que ela foi promovida. A Neide não gostou e foi despedida.

— Desde que o conheço, ele não fazia nada sem a Neide.

— Para você ver. Agora é a assistente para cá, assistente para lá. Ela frequenta a casa do doutor Dantas e tanto dona Mercedes quanto Marta são íntimas dela.

André sacudiu a cabeça, dizendo:

— Acho que você deve estar enganado. Essa não se parece nem um pouco com a Nina que conheci. Deve ser outra pessoa com o mesmo nome.

— É ela! Depois que soube o nome, lembrei-me. Não tenho nenhuma dúvida.

— Vou imediatamente procurá-la. Preciso saber a verdade.

— Calma. Faça de conta que descobriu por acaso. Não desejo prejudicar Lúcia.

— Fique tranquilo. Farei melhor. Vou ligar para o doutor Dantas e marcar uma entrevista em seu escritório para falar sobre o caso em andamento. Vou como se não soubesse de nada. Assim, não comprometerei Lúcia.

— Veja lá o que vai fazer! O doutor Olavo pode não gostar.

— Ele não precisa saber. Vou imediatamente.

— Calma. Tem de agir com naturalidade.

— É. Não vai ser fácil esperar. Mas vou pedir para a Lurdes ligar.

Mandou-a fazer a ligação e ficou esperando com impaciência. Ela retornou em seguida:

— Doutor André, ele disse que poderá recebê-lo amanhã às dez.

— Diga-lhe que irei hoje porque viajo amanhã e ficarei ausente por alguns dias.

Ela saiu e voltou pouco depois:

— Ele pediu-lhe para ir às dezesseis horas. Está bem?

— Pode confirmar. Estarei lá.

Ela saiu. André olhou o relógio, levantou-se, foi até o cabide, vestiu o paletó.

— Aonde você vai? São só duas horas. Chegará lá em menos de vinte minutos.

— Estou ansioso. O tempo vai custar a passar.

— Desse jeito, o doutor Dantas vai perceber que você está mentindo. Nina também vai desconfiar. Não pensei que você fosse ficar tão ansioso.

André tirou o paletó, pendurou-o, sentou-se novamente.

— Hoje Nina vai ter que me dizer tudo. Você pelo menos podia ter perguntado quantos anos o filho dela tem. Aí eu saberia se é meu ou não.

— Quantos anos ele teria?

André pensou um pouco e respondeu:

— Mais ou menos nove anos.

— Sei o quanto você deseja um filho. Mas é melhor não alimentar muitas esperanças. Nove anos é muito tempo. Você casou, Nina pode ter feito o mesmo. Era uma moça pobre. Se tivesse tido um filho seu, certamente o teria procurado para ajudá-la com as despesas.

— Pensei nisso, mas ela é muito orgulhosa. Eu pretendia continuar nosso relacionamento depois de casado. Contudo, Nina não aceitou. Desapareceu de tal maneira que nunca pude encontrá-la. A não ser...

— A não ser...

— Há pouco mais de três anos nos encontramos por acaso na rua. Estava mais bonita, muito elegante, bem-vestida. Não quis falar comigo. Saiu apressada, sem responder minhas indagações.

— Certamente, melhorou de vida. Se não se casou, arranjou alguém para sustentá-la.

André levantou-se irritado:

— O que é isso? Nina é uma moça honesta. Jamais faria isso. Mesmo me amando, tendo na barriga um filho meu, não quis mais relacionar-se comigo depois do meu casamento.

— Desculpe. São hipóteses. O melhor mesmo é ir lá, saber o que aconteceu. Apesar de que um filho agora poderá criar problemas com Janete. Já pensou se ela vier a saber?

André deu de ombros.

— Ficará ofendida. Mas toda vez que falo no assunto ela dá um jeito de escapar. É vaidosa demais. Tem horror de deformar o corpo com uma gravidez.

— Sei de algumas mulheres que pensam assim.

André não respondeu. Estava mais interessado em seu próprio problema.

— Enquanto espera, seria bom que você desse uma olhada no caso da madeireira. Afinal, é sobre ele que vai conversar com o doutor Dantas.

André concordou e Breno colocou em sua mesa a pasta sobre o assunto.

— Boa ideia. Vou inteirar-me dos detalhes. Assim, o tempo passará mais depressa e estarei preparado.

À tarde, Dantas chamou Nina e pediu:

— Veja-me a pasta do caso da madeireira. Quero dar uma lida.

Nina foi buscar e colocou-a à sua frente.

— Este caso é recente. Você já se inteirou dos detalhes?

— Sim. Vamos encontrar pela frente novamente o doutor Olavo Cerqueira César.

Os olhos de Dantas tinham um brilho de satisfação quando respondeu:

— E desta vez o venceremos de novo. Ele contava com aquela causa ganha. Desta vez ele está preocupado. Mandou um de seus assistentes nos procurar para tratar do assunto.

Nina sobressaltou-se:

— Quando?

— Hoje à tarde.

Nina pensou em arranjar um pretexto para sair. Mas Dantas continuou:

— Vou precisar de você. Está mais a par deste caso do que eu.

— O senhor tem mais capacidade para cuidar disso.

— Talvez venha para propor um acordo. Se você o atender, terá mais condições de negociação. Só aparecerei quando for conveniente.

Nina sentiu o coração bater forte e respirou fundo.

— O que foi, Nina? Você parece-me inquieta.

— É que eu preferia que o senhor tratasse desse assunto.

— Por quê?

Nina sacudiu a cabeça como a expulsar pensamentos desagradáveis e respondeu:

— Por nada. Farei como o senhor quiser.

— Muito bem. Quando o doutor André chegar, você o receberá em sua sala.

Nina procurou controlar-se. Era uma profissional, precisava assumir a postura adequada.

— Sim, senhor.

Ela saiu sentindo as pernas um pouco trêmulas. Foi para sua sala, tomou um pouco d'água, colocou a pasta sobre a mesa e sentou-se.

Respirou fundo. Afinal, o momento pelo qual havia esperado havia chegado. Ela não era mais a garota ingênua e crédula da juventude. Profissionalmente estava preparada para tratar do caso em questão.

Sabia que um dia teria que tratar com André, e era isso exatamente que desejava. Ele haveria de arrepender-se do que lhe fizera.

Foi ao toalete, olhou-se no espelho avaliando a aparência. Sorriu com satisfação. Estava muito bem-vestida e maquiada. Voltou à sala, sentou-se e tratou de ler o dossiê do caso que teria de discutir logo mais com André.

Lúcia bateu delicadamente na porta e entrou.

— Nina, o doutor Dantas disse que você vai atender o doutor André Cerqueira César. Ele deve chegar dentro de alguns minutos. O que faremos? — indagou assustada.

— Exatamente o que o doutor Dantas falou. Mande-o entrar aqui, eu vou atendê-lo.

— Bem... eu pensei que você...

— Estou preparada. Não se preocupe. Controle o nervosismo. Quero que o doutor André seja atendido com muita classe. Tenho certeza de que sabe como fazer isso.

Lúcia saiu e Nina olhou em volta. Sua sala era bastante elegante e muito bem decorada. Agora era a hora dela. Tinha dado a volta por cima. Era ele quem a procurava para um acordo profissional. A esse pensamento, sorriu com satisfação. Estava calma e pronta para enfrentar o encontro.

André chegou pontualmente. Lúcia recebeu-o e depois dos cumprimentos explicou:

— O doutor Dantas pediu-me que o encaminhasse à sua assistente, a doutora Nina. Ela é quem cuida preliminarmente de todos os casos e está em condições de atendê-lo. Pede desculpas. Chegou um cliente muito preocupado e ele não teve como se esquivar.

— Está bem. Falarei com ela.

André dissimulou a satisfação. Era exatamente essa pessoa que ele queria encontrar. Acompanhou Lúcia ansioso.

Lúcia abriu a porta e anunciou:

— O doutor André Cerqueira César. — E, voltando-se para André, continuou: — Entre, doutor, por favor.

Ele olhou a mulher elegante, sentada atrás da escrivaninha, lendo alguns papéis. A surpresa o emudeceu.

Nina levantou-se, estendeu a mão, dizendo com voz calma:

— Como vai, doutor André? Queira sentar-se, por favor.

Lúcia fechou a porta, mas ainda pôde ouvir:

— Nina?! É você?!

— Por favor, doutor...

— Procurei-a por toda parte! Nunca imaginei encontrá-la aqui!

— Talvez o doutor Breno tenha se lembrado de onde me conhecia e o senhor veio conferir. Mas isso não importa. Estamos aqui para falar de negócios.

O tom sério e impessoal de Nina o irritou:

— Ele fez-me suspeitar de que era você a assistente do doutor Dantas. Mas eu não acreditei.

— Está vendo que ele não se enganou. Mas concordei em recebê-lo para falar do caso da madeireira.

— Não estou interessado no caso dessa madeireira. Quero falar com você sobre nosso passado, o filho que você estava esperando.

— O passado está morto. Não há nada para conversar. Tudo acabou quando nos separamos. É muito desagradável tocar nesse assunto.

— Eu preciso saber o que aconteceu depois que você me deixou.

— Para quê? Eu já esqueci. Você escolheu outro caminho e eu tratei de cuidar da minha vida.

— Pelo jeito, cuidou muito bem. Vê-se que não precisou de mim — respondeu ele irônico.

— Isso mesmo. Não precisei nem vou precisar. Por esse motivo, doutor André, se não deseja falar sobre a madeireira, nosso assunto está encerrado. Não temos nada mais para conversar.

Nina disse isso com voz firme e levantou-se.

Ele tentou ganhar tempo. Suspirou e fitando-a nos olhos, desafiadoramente, respondeu:

— Está bem. Se quer falar da madeireira, vamos ao caso.

Nina sentou-se novamente e sem desviar os olhos dos dele perguntou:

— O doutor deseja propor um acordo?

— É cedo para isso. Não me parece que seja a melhor solução.

Nina discorreu sobre a situação com firmeza e concluiu:

— Vocês proporem um acordo neste momento seria vantajoso para seu cliente. Além de poder conseguir um desconto maior, ainda ganharia tempo. Você sabe como um caso destes pode demorar. Essa demora, além do risco de perder, aumentará muito o montante da dívida. Os juros estão altos, como sabe.

André olhou-a irritado:

— Você fala como se estivesse certa da vitória. Não é bem isso que eu sei. Essa demora vai prejudicar mais seu cliente do que o meu.

— Em uma causa como esta ninguém pode ter certeza da vitória, e um acordo bem negociado, logo no início, pode ser muito interessante para ambas as partes. Quando decidiu nos procurar, acreditei que pudéssemos chegar a um denominador em que cada um concedesse alguma coisa, com evidente vantagem para todos. Pense nisso, doutor André. Converse com o doutor Olavo.

André pensou que ela tinha razão, mas não quis dar o braço a torcer. Ela não podia falar assim com ele, dar-lhe lições profissionais. Era muita petulância!

— Não temos mais nada para conversar — disse ela, levantando-se. — Pense no assunto. Boa tarde, doutor André.

— Não vou embora. Você vai ter que me dizer o que quero saber.

— Minha vida particular não interessa a ninguém, muito menos a você.

— Sei que tem um filho.

— Tenho.

— Que idade ele tem?

— Vou esclarecer. Marcos tem nove anos. Mas está registrado em meu nome. Não consta o nome do pai.

— Ele é meu filho! Como pôde fazer isso comigo? Por que nunca me contou?

— Foi você quem voluntariamente nos abandonou. Portanto, não tem nenhum direito sobre ele.

— Nunca lhe perguntou pelo pai?

— Ele pensa que o pai morreu. Portanto, não precisa se preocupar. Não tem nenhuma responsabilidade por ele. Eu sou suficiente para cuidar do seu futuro. Uma vez esclarecido esse assunto, espero que nunca mais volte a ele. Aceite de uma vez por todas que nosso relacionamento está definitivamente encerrado.

Antes que ele pudesse responder, Nina chamou Lúcia e pediu:

— O doutor André está se retirando. Acompanhe-o até a porta, por favor.

André olhou para Nina, depois para Lúcia, que o esperava, e resolveu ir. Estava pálido, sentia o peito oprimido, não queria que Nina notasse seu abatimento.

No corredor, Lúcia, olhando seu rosto, ofereceu:

— O senhor aceita um café, uma água?

— Não, obrigado.

Ele saiu e Lúcia foi ter com Nina. Encontrou-a sentada atrás da mesa, pensativa.

— Ele estava pálido, você notou? Pensei que fosse passar mal. Fiquei penalizada.

— Ele não merece sua compaixão. É um homem insensível, que valoriza mais o dinheiro, a posição, do que o amor verdadeiro.

— Breno andou me fazendo perguntas... eu não disse nada...

— Eu sei, Lúcia. Eu o recebi porque quis. Estava na hora de André começar a sentir o peso do seu erro.

— Ele não tem filhos. Vai querer conhecer o menino.

Nina riu irônica:

— Vai. Mas isso não muda nada. Marcos não vai saber que tem pai. Nunca permitirei que André se aproxime dele.

— Pelo que sei, a esposa dele não gosta de crianças. Breno me contou que ela vive dizendo que quer ter um, mas ele tem certeza de que é puro fingimento.

— Isso não me importa nada. Peço-lhe que guarde seus comentários sobre André e sua família.

— Desculpe, Nina. Não voltarei a tocar no assunto.

Depois que Lúcia deixou a sala, Nina pensou em tudo que André lhe dissera. Sorriu, lembrando-se de sua palidez, de como ele tentou dissimular, mas ficou descontrolado. Ele foi lá sem muita certeza de encontrá-la, embora Breno houvesse dito seu nome.

Mas o que ele não esperava era encontrar uma Nina muito diferente da mocinha dócil e ingênua de outros tempos. Notou que ficou irritado. Claro, ele não conseguiu manipulá-la.

Nina trincou os dentes com raiva. Agora, era ela quem daria as cartas. Sabia que ele iria insistir, querer ver o filho. Mas não ia permitir nenhuma intimidade entre eles.

***

André deixou o escritório de Nina perplexo. Aquela mulher bonita, elegante, de classe, não era a Nina que ele havia conhecido. A figura jovem de Nina desenhou-se em sua lembrança e ele reconheceu que ela sempre havia sido bonita, possuía uma elegância natural. Mas naqueles tempos seus olhos eram alegres, cheios de entusiasmo, muito diferente da mulher que o recebera, encarando-o friamente, tratando-o de igual para igual.

Onde estava a doçura que ele se lembrava com saudade? Onde estava o sorriso amigo e o aconchego amoroso de seus braços quando voltava para casa?

Passou a mão nos cabelos como querendo espantar aqueles pensamentos. Sua Nina, por quem continuava apaixonado, não se parecia em nada com essa mulher dura, objetiva e indiferente.

Resolveu andar um pouco. Precisava pensar. Alcançou a Praça da República. A tarde estava no fim e os pássaros passavam cantando, reverenciando o sol que começava a esconder-se.

André sentou-se em um banco sem se importar com as pessoas que iam e vinham. Um filho! Que loucura! Ele tinha um filho com nove anos. Um rapazinho! Seria parecido com ele? Precisava vê-lo. Por que não insistira? Nina não tinha o direito de fazer isso.

Querendo ou não, Nina teria que lhe prestar contas. Iria procurá-la e a faria mudar de ideia. Se não conseguisse, iria à Justiça. Pensou em Janete. Se ela soubesse, faria um escândalo. Talvez fosse melhor tentar convencer Nina por bem.

Reconhecia que ela tinha razões para odiá-lo. Agira como um canalha. Várias vezes haviam feito planos de casar quando ele se formasse.

Por que se deixara levar pela mãe? Por que se iludira com o ganho fácil, a carreira pronta? De que lhe valera tudo isso? Não amava Janete. A princípio sentira-se atraído e chegara a pensar que um dia a amaria. Entretanto, quanto mais o tempo passava, mais ele se convencia de que entre eles não havia nada em comum.

Janete era diferente do que ele gostaria. Seu temperamento sofisticado, sua excessiva preocupação com a aparência o afastavam mais do seu convívio.

Parecia-lhe que ela estava sempre representando um papel. Faltava alma, sua alegria era formal, sua postura adequada ao momento, seu olhar crítico e algumas vezes desdenhoso.

Recordava-se com saudade os momentos vividos com Nina e reconhecia que nunca mais havia sido feliz.

Se a procurasse, mostrasse arrependimento, talvez ela o perdoasse, permitisse sua aproximação com o menino e, quem sabe, ainda pudessem reviver o passado.

A esse pensamento, André estremeceu. Ter Nina novamente submissa em seus braços seria um prêmio pelo qual deveria lutar.

Um pensamento apareceu de repente e ele levantou-se do banco preocupado: ela teria se casado? Precisava saber. Resolveu ir para o escritório.

Assim que entrou, Breno perguntou:

— Você demorou! Então, era ela?

André deixou-se cair em uma poltrona e respondeu:

— Era. Está mudada, muito diferente da moça que conhecemos, mas continua bonita, mesmo tendo se tornado uma executiva fria e calculista.

— Não é essa a opinião que Lúcia tem dela. Ao contrário, diz sempre que ela é mais sua amiga do que chefe. Conseguiu saber sobre a criança?

— Sim. É meu filho e está com nove anos.

Breno ficou calado por alguns instantes, comovido pelo tom com que André havia falado. Depois disse:

— Apesar de saber que a deixara grávida, por essa você não esperava.

— Não mesmo. Afinal, nem sempre uma gravidez chega a bom termo. Depois, como ela nunca me procurou, pensei que houvesse abortado.

— É uma mulher corajosa e de caráter. Outra em seu lugar teria se pendurado em você.

— Ela é orgulhosa demais para isso. Jogou na minha cara que o menino pensa que o pai morreu e não se importa porque ela tem sido suficiente para fazer o papel de mãe e pai. Disse que meu filho não precisa de mim para nada e que não vai permitir que eu o conheça.

— E você, o que pensa fazer?

— Pela minha cabeça passou de tudo. Desde pedir perdão até recorrer à Justiça.

— Cuidado com isso. Um escândalo só iria prejudicá-lo. Depois, uma ação dessas não seria justo com sua família. Janete nunca iria perdoá-lo.

— O que Janete faria não me incomoda nem um pouco. Para ser sincero, nosso casamento vai de mau a pior. Às vezes me demoro na rua só para retardar o momento de encontrá-la.

Breno olhou-o sério. A situação era pior do que imaginara.

— Você não está se precipitando? O fato de ter reencontrado Nina não está fazendo com que queira rejeitar Janete?

— Pode ser que esse fato tenha me feito perceber mais claramente o que eu procurava negar a mim mesmo: que meu casamento com Janete foi um erro e que nunca seremos felizes juntos.

— Calma, André. Não faça nada por enquanto. Você está chocado. Espere a poeira assentar e só tome alguma atitude quando tiver certeza do que fazer.

— Preciso ver esse menino. Nove anos, é um rapazinho.

— Você não pode aparecer diante dele de repente e dizer: sou seu pai! Você não sabe como esse menino lidou com sua ausência esse tempo todo.

— Tem razão. Não desejo prejudicá-lo. Mas sinto vontade de saber tudo sobre ele. Depois, não sei como Nina tem vivido esses anos todos. Se casou, ama alguém, afinal ela pode ter reconstruído sua vida.

— Pelo que sei, ela vive sozinha com o filho.

— O que me intriga é que ela tem progredido muito financeiramente. Está terminando a faculdade. Era uma moça pobre, simples. Como teria chegado ao que chegou? Não só sustenta o filho, como estuda. Veste-se muito bem, aparenta ter dinheiro.

— O que está insinuando?

— Bem, ela continua linda, pode ter alguém que a está ajudando nas despesas.

— Isso não sei. Mas ela frequenta a casa do doutor Dantas, mantém laços de muita amizade com a filha e a esposa dele.

— Eu não entendo.

— Ela tem capacidade profissional. Lúcia contou-me que o doutor Dantas a consulta e eles discutem de igual para igual. Muitas vezes ele faz o que ela diz.

— Isso não entra em minha cabeça. Ela não parecia ser assim, tão capaz.

— Nina era muito jovem quando a conheceu. Pode ter desenvolvido essa capacidade depois.

— É. Você precisava ver com que desenvoltura ela falou no caso da madeireira, deu sugestões, propôs um acordo que, confesso, seria ótimo para ambos os lados. É surpreendente.

Breno sorriu e considerou:

— Não é fácil para você descobrir que trocou uma pérola verdadeira por uma falsa.

— Não deveria dizer isso.

— Desculpe, não quis ofender Janete. Mas confesse que está irritado e arrependido de a ter preterido.

André suspirou fundo e comentou:

— Desde que conversei com ela sinto um aperto no peito. Pode ser que seja isso.

— O que está feito, está feito. O melhor é tentar se acalmar. Afinal, sua situação não é tão ruim assim. Sua esposa é uma bela mulher, tem classe, sua carreira vai bem, não lhe falta dinheiro. Dê um tempo. Nina vai pensar melhor e acabará cedendo. Toda mãe deseja o melhor para o filho, e você pode dar-lhe uma vida boa. Isso vai pesar, tenho certeza.

— Deus queira. É, o melhor mesmo é deixar assentar a poeira. Vou tentar me dominar. Com o tempo ela acabará cedendo.

Disposto a dar um tempo, André foi para sua sala. Sentou-se atrás da mesa, apanhou alguns papéis que teria de assinar, mas, assim que começou a ler, não entendeu nada do que estava escrito. Começou de novo, mas seu pensamento estava em Nina, no filho que ele não conhecia, na vontade que sentia de vê-lo, tomar posse de todos aqueles anos que ficara ausente, saber tudo.

Era inútil querer trabalhar. Chamou a secretária e avisou:

— Preciso sair e não voltarei mais hoje. Amanhã assinarei esses documentos.

Uma vez na rua, respirou fundo. O sol já tinha se escondido prenunciando a noite. Não tinha vontade de ir para casa. Começou a andar pelas ruas, sem destino, perdido em seus pensamentos. Depois, decidiu ir ao prédio onde Nina trabalhava.

Aquilo não podia ficar assim. Falaria com ela de novo. Queria ver o menino. Mas, ao chegar perto do prédio, viu Breno na porta. Envergonhado, entrou em um bar para que o amigo não o visse. Não queria parecer fraco.

Pediu um café. De onde estava podia ver Breno, que com certeza estava esperando por Lúcia.

Viu quando ela saiu e os dois passaram pela porta do bar, sem vê-lo. Assim que eles se distanciaram, André foi para a porta do prédio. Nina teria que ouvi-lo.

Esperou por meia hora, depois colocou uma nota na mão do porteiro e perguntou:

— Estou esperando por dona Nina. Sabe se ela vai demorar?

— Dona Nina já foi embora. O senhor pode deixar um recado, que eu entrego.

— Não é preciso, obrigado. Amanhã entrarei em contato com ela.

Saiu de lá nervoso. Se soubesse onde ela morava, iria até lá. Teria de esperar. Contrariado, foi para casa.

Janete o esperava contrariada. Vendo-o, foi logo dizendo:

— Você esqueceu do jantar na casa do doutor Norberto. Estamos atrasados, não é de bom-tom chegar fora de hora em um jantar.

André olhou-a nervoso e disse com frieza:

— Eu não vou.

— Como?! É o aniversário de casamento deles. Todos os nossos amigos estarão lá, inclusive seus pais.

— Vá você. Eu não estou com vontade de fazer sala a ninguém. Hoje, não.

— Não estou entendendo você! É um advogado de nome, precisa cuidar de sua carreira. O doutor Norberto é muito importante. Muitas pessoas desejariam ser convidadas à sua mesa.

— Pois eu não vou. Vá você.

— Eu nunca me apresentaria sozinha nesse jantar. O que as pessoas vão dizer?

— Isso não me interessa. Estou cansado, tive um dia negro e quero ficar em casa descansando.

Janete olhou-o admirada. Nunca o vira tão nervoso. O que teria acontecido? Ela havia se preparado o dia todo, comprado roupa, ido ao salão de beleza, feito maquiagem.

Sentiu que as lágrimas desciam pela sua face.

— Espero que você tenha uma boa explicação. Está sendo grosseiro comigo. Por que não disse isso antes? Agora, depois que me preparei toda, você diz que não quer ir?

— Eu não disse nada porque você não me perguntou. Aliás, você arranja compromissos sem me consultar. Quando eu chego cansado, você sempre tem isso ou aquilo para fazer.

André sabia que estava atirando sobre ela toda a sua irritação, mas não conseguia controlar-se.

— Você nunca reclamou! Eu tenho me esforçado para que tenha sucesso profissional. É assim que me agradece?

André esforçou-se para adoçar a voz e considerou:

— Sinto muito. Hoje não tenho disposição para conversar. Vou tomar um banho e descansar.

Janete ainda tentou argumentar, mas ele subiu e fechou-se no banheiro. Tomou um banho e trancou-se no escritório. Não estava disposto a conversar.

Sentado em uma poltrona, por sua mente passou todo o seu relacionamento com Nina. Reconheceu que ela foi o grande amor de sua vida. Por que se deixara envolver pela ambição? Por quê?

Agora era tarde. Ela o odiava. Mas havia o filho. Por mais que ela o desprezasse, ele era o pai. Tinha seus direitos e não ia abrir mão deles.

Quando a criada bateu na porta avisando que ia servir o jantar, ele disse que não queria comer. Era madrugada quando finalmente foi para o quarto.

A casa estava silenciosa e na penumbra, ele deitou-se e tentou dormir. Janete dormia, mas ele, apesar de haver se deitado tarde, ficou se revirando na cama, e custou muito a adormecer.

Na manhã seguinte, quando Nina entrou na sala do doutor Antônio, ele perguntou:

— Como foi seu encontro com o doutor André ontem? Ele veio propor um acordo no caso da madeireira?

— Não, senhor.

— Não?! Bem que me pareceu estranho. Eles nunca vieram aqui. Mas o que ele queria?

Nina remexeu-se inquieta. Depois disse:

— Era um assunto particular. Veio falar comigo.

— Com você? Assunto particular? O que está acontecendo, que eu não sei?

Nina respirou fundo, sentou-se na poltrona em frente à mesa dele e tornou:

— Nunca toquei nesse assunto antes, mas agora sinto que é preciso. Vou contar-lhe a verdade.

Em poucas palavras Nina contou-lhe tudo. O doutor Antônio a olhava surpreendido. Quando ela terminou, ele perguntou:

— O que pensa fazer?

— Nada, doutor. Não lhe dou o direito de ver meu filho. Ele nunca saberá que André é seu pai.

Antônio ficou pensativo por alguns segundos, depois disse:

— Não acha que está sendo muito severa com ele?

— Não. Só eu sei o que passei para aceitar o que ele fez e criar meu filho sem pai. Agora que estou bem, que o menino está grande e posso dar a ele uma vida confortável, André aparece querendo se aproveitar. Ele nunca se interessou pela vida desse menino. Não merece nada. Ele que fique longe, tocando sua vida como escolheu, e nos deixe em paz. Se fizer isso, nunca terá do que se queixar. Mas, se insistir, verá com quem está lidando.

— Nina, cuidado. Você ainda está muito magoada. Não é bom guardar ressentimentos no coração. Isso está fazendo mal a você.

— Não está. Foi alimentando esse ressentimento que encontrei forças para trabalhar, estudar e criar meu filho. Foi pela vontade de provar a André que sou suficiente para cuidar sozinha do menino que eu tenho me esforçado tanto.

— Do jeito que você fala, soa como vingança. Você é uma moça boa, não creio que seja capaz disso.

— Não quero me vingar, mas fazer justiça. Ele não quis o filho. Enquanto eu sofria a dor do abandono, ele se casou com outra e foi viver feliz. Agora, depois de tudo, ele volta e quer dar uma de pai? Isso não é justo.

— Seja como for, ele é o pai. Um filho é um vínculo muito forte. Ele pode reclamar a paternidade na Justiça.

— Se ele fizer isso, negarei sua paternidade.

— Ele pode fazer um exame de sangue.

— Esses exames são relativos. Depois, não creio que ele chegue a esse ponto. Seria um escândalo. Ele é casado. O que sua família pensaria disso?

— É uma possibilidade, apesar de tudo. Seria aconselhável você não ser tão dura com ele. Pode exacerbá-lo.

— Não consigo, doutor. Só de pensar nele com Marcos, fico indignada.

— Calma, Nina. Afinal, ele era muito jovem, e os jovens muitas vezes são influenciados pela família. Deve estar arrependido.

— Talvez. Mas isso não apaga o que ele fez. Ele terá que nos deixar em paz. Para isso, vou fazer tudo que puder.

— André não vai se conformar. Marcos pode descobrir que você o impediu de ver o pai e não aceitar isso. Apesar do que houve, ele tem o direito de conhecê-lo e de decidir se quer ou não privar de sua amizade.

— Ele pensa que o pai morreu durante minha gravidez. Aceitou muito bem essa situação e nunca comentou nada a respeito. Não creio que sinta falta do pai. Eu tenho suprido todas as suas necessidades.

Marcos é um menino feliz e alegre. O senhor o conhece e sabe que digo a verdade.

— Sei. Marcos é um menino amoroso e adora você. Mas, apesar disso, sugiro que pense melhor. É um assunto muito delicado.

— A esta altura, a presença do pai iria perturbá-lo. Ele está bem como está. Não precisa de nada.

Antônio não respondeu. Sentia que Nina estava determinada. Nada que dissesse iria fazê-la mudar de ideia. A raiva que ela sentia de André depois de tantos anos, sua falta de interesse em encontrar outro relacionamento amoroso faziam-no suspeitar de que ela, embora negasse a si mesma, não havia conseguido arrancar aquele amor do coração.

Naquela noite, depois do jantar, Antônio contou a Mercedes o que havia acontecido e finalizou:

— Nina está resolvida a impedir que o André veja o filho. Fica indignada só em falar nisso.

— Apesar do tempo decorrido, ela não se esqueceu. A dor ainda está viva, como no primeiro dia.

— É isso o que eu penso. Tentei fazê-la compreender que a ligação entre pai e filho é um elo muito forte. Marcos, apesar de não falar, pode estar sentindo muita falta de um pai. Ele tem o direito de decidir se quer ou não estar com ele.

— Pelo que sei, Janete tem horror de ter filhos. Andréia vive confidenciando às amigas que sonha em ter um neto e está muito decepcionada porque depois de tantos anos de casados isso não ocorreu. O que acontecerá se ela descobrir que já tem um neto de nove anos?

— Como você sabe disso?

— Minha prima Celina é muito amiga de Andréia e comentou comigo.

— Você acha que eles reconheceriam o neto?

— Não sei. Andréia é muito formal, cheia de regras sociais. Entre o desejo de ter um neto e o escândalo que sua presença provocaria, talvez ela preferisse ignorá-lo. Depois, há Janete, orgulhosa, vivendo seu papel social. Essa, se descobrisse esse filho de André, nem sei o que faria. Pensando bem, Nina pode estar agindo certo. Ter essas duas mulheres como inimigas não seria nada bom para ela e Marcos.

— Você acha que tentariam alguma coisa contra Nina?

— Você não sabe o que mulheres com a vaidade ferida podem fazer...

— Tenho visto alguns casos e você está certa. Mas acho difícil Nina conseguir segurar André. Já pensou como ele deve estar? Nina nunca o procurou e ele não sabia que tinha esse filho. Suspeitava, mas não tinha certeza de nada.

— Ele deve estar emocionado, ansioso. Também acho que não vai se conformar. Vai dar trabalho a Nina.

Antônio suspirou pensativo e ficou calado por alguns instantes. Depois disse:

— Nina vai precisar de apoio. Nós vamos ajudá-la.

— Isso mesmo. Faremos tudo o que for preciso para que ela continue vivendo em paz. Mas temo que, depois de hoje, ela não consiga.

***

André acordou tarde naquela manhã e seu primeiro pensamento foi para Nina. Isso não podia ficar assim. Ela teria de ceder.

Estava atrasado. Levantou-se apressado, arrumou-se e desceu para o café. Janete, vendo-o, comentou:

— Você disse que queria sair cedo e está atrasado.

— Eu sei. Não dormi muito bem esta noite.

— Não dormiu e não me deixou dormir. Remexeu-se inquieto, resmungou e até brigou. Você está com algum problema?

— Não. Foi só um pesadelo.

— Com quem estava brigando?

— Com ninguém. Vou embora, estou atrasado.

— Não vai sair assim, sem comer nada. Sente-se. Vou mandar servir. Alguns minutos mais não vão fazer diferença.

André suspirou e sentou-se. Sentia o peito oprimido e vontade de discutir com Janete. Controlou-se. Ela não tinha nada a ver com suas preocupações.

Serviu-se de café e apanhou um biscoito. Janete sentou-se ao seu lado e, vendo que ele continuava calado, disse:

— Teve uma hora em que você gritou que era uma injustiça, que não podia permitir. Posso saber do que se trata?

André irritou-se:

— Como posso saber? Foi um pesadelo, nem me lembro mais como foi. — Ele teria dito algo comprometedor? Moderou o tom e continuou: — Estou tratando de uma causa complicada. Devo ter me envolvido demais.

— Meu pai sempre diz que um advogado não pode entrar no emocional nem se envolver com os clientes. Só assim terá lucidez para trabalhar.

André levantou-se:

— Sei disso.

— Você não comeu nada!

— Estou com pressa.

Antes que ela dissesse alguma coisa, afastou-se rapidamente. Janete sentou-se pensativa:

— Não gostei nada disso. Ouvi muito bem quando ele disse: "Ela não pode fazer essa injustiça comigo". Aí tem coisa. André nunca se impressionou com nenhum caso... Não foi só um pesadelo. Ele está inquieto, irritado... Talvez seja bom falar com papai para conversar com o doutor Olavo e descobrir de que casos André está tratando.

André foi para o escritório. Breno o esperava:

— O cliente chegou e o doutor Olavo já perguntou por você.

— Tive uma noite de cão. Não estou com disposição para essa conversa. Dê uma desculpa e, por favor, fale com ele.

— Está bem. Há mais alguma informação que não esteja anotada?

— Não. Preciso falar com Nina.

— É melhor tomar um calmante, dar um tempo. Você não me parece em condições de conversar com ninguém.

— Não posso esperar! Quero ver meu filho!

— Se quer convencer Nina a consentir que se aproxime de Marcos, precisa usar bom senso, saber ajeitar as coisas. Você não está bem.

— Não estou mesmo. Dá para notar tanto assim?

— Bom, eu o conheço há tantos anos e nunca o vi tão alterado.

André colocou a mão no braço de Breno dizendo:

— De fato. Essa notícia caiu sobre mim como uma bomba.

— É uma notícia boa. Deve ficar alegre.

André passou a mão nos cabelos e considerou:

— Como ficar alegre sabendo que fui leviano, inconsequente, fútil?

— Não é hora de se culpar. Você não tinha o amadurecimento de hoje. Fez o que achou bom na época.

— Mas Nina me condena, não pensa assim. Ela teve coragem de dizer ao meu filho que eu morri. Acha isso justo?

— Ela quis evitar que ele soubesse a verdade.

— Mas eu estou vivo! Ele nem sabe que eu existo.

— De nada adianta você ficar se torturando. Isso só vai piorar as coisas. O que tem a fazer é procurar se acalmar, só procurá-la quando estiver melhor e puder conversar. Afinal, você é o pai do Marcos. Ela vai acabar aceitando. Mas precisa ir com jeito. Ela entregou-se a você inteiramente e foi abandonada, enganada, trocada por outra. É natural que esteja ofendida.

— Reconheço que tem razão. Mas não sei se vou aguentar esperar. Minha vontade é correr até ela e obrigá-la a reconhecer meus direitos de pai.

— Calma. Já pensou em Janete, em dona Andréia? Quer saber? Eu acho que a atitude de Nina preservou seu nome diante de sua família. Ela, ao contrário de outras que conheço, nunca o incomodou nem cobrou nada. Você deveria estar agradecido.

André suspirou nervoso.

— Eu errei, mas não vou repetir o mesmo erro. Eu tenho um filho! Janete, apesar de dizer que quer filhos, sempre se esquivou. Eu sei que ela não teve porque não quis.

— Nina é bem discreta. Você pode convencê-la a deixá-lo aproximar-se de seu filho, sem que para isso precise reconhecê-lo publicamente. Assim, sua família estaria preservada.

— E eu continuaria me sentindo um covarde.

— Você quer se punir, sofrer, pagar pelo que fez.

— Pode ser. Mas vou reconhecer meu filho e todos vão saber. Se Nina recusar-se a me receber, entrarei na Justiça. Ela terá que aceitar minha paternidade.

Breno meneou a cabeça, discordando:

— Não faça isso. Nina ficará ainda mais indignada.

A secretária entrou na sala:

— O doutor Olavo está chamando o doutor André com impaciência.

— André não está se sentindo bem. Eu atendo.

Depois que Breno saiu, André apanhou o telefone e ligou para Nina. Lúcia atendeu:

— Dona Nina saiu. Quer deixar recado?

— Sei que ela está e não quer me atender. Diga-lhe que, se não vier ao telefone, irei até aí.

Depois de alguns segundos de silêncio, Lúcia respondeu:

— O senhor está enganado. Se não acredita, pode vir verificar.

— Talvez eu vá mesmo. Em todo caso, diga-lhe que eu liguei e que nossa conversa ainda não acabou. Se ela não me procurar para tratarmos do nosso assunto, eu o farei. Não vou desistir.

— Darei seu recado.

Lúcia desligou e foi à sala de Nina:

— Ele está nervoso, disse que não vai desistir. Não seria melhor conversar com ele de uma vez e decidir a questão?

— Com o que ele quer, eu nunca concordarei. Qualquer conversa será perda de tempo. Diga-lhe isso se telefonar ou aparecer novamente por aqui.

No fim da tarde, quando Lúcia saiu do escritório, encontrou-se com Breno, como de costume:

— André vai nos dar trabalho.

— Tentei convencê-lo a dar um tempo, esperar, ir com calma, mas ele está determinado.

— Nina também. Diz que é inútil conversar, porque nunca vai concordar com o que ele quer.

— O que me preocupa é que André está muito nervoso. Nós nos conhecemos desde a faculdade e nunca o vi tão descontrolado. Se Nina insistir, tenho medo de que ele faça alguma loucura.

— Que loucura? Ele pode agredir Nina?

— Não digo isso. Mas cismou que vai reconhecer o filho de qualquer jeito, quer Nina concorde ou não.

— Isso não vai acabar bem. Talvez, se Nina conversasse com calma, ele acabasse até fazendo o que ela quer. Mas não. Ela tem muita raiva dele.

— O orgulho não é bom conselheiro. Você não conhece dona Andréia nem Janete. As duas vão despencar quando souberem. Nem sei o que serão capazes de fazer.

— Contanto que deixem Nina em paz...

— Se André entrar na Justiça, todos ficarão sabendo. Elas ficarão furiosas.

— Aconselhe-o a desistir dessa ideia. Só vai agravar o problema.

— Já o aconselhei, mas André está se sentindo culpado. Quer se punir, enfrentar a família, a sociedade, tudo. Disse que não quer continuar sendo covarde.

— Ele vive bem com a esposa?

— Nosso relacionamento é mais profissional. O doutor Olavo me convida para as festas em sua casa, mas não privo da intimidade deles. Dona Andréia valoriza nomes, posição, sempre muito atenciosa com gente importante e, claro, indiferente com pessoas que considera sem prestígio, assim como eu.

— Talvez tenha sido por esse motivo que André preferiu casar-se com Janete. Pelo que sei, a família dela é importante.

— Claro que foi por influência dela. Ele era muito apaixonado por Nina.

— Mas não teve coragem de enfrentar a mãe.

— Eu até o entendo. Sou de origem simples. Estudei muito para poder chegar aonde cheguei, mas, apesar de André e o doutor Olavo tratarem-me de igual para igual, noto que tanto dona Andréia como Janete me olham como se eu fosse menos. As duas são muito pretensiosas e, francamente, não creio que André seja feliz ao lado delas.

— Vai ver que ele é igual.

— Aí é que você se engana. Fomos colegas de faculdade. Ele, o moço rico, de família importante; eu, um estudante pobre, trabalhando muito para poder graduar-me. Nós nos tornamos amigos desde os primeiros dias. André sempre foi um bom companheiro. Depois de formados, fui trabalhar com um advogado classe média, mas consegui sobressair-me em um caso importante, o doutor Olavo soube e fez-me uma proposta de trabalho. André soube e procurou-me e foi ele quem me propôs sociedade.

— Você é sócio do doutor Olavo?

— Não. O doutor Olavo é o diretor, mas em nosso escritório há vários advogados, associados entre si. Cada empresa jurídica atende a uma área. Todos mantemos contratos com a empresa do doutor Olavo.

— Ele é conceituado e famoso.

— Faz por merecer a fama que tem. Supervisiona nosso trabalho com eficiência. Eu soube que dona Andréia foi contra ele fazer esse acordo comigo, mas André foi irredutível. Temos trabalhado muito bem juntos.

— Ainda acho que Nina deveria conversar com André, tentar uma solução pacífica. Mas ela fica irritada só em ouvir o nome dele.

— É pena. Em todo caso, tente falar com ela e eu com ele. Vamos ver o que conseguimos.

***

Quando Nina chegou em casa no fim da tarde, Marcos já havia voltado do colégio e ela o abraçou com carinho. Depois, sentou-se com ele no sofá e quis saber o que ele havia feito na aula.

Marcos começou a contar e enquanto ele falava Nina não pôde deixar de notar como ele estava parecido com André. O mesmo sorriso, a maneira de inclinar a cabeça quando ouvia, a vivacidade nos olhos.

Mais tarde, quando o menino já estava dormindo, Nina, sentada em uma poltrona na sala, tentava ler uma revista e resistir à pressão de suas lembranças.

Ela havia esquecido e levado a vida para a frente. Por que agora tudo reaparecia com a mesma força de antes?

André era o culpado de tudo. Sua presença levava-a de volta ao passado, e isso ela não podia permitir. Ao mesmo tempo reconhecia que durante todos aqueles anos havia trabalhado para esse reencontro, quando triunfaria sobre ele, aparecendo como uma mulher inteligente, competente, capaz.

Havia conseguido, porém essa vitória não lhe deu o que ela esperava. Em vez da satisfação, a dor reapareceu com a mesma força.

Ela não podia ceder. André não podia saber o quanto ela ainda sofria e chorava seu amor rejeitado. Por mais que lhe doesse, era preciso ficar firme e evitar a todo custo que ele se aproximasse do filho.

***

Naquela mesma tarde, Janete foi ao escritório do pai. Vendo-a entrar, Júlio deixou o jornal que lia sobre a escrivaninha e foi abraçá-la:

— Que bom vê-la, minha filha!

Depois de beijá-la na face, sentou-se ao lado dela no sofá, dizendo alegre:

— Então, o que você quer?

— Falando assim, dá impressão que o visito só quando desejo alguma coisa!

— Não foi isso que eu quis dizer. Acontece que tenho o maior prazer em fazer alguma coisa para você.

— Senti saudade, papai.

— Faz tempo que não nos visita. Temos sentido sua falta. Sua mãe anda queixosa. Quando ligamos, você nunca está em casa.

— Você sabe como é: André precisa manter boas relações.

— Eu sei, filha. Não a estou censurando. Quer um café, uma água, um chá?

— Não, obrigada.

Janete suspirou pensativa e Júlio indagou:

— Você parece preocupada. Aconteceu alguma coisa?

— Por enquanto, não.

— Isso significa que há alguma coisa. O que é?

— Nos últimos dias André tem estado inquieto, nervoso, irritado. Tentei conversar, mas ele diz que está preocupado com o trabalho.

— Pode ser mesmo. André sempre foi muito responsável.

— Não acho que seja isso. Alguma coisa aconteceu com ele. Sinto que seu comportamento mudou.

— Pode ser impressão.

— Não é, não. Esta noite ele remexeu-se e quase não me deixou dormir. Resmungou, discutiu, brigou e gritou que era uma injustiça e não podia permitir.

— Deve ser problema de trabalho mesmo. Esqueceu que ele trabalha com a Justiça?

— Pode ser, mas desde que nos casamos nunca o vi tão irritado. Gostaria que você conversasse com o doutor Olavo para saber se está havendo um problema com algum cliente.

— Não vejo motivo para você ficar tão preocupada. Hoje mesmo farei o que me pede.

— Seja discreto. Não lhe diga que fui eu quem pediu.

— Pode deixar. Sei como fazer isso.

Janete deixou o escritório do pai satisfeita. Tinham um jantar no clube à noite, mas André já lhe dissera que não iria. Ela não desejava passar mais uma noite tediosa em casa. Com certeza ele se fecharia no escritório ou iria dormir cedo. Mas ela teria paciência, pelo menos até o dia seguinte.

***

André passou o dia nervoso. Telefonara várias vezes, mas Nina se recusava a vê-lo. Estremecia só em pensar que tinha um filho de nove anos e nem sabia como ele era.

Nina estava irredutível, mas ele não desejava esperar mais. Decidiu ficar escondido e segui-la quando ela deixasse o escritório. Assim, descobriria onde eles residiam e poderia ver o menino.

Viu quando Nina saiu com Lúcia, despediu-se dela, foi ao estacionamento, apanhou o carro e saiu. Ele estava sem carro. Apanhou um táxi e pediu para segui-la discretamente.

Quando ela parou em frente à garagem, ele ficou na esquina, despediu o táxi, esperou que ela entrasse. Depois caminhou até a casa. Seu coração batia descompassado. Ficou parado em frente à grade, olhando o jardim bem cuidado, a casa bonita onde algumas luzes acesas indicavam que havia mais pessoas lá além dela.

Sentiu vontade de apertar a campainha, mas conteve-se. E se ela estivesse morando com outro? Embora continuasse solteira, estava bonita, bem-vestida, mais atraente do que antes. Era difícil crer que continuasse sozinha.

Se Nina soubesse que ele estava ali, ficaria irritada, poderia até se mudar, desaparecer, como fizera antes. O melhor seria ir até lá durante o dia, enquanto ela estivesse trabalhando, e tentar ver o menino.

Ouviu vozes lá dentro, mas não conseguiu distinguir o que diziam. Para não chamar a atenção, afastou-se um pouco e ficou caminhando pelas proximidades.

Seu filho estava tão perto e ao mesmo tempo tão distante! Naquele momento, ele poderia estar lá, do lado de dentro, usufruindo do amor de Nina e do carinho do filho.

Nunca ele sentiu tanto arrependimento como naquele momento! Nina fora o grande amor de sua vida. Por que se deixara levar pela ambição? Por que menosprezara os sentimentos dela, acreditando que ela aceitaria ser a outra, vivendo uma vida marginal?

Lágrimas rolavam pelo seu rosto, enquanto ele remoía suas lembranças. Passou a mão pela face, tentando reagir. A vida havia lhe dado a oportunidade de ser feliz e ele trocara tudo pelas aparentes facilidades que alimentam a vaidade, mas que deixam um vazio no coração.

Era muito tarde quando chegou em casa. Janete, preocupada, esperava-o acordada. Vendo seu abatimento, não se conteve:

— André! O que está acontecendo? Por que não veio para o jantar?

André olhou-a e não teve coragem para dizer nada. Ela não tinha nenhuma culpa. Ele fora o único responsável pelo que estava passando. Ela continuou:

— Estou esperando! Quero saber o que está acontecendo!

— Não está acontecendo nada. Não estou me sentindo bem. Vou tomar um banho e descansar.

— Isso é que não. Temos de conversar! Não posso deixar passar. Sou sua mulher. Você está mudado. Arredio, nervoso, vem se afastando de todos. Quero saber o que há.

— Já disse que não há nada. Não quero conversar. Estou cansado e vou dormir.

— Você não me deixou dormir direito a noite passada.

— Não se preocupe. Não vou incomodá-la. Dormirei no quarto de hóspedes.

Ele subiu apressado e Janete trincou os dentes com raiva. Tinha certeza de que alguma coisa muito grave estava mesmo acontecendo. Ela não ia deixar assim. Precisava dar um jeito de descobrir.

Passava das nove quando André acordou na manhã seguinte. Apesar de cansado, custara a dormir. Levantou-se apressado, arrumou-se e desceu para o café.

Janete o esperava na sala, folheando uma revista com impaciência. Vendo-o, cercou-o dizendo:

— Você ontem foi grosseiro e intolerável.

— Sinto muito. Não tive intenção. Com licença, estou atrasado.

— Você não vai sair assim, sem nenhuma explicação... O que pensa que eu sou?

— Deixe-me passar, não quero ser indelicado com você. Não estou me sentindo bem. Espero que compreenda.

— Você me trata como uma estranha. Está mal e não conta por quê. Quero ajudá-lo. Para isso servem as esposas.

— Ajudará mais me deixando em paz.

Janete meneou a cabeça negativamente:

— Não dá para entender sua atitude.

— Por favor. Preciso ir. Estou atrasado.

Antes que ela dissesse mais alguma coisa, ele voltou-se e saiu. Janete foi atrás dele dizendo:

— Não vai tomar café?

Ele pareceu nem ouvir. Apanhou o carro e saiu. Ela entrou em casa preocupada. Imediatamente ligou para o pai, que ainda estava em casa.

— Pai, você conversou com o doutor Olavo?

— Conversei, filha.

— O que ele disse? Sabe de alguma coisa?

— Falamos por mais de uma hora. Ele disse que está tudo bem. Não há nada acontecendo. Não precisa se preocupar.

— Ontem André não veio jantar. Chegou passava da meia-noite. Estava abatido, cansado. Quando quis saber o que estava havendo, ficou irritado. Sabe o que ele fez? Foi dormir no quarto de hóspedes.

— Você quer que eu fale com ele?

— Não. Isso não. Vou falar com Andréia. Talvez ela possa descobrir alguma coisa. Esta situação está me tirando do sério. Alguma coisa muito grave está ocorrendo, e eu vou saber o que é.

— Fique calma. Fale com Andréia. Não faça nada sem falar com ela. Se precisar, é só dizer. Farei o que quiser.

***

André chegou à porta do prédio do escritório, sentiu a cabeça zonza. Lembrou-se de que não havia ingerido nada desde o dia anterior. Entrou em uma padaria, pediu um lanche e um café com leite. Depois decidiu não ir trabalhar. Telefonou para Breno avisando.

— O que vai fazer, André? Venha até aqui pelo menos para conversarmos um pouco. Isso lhe fará bem.

— Não estou com cabeça para trabalhar. Avise o doutor Olavo que não estou me sentindo bem e que fui procurar um médico.

— Não é isso que você vai fazer.

— Não. Ontem fui atrás da Nina e descobri onde ela mora. Vou até lá ver o menino.

— Cuidado. Marcos não sabe que você é o pai. Pode se chocar. Lembre-se de que é uma criança.

— Claro. O que acha que eu sou? Só desejo vê-lo. Não aguento mais pensar nele sem saber como é.

— Vá com calma.

— Não vou perturbá-lo. Pode crer.

Breno desligou o telefone preocupado. O doutor Olavo havia perguntado por ele, insistindo em saber se estava acontecendo alguma coisa:

— André está esquisito. Sabe se está doente?

— Estava indisposto, nada grave.

— Deve haver alguma coisa. Ontem o Júlio veio ver-me e fez-me algumas perguntas sobre André. Eu garanti que estava tudo bem, mas tenho minhas dúvidas.

— Ele está adoentado, nada de mais. Está indo procurar o médico e logo estará bem.

Olavo olhou-o firme e disse:

— Para o Júlio vir aqui perguntar, alguma coisa há. Como vai o relacionamento dele com Janete?

— Não sei, doutor. Mas acredito que esteja tudo bem. Ele não disse nada.

Olavo ficou pensativo por alguns instantes, depois considerou:

— Nunca acreditei que esse casamento fosse durar. Eles são tão diferentes...

Breno surpreendeu-se:

— Por quê, doutor?

— Sua amizade com André vem dos tempos de faculdade. Ele mudou muito depois do casamento. Era um rapaz idealista, irradiava alegria, disposição. Aos poucos foi se transformando. Em seus olhos não há mais aquele brilho entusiasta. Há momentos em que parece entediado, triste. Não concorda comigo?

— Sim. De fato, ele mudou. Com o tempo, todos mudamos.

Olavo sorriu:

— Nem tanto. Você está sendo discreto, mas eu sinto que há alguma coisa. Talvez outra mulher.

Breno balançou a cabeça negativamente. Ia falar, mas Olavo não lhe deu tempo:

— Não se preocupe. Para o Júlio, minha resposta será sempre a mesma. Está tudo bem. Aprecio André, o respeito e admiro. Embora ele seja meu sobrinho, não desejo intrometer-me em sua vida.

Breno hesitou um pouco, depois disse:

— O senhor é muito perspicaz. De fato, André está passando por uma crise pessoal. Mas não quero trair sua confiança, prefiro que ele mesmo lhe conte tudo.

— Gostaria de saber se há alguma coisa que eu possa fazer para ajudá-lo.

— No momento, ninguém poderá fazer nada. É uma questão íntima que compete a ele resolver.

— Está bem. Vocês dois sabem que podem contar comigo sempre.

— Obrigado, doutor.

André saiu da padaria, apanhou o carro e foi até a casa de Nina. Parou alguns metros antes da entrada e ficou observando. Era uma casa bonita, com dois pavimentos e um jardim bem cuidado. As janelas do andar de cima estavam abertas.

O coração de André bateu mais forte. Havia gente em casa. Ficou atento. Marcos poderia aparecer a qualquer momento. Mas ele não apareceu. Pouco antes do meio-dia, uma mulher apareceu e fechou as janelas. Pouco depois ela saiu e André decidiu segui-la.

Ela caminhou alguns quarteirões, virou uma rua e André emocionado a viu parar na porta de um colégio ao lado de algumas mães. As crianças começaram a sair, enchendo o ar de um burburinho alegre e ruidoso.

André, coração batendo forte, não tirava os olhos de Ofélia. Foi quando viu um menino alegre e bonito aproximar-se dela, que o beijou com carinho na face. Lentamente começaram a caminhar e André emocionado observava, sentindo lágrimas descerem pelas suas faces, num misto de alegria e dor.

Seu filho! Aquele menino bonito, forte, alegre, era seu filho!

Eles viraram a esquina e André ligou o carro e os seguiu lentamente. Queria parar, conversar com ele, ouvir sua voz, saber como ele era.

Os dois continuavam caminhando, conversando animadamente sem perceber que estavam sendo seguidos. Chegaram em casa e, antes de entrar, Ofélia foi chamada por uma senhora da casa vizinha e ambos pararam. Enquanto Ofélia conversava, Marcos esperava tranquilo.

Naquele instante, André, dentro do carro, parado poucos metros depois, pode vê-lo bem. Marcos era muito parecido com ele. Era seu filho, não havia dúvida.

Eles entraram e André ainda ficou algum tempo dentro do carro. Depois resolveu ir embora. Queria rever suas fotos de criança. Sua mãe tinha uma enorme coleção delas. Foi procurá-la.

Andréia, vendo-o entrar, surpreendeu-se:

— André! Aconteceu alguma coisa? Você está com uma cara!

Ele tentou dissimular, sorriu e respondeu:

— Não aconteceu nada. Eu estava meio cansado, indisposto, tirei o dia para descansar. Tive vontade de vir até aqui conversar um pouco.

— Você foi ao médico?

— Eu ia, mas melhorei. Estou bem.

— Não parece. Ainda acho que deve ir. Posso marcar com o doutor Luciano.

— Não se incomode, mamãe. É um simples resfriado.

— Mesmo assim, não deve se descuidar.

A criada apareceu e avisou que o almoço ia ser servido. Ela mandou colocar mais um prato, porém André interveio:

— Uma hora atrás tomei um lanche e estou sem fome.

Romeu, que havia se aproximado, abraçou o filho e insistiu:

— Faça-nos companhia.

— Obrigado, papai, mas eu já comi. Gostaria de descansar um pouco em sua biblioteca enquanto almoçam.

Os dois foram para a copa e André subiu as escadas rumo à biblioteca. Quando passava pelo corredor, ouviu soluços. Alguém chorava copiosamente na saleta que dava para o quarto de Milena.

Preocupado, André tentou abrir a porta, mas estava trancada. Deu a volta pelo quarto da irmã e entrou na saleta. Ajoelhada no chão, com os cotovelos apoiados na cama, o rosto entre as mãos, Milena soluçava.

Penalizado, André aproximou-se, colocou as mãos sobre os ombros dela dizendo:

— Milena, o que foi? Por que está chorando desse jeito? O que aconteceu?

Ela estremeceu e não respondeu. André forçou-a a levantar-se e abraçou-a com carinho. Ele nunca se importara com o temperamento inquieto da irmã nem tentara compreendê-la. Sua mãe dizia que era caso de psiquiatra e ele pensava que não podia fazer nada.

Mas naquele momento em que ele se sentia tão fragilizado, as lágrimas dela o comoveram como nunca havia acontecido. Vendo que ela continuava chorando baixinho, disse:

— Chore, minha querida. Desabafe. Há momentos na vida em que precisamos chorar, pôr para fora toda a dor que estamos sentindo.

Ela não respondeu. Ele a abraçou com carinho enquanto ela continuava soluçando, e André sentiu-se culpado por nunca ter tentado compreender o que se passava com ela. Por que ela se sentia tão triste?

Não encontrando palavras para dizer, continuou abraçando-a carinhosamente em silêncio. Aos poucos ela foi serenando.

André conduziu-a até o sofá e sentou-se a seu lado. Ofereceu-lhe um lenço. Milena enxugou os olhos, estremecendo de vez em quando. Ele acariciou seus cabelos dizendo:

— Seja o que for que estiver acontecendo com você, eu estou do seu lado para protegê-la. Quero que saiba o quanto eu gosto de você e que sempre poderá contar comigo.

— Obrigada. Mas ninguém poderá ajudar-me.

— Não diga isso. Por que não me conta o motivo de tantas lágrimas?

— Não há um motivo especial. É tudo. Minha vida é inútil e vazia. Sou desajeitada e ninguém gosta de mim. Sempre foi assim, estou conformada, mas é que às vezes tudo fica pior.

— Você está enganada. É uma moça bonita, instruída, rica, tem tudo para ser feliz. Por que se deprecia tanto?

Milena deu de ombros e não respondeu. André continuou:

— O que você precisa é reagir, olhar a vida com mais alegria, você é jovem. Terá muitas oportunidades para ser feliz.

— A felicidade não foi feita para mim.

André colocou as mãos nos ombros dela dizendo:

— Milena, olhe para mim.

Ela obedeceu. Ele prosseguiu:

— Aconteceu alguma coisa grave que você não quer me contar? Fale com sinceridade. Seja o que for, estou aqui para ajudá-la.

— Não aconteceu nada. É o de sempre. Uma tristeza, um desânimo, uma vontade de morrer...

— Não diga isso. De hoje em diante vou cuidar de você.

Ela fez um gesto vago:

— Não vai adiantar. Não quero dar trabalho.

— Não posso vê-la assim. Estou me sentindo egoísta, culpado, pensando só em mim. Sua tristeza me entristece. Vamos, arrume-se um pouco e desça para almoçar.

— Não estou com fome. Vá você.

— Também não estou vontade de comer. Estou precisando da sua ajuda.

Ela fixou-o surpreendida:

— O que é?

— Você sabe onde estão as fotografias de quando éramos crianças?

— Sei. Por quê?

— Para ser sincero, hoje também estou me sentindo triste, com saudade daqueles tempos. Vim aqui pensando em rever essas fotos. Ajude-me a encontrá-las.

— Vamos à biblioteca.

Ela levantou-se e André a acompanhou ao escritório do pai, onde ficava também a biblioteca. Milena foi a um armário e tirou dois álbuns, entregando-os ao irmão.

— Venha, Milena, vamos ver juntos.

Sentaram-se no sofá e foram folheando um dos álbuns. De repente, André sobressaltou-se diante de uma foto sua, reconhecendo o quanto se parecia com Marcos. Havia notado a semelhança, mas não imaginou que fosse tanta.

Emocionado, não conteve as lágrimas e Milena, notando sua emoção, colocou a mão sobre a dele, dizendo séria:

— Sinto que você também está triste, amargurado, cheio de remorso. Seu coração está oprimido, tanto quanto o meu.

André olhou nos olhos dela e notou tanta solidariedade que não se conteve. Começou a falar do seu amor por Nina, do seu casamento errado, do seu arrependimento e da descoberta de que tinha um filho de nove anos, muito parecido com ele.

Milena ouviu com interesse sem interromper nem comentar. Quando ele terminou, ela perguntou:

— O que pensa fazer?

— Quero reconhecer meu filho. Nina não vai poder nos separar. Não tem esse direito.

— Ela está muito ferida, porque ainda o ama.

— Não creio. Ela me odeia. Se você visse a frieza com que me tratou, a raiva, não diria isso.

— Você confiou em mim, contou seu segredo, vou contar-lhe o meu. Mamãe diz sempre que sou desequilibrada, vive me levando ao psiquiatra, talvez ela esteja certa. Mas não sei o que acontece comigo, há momentos em que as pessoas chegam perto de mim e eu sinto o que elas estão pensando, o que sentem, o que vai lhes acontecer. É terrível. No começo tentei falar sobre isso, mas ninguém acreditava. Chegaram a dizer que sou louca. Então me calei. Mas não sei lidar com isso.

André olhou-a surpreendido:

— Sente o que os outros estão pensando? Tem certeza de que não está sendo vítima de uma ilusão?

— Tenho. As pessoas falam coisas, agem do jeito que eu sabia que fariam. Não é ilusão. Eu sinto mesmo. Às vezes eu não controlo e acabo falando o que estou sentindo.

— Como assim?

— Tristeza, raiva, revolta, a onda vem tão forte que não consigo dominar. Quando dou por mim estou chorando, como hoje, brigando com as pessoas, como tenho feito. Não é isso que eu quero. Mamãe não acredita, diz que preciso me controlar. Faço força, algumas vezes eu consigo, mas outras não. Por tudo isso não gosto de ir a festas ou fazer amigos. Acabo sempre dando vexame. Você também acha que estou ficando louca?

André abraçou-a com carinho.

— Não. Nunca ouviu falar em telepatia? É uma ciência comprovada. Deve ser isso que você tem. Prometo que vou pesquisar, vamos estudar o assunto.

— Você acha? Ah! Se eu pudesse me livrar disso...

— Vamos ver.

Romeu abriu a porta e vendo-os conversando animadamente no sofá admirou-se.

— Vocês deveriam comer alguma coisa — disse. — Não podem ficar sem comer.

André fechou o álbum, levantou-se:

— Nossa conversa deu-me fome. Vamos comer. Você me fará companhia.

Milena concordou e, diante dos olhos surpreendidos do pai, eles se dirigiram à copa, sentaram-se à mesa e a criada apressou-se a servi-los.

Andréia olhou-os, mas não disse nada. Milena estava com os olhos vermelhos, mas parecia calma e ela dava graças a Deus. Foi falar com Romeu, expressando sua admiração:

— Não entendi o que aconteceu. André e Milena resolveram almoçar juntos e conversavam animadamente. Ela parecia normal. O que será que aconteceu?

— Não sei. Também me surpreendi vendo-os sentados no sofá folheando o álbum de fotos, conversando. Seja o que for, foi bom porque Milena hoje estava impossível, chorosa. Pelo menos parece melhor.

Milena comeu com apetite e sorriu olhando com cumplicidade para André.

— Mamãe deve estar louca para saber o que conversamos.

— É um segredo nosso.

— Isso mesmo.

Depois de almoçar, André despediu-se dos pais e Milena acompanhou-o até o jardim. Quando ele fez menção de despedir-se, ela disse:

— Não entre na Justiça. Seja paciente. O caminho é esse.

Sua voz estava mais grave e André olhou-a admirado.

— O que foi que disse?

Ela balançou a cabeça.

— Eu disse alguma coisa? Não me lembro.

— Você disse para eu não entrar na Justiça.

— Se eu disse e não me lembro, faça. Quando isso acontece, embora não me recorde bem das palavras, sinto o que vai acontecer.

André deixou a irmã impressionado. Sentia-se mais calmo, aquela agitação havia passado. O caso de Milena o deixou intrigado. Ela não lhe parecia uma pessoa desequilibrada. Por mais estranhas que tenham sido suas palavras, sentiu que eram sinceras.

Foi para o escritório. Breno o esperava ansioso.

— O doutor Olavo perguntou por você. Parecia preocupado. O doutor Júlio andou lhe fazendo perguntas sobre você.

André ficou pensativo por alguns instantes, depois considerou:

— Com certeza Janete foi incomodar o pai com suas queixas e dúvidas a meu respeito. Notou que não tenho estado bem. Como eu não disse nada, foi atrás dele. Isso me irrita profundamente. Faz-me sentir acuado, espionado. É horrível.

— O doutor Olavo também havia notado sua preocupação, mas respondeu a ele que estava tudo bem, que não havia nada. Ele gosta muito de você.

— Sei disso. Vou conversar com ele.

Dirigiu-se à sala do tio, bateu levemente e entrou:

— O senhor estava me procurando?

— Sim. Você não me pareceu bem. Está doente?

— Não, tio. Estava indisposto.

Ele fixou seu rosto e perguntou:

— Sei que não é da minha conta, mas você é meu sobrinho preferido. Brigou com Janete?

— Não. Acontece que nem sempre estou disposto a contar-lhe todos os meus pensamentos. Há momentos em que sinto vontade de ficar só. Ela não aceita isso.

— Janete é uma mulher dominadora. Se você não for firme, acabará fazendo tudo que ela quer.

André olhou-o surpreendido. Era a primeira vez que o tio emitia opinião sobre ela.

— De fato, Janete é voluntariosa e eu não posso fazer-lhe todas as vontades.

— Tem razão. Mas parece-me que de alguns dias para cá você tem estado mais nervoso do que o comum. Dá impressão que há alguma coisa a mais...

— Há, sim. Tenho estado preocupado com Milena.

— É uma menina problemática.

— Estou pensando em ajudá-la. Mamãe a tem levado ao psiquiatra, mas ela não melhora. Venho me sentindo culpado por não a ter apoiado e tentado fazer alguma coisa para ajudá-la.

— O que poderia fazer? Você não é médico.

— É isso que me entristece. Mas decidi dar-lhe carinho, apoio.

— Isso é bom. Você está abatido. Continua indisposto?

— Estou me sentindo melhor. Pode ficar tranquilo que não descuidarei do trabalho.

— Eu soube que você esteve com o doutor Dantas para tratar do caso da madeireira. Não acha muito cedo? Ele poderá interpretar isso como uma fraqueza.

— Estive examinando esse caso e cheguei à conclusão de que um acordo bem-feito seria vantajoso para ambos os lados e lucrativo para nós.

— Em que se baseia para afirmar isso?

André colocou para o tio todos os argumentos que Nina usara como se fossem seus, e no fim Olavo balançou a cabeça dizendo:

— Não havia pensado nisso. Talvez você tenha razão. Vou examinar o caso pessoalmente e faremos uma reunião para decidir.

André deixou a sala do tio aliviado por não haver contado seu caso, tendo justificado seu nervosismo sem precisar mentir.

Sentia-se mais calmo e decidiu retomar seu trabalho. Entrou em sua sala e Breno o acompanhou.

— Estou voltando ao trabalho. Como vão as coisas?

Breno resumiu os acontecimentos e terminou:

— É bom ver que se sente melhor. Desistiu de entrar na Justiça?

— Não. Decidi esperar um pouco mais, ver se Nina me ouve. Vai depender dela. Eu vi o menino.

— A Nina sabe disso?

— Não. Fiquei de tocaia perto da casa dela, segui a empregada quando foi buscá-lo no colégio.

— Falou com ele?

— Ainda não. Mas é um menino lindo, saudável, muito parecido comigo.

Breno sorriu:

— Você está fantasiando!

— Fui à casa de mamãe olhar minhas fotos na idade dele. Somos muito parecidos.

— Vá com calma. Com o tempo Nina vai compreender que não pode impedi-lo de assumir seu filho.

— Ela me odeia. Está determinada. Vai querer me impedir. Mas eu também estou decidido a me aproximar dele. Tenho me sentido culpado e não quero continuar me omitindo. Farei meu papel de pai, Nina concorde ou não.

— Talvez você consiga. Lúcia gosta muito de Nina, diz que é educada, justa, bondosa, trata todos com respeito. Eu fico mais preocupado com Janete e dona Andréia. Se você reconhecer o menino, elas não vão aceitar. Vão infernizar sua vida.

— Janete começa a me cansar. É prepotente, fútil, pretensiosa. Diz que concorda em ser mãe, mas está me enganando. Ela não quer mesmo ter filhos.

— Cuidado, André. Você nunca falou assim de Janete.

— Há tempo venho a observando, sua forma de pensar é muito diferente da minha. Quer me manipular. Não gostei nada de Janete ter ido queixar-se ao pai. Casei-me com ela porque era bonita, de sociedade, mas não porque seu pai era desembargador. Tanto é verdade que, quando me bacharelei, ele queria que eu fosse trabalhar em uma grande empresa e eu preferi ficar com meu tio, que generosamente me convidou para ficar aqui.

— Seu tio também é um advogado de nome.

— Isso mesmo. Depois, desde menino ele falava que se eu me formasse iria trabalhar com ele.

— Acho que é porque não tem filhos. Apegou-se a você.

— É. Ele nunca se casou e, que eu saiba, não tem filhos mesmo.

— Por que não lhe conta tudo? Tenho certeza de que o apoiaria. Além disso, iria lhe dar ótimos conselhos.

— Vou esperar um pouco mais e ver como ficam as coisas. Você sabe que o tio perguntou por que fui ao escritório do doutor Dantas e tive de explicar.

— Contou o que foi fazer lá?

— Claro que não. Quando dei por mim, estava repetindo as palavras de Nina como se fossem minhas para dar solução ao caso. Ele gostou, você acredita em uma coisa dessas?

— Pelo que Lúcia conta, Nina é muito competente e o doutor Dantas não faz nada sem trocar ideias com ela.

André balançou a cabeça negativamente:

— Isso tudo me parece mentira. Quem diria que aquela mocinha simples, pobre, do interior, chegaria aonde ela chegou?

Breno sorriu e respondeu:

— Às vezes a humilhação, a raiva induzem as pessoas a lutar para conseguir progredir. Talvez você, sem saber, a tenha auxiliado a galgar o lugar onde está.

André ficou pensativo por alguns instantes. Depois respondeu:

— Não creio. O que fiz foi ruim e nunca daria bons resultados. Vou retomar o caso da madeireira. O tio quer saber como está e fazer uma reunião. Vamos ver no que dá.

Enquanto André pedia à secretária para apanhar a pasta, Breno olhava satisfeito. Afinal, André parecia ter recuperado um pouco o equilíbrio. Voltou à sua sala disposto a terminar a petição que estava fazendo.

Nina chegou ao escritório um pouco atrasada. Antônio havia marcado uma reunião com um cliente e desejava que ela estivesse presente.

Dirigiu-se apressada para sua sala, onde Lúcia a esperava.

— Estou atrasada! O doutor Mendes já chegou?

— Acabou de chegar e já está na sala com o doutor Antônio. Mandei servir um café. Aqui estão todos os relatórios que pediu.

Estendeu a pasta e Nina determinou:

— Vou até lá. Quando chamar, você me leva tudo.

Deixou a bolsa no armário, deu uma olhada no espelho, ajeitou a roupa e foi à sala de Antônio. Bateu levemente e entrou. Eles estavam tomando café e conversando. Depois dos cumprimentos, Nina sentou-se e esperou que eles iniciassem o assunto a ser tratado.

Então chamou Lúcia com os documentos e começaram a analisá-los. Mendes era um empresário bem-sucedido no ramo de confecções e estava enfrentando um problema sério com um dos sócios, que estava desviando dinheiro.

Apesar das evidências, ele relutava em aceitar essa ideia, ao que Antônio observou:

— As provas são concludentes. Se não tomar providências enérgicas, acabará falindo.

— Trata-se de um primo de minha mulher. Fica difícil. E se estivermos enganados?

— Doutor Mendes, está claro que ele desviou o dinheiro. Veja este extrato. Não há engano. Sinto muito, mas ele está mesmo lesando sua empresa.

Nesse instante eles ouviram gritos de pavor e imediatamente se levantaram.

Nina abriu a porta assustada. Correrias, e os três foram ver o que estava acontecendo. Gilda estava caída em frente à porta do banheiro, desmaiada, e Maria, pálida, tentava reanimá-la.

— O que aconteceu? — indagou Nina.

— Não sei. De repente, ouvi Gilda gritar, corri e a encontrei aqui.

Antônio abaixou-se, Mendes ajudou-o a levantá-la e levaram-na ao sofá, na sala da diretoria. Nina apanhou um copo com água, enquanto Antônio esfregava os pulsos dela, tentando reanimá-la.

— É melhor chamar o médico — sugeriu Mendes.

— Ela está apenas desmaiada — respondeu Antônio. — Olha, está voltando.

De fato, Gilda estava respirando melhor. Abriu os olhos e olhou em volta como querendo situar-se. Depois, levou a mão ao peito e gritou:

— Eu vi! Era ela. Antônia, estava lá, dentro do banheiro!

— Não pode ser — disse Nina. — Foi alucinação!

Antônio interveio:

— Conte o que viu.

— Quando abri a porta do banheiro, ela estava em pé diante do espelho de costas para porta. Virou-se e disse: "Gilda, ajude-me!". Ela estava pálida, com o mesmo vestido do enterro, respirando com dificuldade. Eu acho que gritei e depois não vi mais nada!

— Acalme-se — pediu Antônio. — Ela gostava de você e não vai lhe fazer mal. Está precisando de orações.

— Nunca mais vou entrar naquele banheiro! Tenho medo! Cruz-credo! Nunca tinha visto alma do outro mundo!

— Sempre há uma primeira vez. Não precisa ter medo. Vamos rezar para que ela seja auxiliada e encaminhada para onde precisa ir — disse Antônio.

Depois, Antônio apanhou o copo que Nina segurava com a mão trêmula e deu-o a Gilda.

— Beba, vai sentir-se melhor.

Ela obedeceu. Antônio continuou:

— Vamos todos rezar pedindo a Deus que a ajude.

Em seguida ele fez uma oração pedindo a Deus que Antônia pudesse ser auxiliada. Depois voltou-se para Gilda:

— Então, sente-se melhor?

— Sim. Estou mais calma, mas ainda que viva cem anos nunca vou esquecer. Ela parecia viva!

— Ela está viva! — respondeu Antônio.

— Ela se suicidou, todos vimos, fomos a seu enterro! — disse Maria, assustada.

— O corpo dela morreu, mas o espírito continua vivo. Essa é a primeira descoberta que o suicida faz depois da morte: que apesar de tudo continua vivo. Outro dia voltaremos a esse assunto. Nina, cuide dela. Eu e o doutor Mendes vamos continuar.

Nina ajudou Gilda a levantar-se, apoiando-a, e saíram da sala. Depois que se foram, Mendes sentou-se novamente em frente à escrivaninha de Antônio e perguntou:

— Você acredita mesmo que ela esteja dizendo a verdade?

— Claro. Infelizmente, Antônia era nossa funcionária e suicidou-se dentro daquele banheiro. Era jovem, foi uma tristeza.

— Não teria sido uma alucinação? Ela não estaria impressionada com esse suicídio e imaginou ter visto?

— Se fosse assim, ela teria tido alucinações logo após o fato, não agora, que faz tanto tempo. Era ela, estou certo disso.

— É difícil acreditar que alguém que morreu possa voltar.

— É mais comum do que imagina. Minha filha desde muito pequena via os espíritos e os descrevia para nós com tal riqueza de detalhes que nos convenceu. Eu sempre me perguntei para onde iriam os que morrem, mas não tinha certeza de nada. Minha mulher era mais incrédula. Contudo, tantas foram as evidências, que fomos forçados a admitir. Hoje não temos mais nenhuma dúvida.

O doutor Mendes baixou a cabeça pensativo, depois disse:

— Se isso tudo for verdade, imagino que estou cometendo um grande erro.

— Por quê?

— Meu filho está com oito anos, mas desde os dois anos diz que vê pessoas do outro mundo, conversa com elas. Eu e minha mulher o levamos ao psiquiatra, que o está tratando há anos, sem sucesso. Ele não nos conta mais como fazia antes, mas, quando não estamos perto, ele continua conversando com seres invisíveis.

— Tirando esse detalhe, ele tem demonstrado algum desequilíbrio mental?

— Ao contrário. Tem um QI alto, responde a tudo com desenvoltura, o psiquiatra diz até que ele é altamente dotado. Isso que não entendo.

Dantas sorriu e considerou:

— Você tem algum compromisso para esta noite?

— Não. Por quê?

— Vá jantar em minha casa, leve sua esposa e seu filho. Conhecerá minha filha e descobrirá como lidar com seu filho. Temos muito o que conversar.

— Está bem. Iremos. Quanto ao nosso assunto, voltarei outro dia. Sinto que não estou em condições de decidir nada hoje.

— Está certo. Mas esteja lá antes das oito.

Depois que ele se foi, Antônio chamou Nina:

— Como está Gilda?

— Mais calma. Contudo não consegue falar em outra coisa. Maria está muito assustada. Quer pedir-lhe licença para trazer um padre para benzer tudo aqui.

— Depois falarei com elas. Não se preocupe, tudo está sob controle. Eu temia que isso fosse acontecer. Marta me preveniu de que o espírito de Antônia circulava por aqui e que teríamos notícias dela.

— Então é verdade! Apesar de haver lido nos livros que Marta me emprestou que isso é possível, nunca pensei que fosse acontecer aqui.

— É natural. Desde que ela morreu estamos tentando ajudá-la. Infelizmente, o suicida leva tempo para recuperar-se. Você tem algum compromisso para esta noite?

— Não, senhor.

— Gostaria que fosse jantar em minha casa. Convidei o doutor Mendes com a família.

— Foi para compensar um pouco o tumulto que ele presenciou aqui?

— Não. Foi porque ele tem um filho que precisa de orientação espiritual. Tenho certeza de que poderemos ajudá-los. Leve Marcos; o filho dele tem quase a mesma idade do seu.

— Iremos. Marcos adora ir à sua casa.

Depois que Nina deixou a sala, Antônio ligou para Mercedes, colocando-a a par dos acontecimentos e falando do jantar. Tudo combinado, ele retomou o trabalho satisfeito. Observador dos fatos da vida, sempre estudando seus significados, teve certeza de que o aparecimento de Antônia exatamente no momento em que Mendes estava em sua sala foi uma forma de ajudá-lo a compreender mais sobre a espiritualidade e ao mesmo tempo ajudar o espírito dela.

Essa genialidade da vida, utilizando-se de todos os eventos para conseguir seus objetivos de desenvolvimento do espírito ao mesmo tempo beneficiando a todos os envolvidos, encantava-o.

***

André deixou o escritório às seis e meia da tarde e não foi para casa. Entrou em uma lanchonete, comeu um sanduíche, tomou um refrigerante. Depois, entrou no carro e foi parar perto da casa de Nina. As luzes estavam acesas e de onde estava podia ver o carro dela dentro da garagem.

Sentiu vontade de tocar a campainha, mas conteve-se. Eram sete e meia quando a criada abriu o portão, Nina e Marcos entraram no carro e saíram. André ligou o carro e os seguiu discretamente. Aonde iriam àquela hora?

Viu quando ela parou em frente à casa de Dantas, tocou a campainha, abriram o portão e ela entrou com o carro. Ele estava pensando o que fazer, quando outro carro se aproximou e parou diante da casa. Dele desceram um casal e um menino.

André reconheceu o doutor Mendes e família. Eram muito amigos de seus pais. Quando ele construiu a maior de suas fábricas, todo o material de construção fora fornecido pela empresa de seu pai. Seriam amigos de Nina? Precisava descobrir. Queria saber tudo que se relacionasse com ela e seu filho. Talvez encontrasse uma maneira de fazê-la mudar de ideia a seu respeito.

Ficou lá mais de uma hora, mas, vendo que não saíam, decidiu ir para casa. Assim que entrou, encontrou Janete irritada:

— Onde estava? Telefonei para o doutor Olavo e ele me disse que não sabia onde você estava.

— Ele deixou o escritório antes que eu. Não podia mesmo saber.

— Todas as noites terei que esperá-lo para o jantar? Os criados ficam irritados quando não jantamos no horário. Todo o serviço da casa fica desorganizado.

— Nesse caso, não precisa me esperar para jantar. Jante no horário. Quando eu não puder chegar cedo, comerei fora.

— Não é isso que eu quero. Você é meu marido. Já fica fora o dia inteiro. O que está acontecendo?

— Não está acontecendo nada. Não precisa incomodar seu pai com suas dúvidas. Não gosto que você lhe peça para me vigiar. Sei perfeitamente cuidar de mim.

Janete olhou-o indignada:

— Você está diferente. Nunca me tratou assim. Pode ter certeza de que vou descobrir do que se trata.

— Estou cansado, trabalhei muito, vou descansar. Não quero conversar agora.

Ele subiu e ela ficou furiosa. Com certeza havia outra mulher. Só podia ser isso. André estava preocupado, abatido, distante. Decidiu que no dia seguinte iria conversar com Andréia. Talvez ela soubesse de alguma coisa.

***

Na casa de Dantas, Nina foi recebida com o carinho de sempre. Enquanto conversava com Mercedes sobre a aparição do espírito de Antônia, Marcos entretinha-se com Marta. Ela possuía um jeito encantador de contar histórias que o menino adorava.

Quando Mendes chegou com a esposa e o filho, Mercedes levantou-se para cumprimentá-los. Depois de conversar com os donos da casa, ele aproximou-se de Nina dizendo:

— Esta é Altamira, minha esposa, e aquele meu filho Renato.

O menino aproximara-se de Marcos e Marta e conversava com eles animadamente.

— Muito prazer, senhora — disse Nina. — Pelo jeito, nossos filhos já se apresentaram.

— Estou encantada. Renato nem sempre é tão comunicativo.

— Com certeza já sentiu o carisma de Marta. Ela tem um jeito especial de lidar com as crianças. Marcos a adora.

Enquanto esperavam o jantar, entretinham-se conversando quando de repente Renato saiu para o jardim quase correndo. Marta e Marcos o seguiram.

Altamira lançou um olhar preocupado ao marido, que imediatamente se levantou, fazendo menção de os seguir.

Mercedes interveio:

— Não se preocupe, doutor Mendes. Marta cuidará deles.

— É que... a senhora não sabe... — disse Altamira. — Quando ele faz isso, é porque está tendo uma crise. Sinto muito. Acho que não devíamos ter vindo.

— Não visitamos ninguém com ele. Como o Dantas me disse que podia ajudá-lo, pensei que aqui não iria acontecer...

— Ao contrário — respondeu Antônio. — Aqui é o lugar onde deve acontecer. Precisamos avaliar melhor o caso dele.

— Acho melhor você ir atrás deles — pediu Altamira ao marido.

— Não há necessidade. Marta sabe o que fazer — disse Mercedes carinhosamente.

Renato havia se escondido atrás de um arbusto no jardim. Marta aproximou-se dizendo:

— Pode sair, Renato. Eu já vi o menino.

— Você viu?

— Vi. Ele é seu amigo e deseja conversar. Desde pequeno que vocês conversam.

— Mas agora não quero mais. Minha mãe fica nervosa, me leva ao médico, meu pai fica assustado. Chega disso.

Marta aproximou-se dele, segurou seu braço e puxou-o para um banco dizendo:

— Vamos nos sentar aqui e conversar.

Marcos os observava admirado. Renato perguntou-lhe:

— Você também viu ele?

— Não.

Renato voltou-se para Marta:

— Acho que você está dizendo isso apenas para me acalmar. Não viu nada.

— Não tenho o hábito de mentir. Eu o vi. Ele é magro, cabelos crespos, olhos castanhos, veste calça marrom e camisa azul. É um menino bonito e bom. Muito seu amigo. Diz que se chama Mário.

— Você viu mesmo! É ele.

— Não precisa ter medo. É um espírito bom.

— Eu sei. Nós brincamos muito. Mas meus pais acham ruim e sofrem. Eu não quero mais falar com ele.

— Não vai conseguir. Você tem o sexto sentido aguçado. Vê os seres de outras dimensões, como eu.

— Puxa! Você também vê?

— Vejo.

— Seus pais não ficam zangados com você?

— Não. Eles acreditam em mim, sabem que é verdade. Você sempre viu os espíritos, não é?

— Sim. Mas antes eu pensava que todos estavam vendo.

— Só vê quem tem uma sensibilidade maior. Vou lhe explicar melhor. O Universo é infinito. Nele há muitos mundos, uns diferentes dos outros, e todos são habitados por espíritos criados por Deus para se desenvolverem e aprenderem a viver melhor. Por exemplo, para viver aqui, nosso espírito precisou vestir um corpo de carne e aprender a fazer as coisas aqui, andar, comer, trabalhar.

— A gente nasce pequeno. Nosso espírito é pequeno? — indagou Marcos curioso.

— Não. Nosso espírito é adulto. Já vivemos neste mundo algumas vezes. Ocorre que nosso espírito dispõe de um corpo muito maleável. Quando temos de nascer aqui, torna-se pequenino.

— Por quê? — indagou Renato.

— Porque precisamos de tempo para nos habituarmos com esse corpo de carne, que é pesado, e também para aprendermos a conduzi-lo e manusear as coisas materiais. Por tudo isso nascemos pequenos e vamos crescendo com o tempo.

— Os velhos também têm esse corpo maleável? — indagou Marcos.

— Todos os seres o têm. É esse corpo que chamamos de astral que formata o novo corpo em formação, de acordo com as necessidades do seu espírito.

— Quer dizer que eles vão ser crianças de novo? — perguntou Renato.

— Isso mesmo.

— Então é por isso que eu já me vi velho e sabendo de muitas coisas. Às vezes a professora dá uma aula e eu não só sei o que ela vai dizer como também as respostas. Puxa!

— Isso eu também sinto — exclamou Marcos, admirado.

— É que vocês já viveram outras vezes aqui. Embora não se recordem com clareza, tudo quanto viveram está guardado no inconsciente de vocês e provoca essas sensações.

Renato ficou pensativo por alguns instantes, depois indagou:

— Quer dizer que eu vou continuar vendo eles?

— Vai.

Renato passou a mão nos cabelos e considerou:

— Não gosto de mentir. Mas meus pais não compreendem.

— Vou contar-lhe um segredo: seus pais estão começando a acreditar.

Renato meneou a cabeça negativamente e disse:

— É difícil. Seria preciso acontecer um milagre.

— Pois esse milagre aconteceu. Vou contar-lhe um segredo.

Em poucas palavras Marta falou sobre o que acontecera no escritório e finalizou:

— Tenho certeza de que foram seus amigos espirituais que provocaram isso bem na hora em que seu pai estava lá.

— Nossa! Eu pedia ao Mário que não aparecesse mais e ele me dizia para ter paciência, que eles iriam me ajudar. Ele tem muitos amigos lá onde vive. Às vezes, quando durmo, ele me leva a esse lugar. É muito lindo.

— Leva como? — indagou Marcos, admirado.

— Voando. Ele me abraça e nós saímos, atravessamos paredes, deslizamos pela cidade. Eu sinto muita alegria quando acontece isso.

— Às vezes eu sonho que estou voando, mas ninguém vem me buscar. Converso com pessoas que não conheço. Quando acordo, lembro de tudo, mas depois esqueço — interveio Marcos.

— Você também faz viagem astral. Seu corpo fica dormindo e seu espírito sai — esclareceu Marta. — Só que você não vê quem o está amparando.

— Por quê?

— Talvez ainda não esteja preparado. As pessoas não são iguais. Há diferentes graus de sensibilidade.

— Acho que eu teria medo — disse Marcos.

— Não — respondeu Renato. — São pessoas como nós. De vez em quando vejo coisas feias, mas Mário me ensinou a rezar e logo isso desaparece. Ele diz que o mundo astral é igual aqui: tem gente boa e ruim. Cada um escolhe com quem deseja ficar.

— Isso mesmo — atalhou Marta sorrindo. — Mário tem instruído você muito bem.

— Você vai me ensinar como fazer isso — pediu Marcos, sério. — Às vezes sonho com coisas ruins e acordo com medo. Corro para a cama de minha mãe, senão não consigo mais dormir.

A criada apareceu para avisar que o jantar ia ser servido.

— Que pena! — comentou Renato.

— Eu quero saber mais! — ajuntou Marcos.

— Vamos comer. Há muito tempo para conversarmos.

Quando eles entraram na sala de jantar, todos estavam se acomodando na mesa. Altamira, preocupada, olhou para eles. Apesar da conversa que tivera com o marido e de haver concordado em ir àquele jantar, não gostava nada dessa história de espíritos. Sempre ouvira dizer que era perigoso lidar com isso. Renato era uma criança. Preferia que não o tivessem levado lá para falar disso.

Mas os meninos estavam alegres, fisionomia distendida, o que em parte a tranquilizou. Provavelmente não haviam tocado no assunto.

O jantar decorreu agradável. Depois, enquanto os adultos foram sentar-se na sala para o café e o licor, Marta convidou os meninos para subirem ao seu quarto, onde pretendia mostrar-lhe alguns livros.

Altamira olhou para o marido preocupada, depois comentou:

— Não demorem. Não podemos ir embora tarde. Renato acorda muito cedo para o colégio.

Eles subiram e Mercedes sentou-se no sofá ao lado de Altamira, enquanto os dois homens foram para o outro lado da sala. Mendes gostava de fumar e não queria incomodar as senhoras.

Depois de tomarem café, Mercedes disse:

— Noto que você está preocupada com a conversa que Marta está tendo com seu filho.

— É... de fato... sabe como é, não é que eu não confie em sua filha, mas o caso do Renato é muito sério. Temo que essa história de espíritos perturbe mais a cabeça dele.

Mercedes olhou-a séria e respondeu:

— Negar uma experiência verdadeira que ele tem só porque você não consegue ver o que ele vê é que pode perturbá-lo. Nunca pensou nisso?

— O médico diz que é uma fantasia e alimentar essa ilusão pode prejudicá-lo.

— Nunca pensou que ele pode estar vendo seres que existem mesmo, em um estado diferente do nosso, que residem em outras dimensões do Universo?

— Não creio que haja vida em outro lugar fora da Terra. A ciência nunca comprovou isso.

— Por enquanto, porque ainda não possuem instrumentos adequados para registrar o que ocorre em mundos de diferente consistência energética, que movimentam suas moléculas mais rápido do que nossos instrumentos podem registrar.

Altamira olhou-a admirada.

— De onde tirou essa ideia? Como aceitar coisas que não temos como verificar se são verdadeiras?

— Porque muitas pessoas em todas as partes do mundo veem as mesmas coisas, do mesmo jeito. A mediunidade tem se manifestado em toda parte, com os mesmos sintomas, independente da religião, nacionalidade, crenças de cada um. Depois, há cientistas de credibilidade inquestionável que pesquisaram e comprovaram que a vida continua depois da morte do corpo, que a morte é apenas uma viagem, uma mudança de lugar.

— Não posso crer. Fico insegura aceitando uma situação como essa, sem provas convincentes.

— Tenho alguns livros que gostaria de emprestar-lhe. Lendo-os talvez encontre as respostas que procura. Quando Marta começou a relatar coisas que só ela via, a conversar com seres de outro mundo, eu e meu marido ficamos muito assustados. Até então não tínhamos nenhum conhecimento desse assunto. Ao contrário, educados dentro do catolicismo, era-nos difícil aceitar o que estava acontecendo. Como nenhum médico conseguiu resolver essa situação, decidimos observar, tentar entender por que Marta tinha essa particularidade.

— Renato está na mesma situação. Os médicos não conseguem curá-lo.

— Uma coisa era certa: Marta era uma criança saudável, alegre, inteligente. Seu desenvolvimento normal pela idade, até precoce em muitos aspectos.

— O mesmo que Renato.

— Às vezes, diante de certas pessoas ela ficava séria e dizia coisas inusitadas a respeito delas, de sua vida. Muitas vezes conversava mandando recados de seus parentes falecidos, comovendo a todos pela veracidade. Quando lhe pedíamos para explicar de onde tirara aquelas palavras, ela sorria e dizia que não sabia. Simplesmente as palavras vinham à sua mente e sua boca falava. Outras vezes descrevia a pessoa que tinha lhe dado o recado e para nosso espanto o parente chorava emocionado, atestando a veracidade da mensagem. Como duvidar diante de tantas provas?

Altamira estava bastante emocionada. Mercedes havia descrito exatamente o procedimento de Renato. Ficou pensativa por alguns instantes, depois disse:

— Não sei o que dizer ou fazer. Renato já não fala nada em nossa frente, mas eu sei que ele continua como antes.

— Ele sabe que vocês não gostam e não deseja desagradá-los. Vocês precisam saber que, quando a sensibilidade abre, não há como impedi-la de manifestar-se. É um fenômeno natural que todos possuem em menor ou maior grau. Tanto Marta como Renato têm essa faculdade muito desenvolvida. No grau em que estão, encaram esses fenômenos com naturalidade e admiram-se porque a maioria não consegue ainda sentir como eles.

— De fato. No começo ele perguntava por que nós não estávamos vendo. Quer dizer que ele vai continuar assim?

— Tudo indica que sim.

— Nesse caso, fico desanimada. Não sei lidar com isso. É difícil para mim.

— Você terá que estudar o assunto para apoiá-lo. Tenho certeza de que, quando Renato notar que vocês compreendem seu modo de ser, terá tranquilidade para cumprir sua tarefa no mundo. Vocês estreitarão os laços de amor que os unem.

— Tenho medo dessa história de cumprir sua tarefa no mundo. Todo missionário sofre muito.

— Quando falo em tarefa, não estou me referindo a nenhuma religião. A mediunidade é uma capacidade do espírito que todos nós temos. A diferença é que nossos filhos a possuem em alto grau de desenvolvimento.

— A que se refere, então?

— Toda pessoa que nasce no mundo traz um programa de desenvolvimento interior que é de sua responsabilidade realizar. Está aqui para aprender, desenvolver a consciência e tomar posse dos potenciais que a vida lhe deu como ferramenta de progresso. Realizar a tarefa é conseguir fazer isso. A abertura da sensibilidade ajuda a entender melhor a vida e os valores essenciais ao progresso que precisa alcançar.

— Quer dizer que há um programa para nós neste mundo?

— Claro. Sem isso a vida não teria finalidade. Os valores éticos perderiam a utilidade.

— De fato. Quando vejo os maus terem sorte e os bons serem prejudicados, pergunto-me qual a vantagem de ser honesto.

— A consciência tranquila é uma delas. Você perceberá as outras quando descobrir que a vida responde a todas as suas atitudes. Cedo ou tarde, quem transgrediu os eternos valores do espírito receberá a resposta adequada.

— Você acredita nisso?

— Tenho certeza. Basta observar as pessoas à nossa volta. Se o fizer com atenção, perceberá como acontece.

— Tenho visto pessoas que há vinte anos agiam mal, continuam agindo e têm sorte.

— Quanto mais a pessoa tem conhecimento, mais rápido a vida responde. Essa resposta visa a educar, não a punir. Isso significa que ela espera que a pessoa amadureça, progrida um pouco mais, tenha condições de aproveitar a lição. Devo esclarecer que, com determinadas pessoas mais resistentes, pode não acontecer nesta encarnação, mas em outras. Apesar disso, se você estiver atenta, encontrará muitas outras evidências para comprovar o que estou dizendo.

— O que está me dizendo faz crer que a vida tenha sabedoria e poder.

— A vida é Deus em ação e Ele pode tudo! Se tiver interesse, como eu já disse, posso emprestar-lhe alguns livros que a ajudarão a compreender melhor.

— Tenho interesse. Preciso entender o que está acontecendo dentro de minha casa, com meu filho. Confesso que este assunto tem me angustiado muito.

— Mas tudo vai mudar daqui para a frente. Estou certa disso.

Sentada em uma poltrona ao lado delas, Nina folheava uma revista. Não desejava ser indiscreta. Ouviu o que as duas conversavam, mas abstinha-se de dar opinião. Notava o constrangimento de Altamira e não se julgava com conhecimento suficiente para tomar parte na conversa.

Mercedes, voltando-se para ela, disse:

— A Nina também vai precisar estudar mais este assunto.

— O filho dela também tem problemas?

Nina apressou-se a responder:

— Não. Ele está muito bem.

— Nesse caso...

— Ele também tem muita sensibilidade. Mas por enquanto ainda não se manifestou — esclareceu Mercedes.

— Marta já me preveniu. De fato, Marcos é sensível, intuitivo, só isso.

— Você não fica com medo?

— Não. Está tudo bem com ele.

— Nesse caso é bom não tocar nesse assunto para que ele não venha a ficar como Renato.

— Vocês não falavam nada sobre isso, o que não impediu sua mediunidade de manifestar-se — considerou Mercedes. — Seria bom que todos os pais estudassem os fenômenos espirituais. Assim, saberiam proteger a família das possíveis invasões de espíritos perturbadores.

Elas continuaram conversando até que Nina, olhando o relógio, se levantou:

— Está na hora de ir embora. Marcos levanta cedo para a escola.

Altamira levantou-se também:

— Nós também precisamos ir.

Nina subiu para chamá-los e desceram em seguida. Eles estavam alegres e bem-dispostos, o que tranquilizou Altamira.

Depois que eles se foram, Mercedes disse ao marido:

— Ela está resistente.

Marta sorriu e tornou:

— Ela terá que ceder. Renato é um espírito lúcido, veio para trabalhar com os espíritos. Está consciente disso e nada o demoverá. Eles terão que aceitar.

— O Mendes já aceitou. Conversamos muito e ele entendeu perfeitamente o caso do filho. Emprestei-lhe *O Livro dos Espíritos*. Ele está muito interessado. A esposa acabará por convencer-se. Afinal, a verdade tem força.

Marta sorriu e considerou:

— Eu tive muita sorte por nascer aqui com vocês. Renato passou por maus bocados.

— Nós é que tivemos sorte por ter uma filha como você — disse Mercedes, passando o braço nos ombros da filha. — Vamos dormir, que é tarde.

Os três, abraçados, subiram para dormir.

Nina chegou em casa pensativa. Durante o trajeto de volta, Marcos contara animado a conversa que haviam tido com Marta, mostrando-se muito interessado sobre as outras dimensões do Universo e a comunicação com os espíritos. Não tinha dúvida de que Renato dizia a verdade e gostaria de poder ser como ele.

Ela, apesar da convivência com Marta, de respeitar a família de seu chefe e amigo, ainda não conseguia ter a mesma certeza deles.

Marcos foi dormir. Nina foi para o quarto, deitou-se, mas sentia-se inquieta. De repente, uma tristeza, uma sensação de medo a acometeu e ela acendeu a luz do abajur, levantou-se e foi tomar água na cozinha.

Talvez tivesse ficado impressionada com aquela conversa. Seria melhor não deixar Marcos envolver-se com aquele assunto. Ele poderia ficar sugestionado.

Voltou para o quarto e deitou-se. A lembrança do que acontecera no escritório veio-lhe à mente. Antônia teria mesmo estado lá? Gilda não teria tido uma alucinação?

Lembrou-se do dia do suicídio, do enterro, da indiferença da tia de Antônia. Por que ela teria cometido o suicídio?

Nina queria dormir e resolveu reagir. Precisava esquecer esse triste acontecimento. Rezou pela alma dela e procurou pensar em outra coisa. Havia um caso que precisaria estudar no dia seguinte e ela rememorou os detalhes, as providências que precisaria tomar, até que, cansada, apagou a luz do abajur e finalmente adormeceu.

Sonhou que estava caminhando por um corredor escuro, sentia o peito oprimido, angústia e a mesma tristeza que a envolvera pouco antes. Queria sair desse lugar e procurava a saída sem a encontrar.

Finalmente, chegou a um lugar também escuro. Vultos passavam por ela, provocando-lhe arrepios de medo. Aflita, sentiu que precisava deixar aquele lugar. Foi quando divisou uma moça de rosto agradável, que a abraçou dizendo:

— Venha comigo. Vou levá-la de volta.

Nina sentiu-se calma, mas nesse instante ela viu Antônia em sua frente, rosto pálido, olhos encovados, estendendo as mãos e gritando aflita:

— Nina, por favor, ajude-me! Não aguento mais!

Nina acordou ouvindo aquele grito de dor. Assustada, sentou-se na cama, coração batendo descompassado, pernas trêmulas.

Passou a mão na testa como para apagar aquela imagem assustadora. Acendeu o abajur e aos poucos foi se acalmando. O que teria acontecido? Teria visto mesmo o espírito de Antônia ou fora uma alucinação? A cena no escritório, a conversa na casa de Mercedes, teriam provocado aquele sonho?

Levantou-se. Estava com medo de dormir e sonhar de novo. Marta dissera-lhe que os suicidas não têm paz. Seria verdade? Antônia estaria vagando naquele lugar horrível, sofrendo pelo gesto que cometeu? Pedira-lhe ajuda. O que poderia fazer por ela? Mandar rezar uma missa?

Tentou pensar em outra coisa, talvez tudo não passasse de uma ilusão. Ela havia ficado impressionada com os fatos daquele dia. Mas a lembrança do encontro com Antônia não lhe saía do pensamento. Foi tão real!

Se fosse verdade, por que ela não teria ido pedir ajuda a Marta ou a Mercedes? Elas saberiam ajudá-la. Apesar do esforço para esquecer e poder dormir, estava amanhecendo quando Nina, cansada, conseguiu pegar no sono.

Três horas depois, quando o despertador tocou, Nina custou a acordar e precisou fazer grande esforço para se levantar. Pensou em Marcos. Ele teria dormido bem?

Vestiu-se e foi ao quarto dele, mas ele já havia descido para o café. Encontrou-o na copa.

— Então, meu filho, dormiu bem?

— Muito bem.

Ele parecia bem-disposto e Nina sentou-se para o café. Marcos continuou:

— Mãe, o Renato é como a Marta. Ele também vê os espíritos.

— Nós já falamos sobre isso ontem.

— A mãe dele não entende e o pai é igual. Por esse motivo, ele não conta mais nada a eles. Cada vez que falava o que estava vendo, eles o levavam ao médico, e os remédios, além de não adiantar nada, deixavam-no indisposto.

— Esse assunto é delicado. Seria bom que você não pensasse muito nessas coisas.

— A Marta disse que precisamos estudar os fenômenos porque tanto eu como ele temos mediunidade. Eu gostaria muito de aprender como é isso. Não quero ficar tendo pesadelos nem me envolver com espíritos perturbados. Eles fazem reuniões uma vez por semana. Eu pedi para participar.

— Devia ter me perguntado antes. Essas reuniões são para as pessoas da família.

— Ela disse que já convidou você para ir e que se você for eu poderei ir junto.

Nina tentou contemporizar:

— Vamos ver. Está na hora de você ir. Não pode chegar atrasado na escola.

Depois que ele se foi, Nina lembrou-se do sonho e pensou:

— Vou espaçar minhas visitas à Marta. Marcos precisa esquecer esse assunto.

Chegou ao escritório e encontrou Gilda ao telefone falando sobre o que lhe acontecera na véspera. Vendo-a entrar, ela finalizou:

— Não posso conversar mais. Está na hora de trabalhar. Passe na minha casa à noite e falaremos melhor.

Nina aproximou-se e perguntou:

— Está mais calma?

— Estou. Mas esta noite quase não dormi. Não consigo esquecer como ela estava.

— Não deve levar tão a sério. Pode ter sido uma ilusão.

— Que nada, Nina. Era ela! Estava com aquele vestido igualzinho ao do enterro. Olhos encovados, magra, pálida, estendendo as mãos.

Nina sentiu um calafrio. Em seu sonho ela estava assim mesmo.

— Ontem, quando saí daqui, fui à igreja pedir para rezar uma missa. Mas, quando o padre soube que ela havia se suicidado, disse que não podia, que a igreja não permite. Fiquei triste. Ela está sofrendo muito, pediu ajuda. Mas nós só podemos rezar, nada mais.

— A oração é só o que podemos fazer.

— Minha amiga frequenta um Centro Espírita. Eu estava falando com ela. Disse que vai me orientar. Eu tinha ouvido falar que os espíritos aparecem para as pessoas, mas nunca tinha visto nada. Foi a primeira vez e quase me matou de susto. Nunca mais quero ver nada.

— Você está impressionada. Vamos esquecer esse assunto.

— É o que eu mais quero. Mas a cena volta e sinto medo. Não vou entrar mais naquele banheiro. Vou usar o do corredor.

— Vamos trabalhar.

Nina foi para sua sala, mas reconhecia que seu sonho também não lhe saía do pensamento. Guardou a bolsa e sentou-se disposta colocar toda a atenção no trabalho.

Quando entrou na sala de Dantas, ele levantou os olhos e fixou-a:

— Nina, você está abatida. Aconteceu alguma coisa?

— Não. É que custou-me dormir e, quando consegui, tive um pesadelo.

— Você deve ter ficado impressionada com o que aconteceu aqui ontem.

— Deve ser isso. Acabei sonhando com Antônia.

— Ela ainda não está bem. Como foi esse sonho?

— Como o senhor disse, acho que estou impressionada. Não foi nada de mais.

— Conte assim mesmo.

Nina relatou tudo e depois ele considerou:

— Ela deve estar nos cercando, procurando ajuda. Você deve ter ido procurá-la durante o sono.

— Eu nunca faria isso.

— Quando nosso corpo dorme, liberamo-nos e muitas vezes vamos ao astral em busca das pessoas. Da forma como contou, você foi, sim, mas teve a ajuda de um espírito amparador. Eles nos ajudam em nossas viagens astrais. O lugar que você visitou deve ser onde ela vive agora.

— Nesse caso, como ela pôde vir aqui ontem?

— Porque o pensamento dela estava aqui. Ela precisa de ajuda e vocês eram muito amigas. Eu me lembro que se davam bem.

— Isso é. Até agora me pergunto por que ela não nos falou sobre seus problemas. Se o tivesse feito, teríamos evitado essa loucura. Estou certa disso.

— Mas ela não o fez. Marta sempre afirma que não são apenas os sofrimentos ocasionados pelo suicídio que a atormentam. Há algo mais. Alguma coisa que ela deseja que façamos.

— O que seria? Ela só tinha aquela tia com a qual, eu creio, nunca se deu bem. Antônia era o oposto dela. Se ao menos houvesse deixado uma carta, algum pedido... Assim não poderemos fazer nada.

— Ela mesma nos dirá, quando puder.

— Ai, doutor Antônio, eu preferia que ela não fizesse isso. Não gostaria de ter aquele sonho de novo.

Ele sorriu e considerou:

— Fugir não vai adiantar. Melhor será dar-lhe oportunidade de se comunicar.

— O senhor diz isso com uma calma...

— Você precisa habituar-se, Nina. Essa é uma realidade que mais cedo ou mais tarde você terá que enfrentar.

— Não pretendo aprofundar-me nesse assunto. Pode parecer simples para o senhor, mas para mim não. Sinto-me insegura, nervosa.

Ele fitou-a sério e não respondeu logo. Ao cabo de alguns instantes considerou:

— A insegurança passará quando tiver estudado melhor. Enfrentar os medos é melhor do que contemporizar. Quando está na hora de aprender, a vida costuma insistir.

— Quer dizer que posso sonhar com ela de novo?

— Se o espírito de Antônia quer alguma coisa de nós, fará tudo para se comunicar.

— Ela não precisa de mim para isso. Pode perfeitamente conversar com Marta, que é mais categorizada do que eu para entendê-la. Ela poderá ir à reunião em sua casa e esclarecer tudo.

— Acontece, Nina, que não funciona assim. Em todas as manifestações dos espíritos há recados, objetivos a alcançar, que vão muito além do que à primeira vista nos parecem.

— Como assim?

— Se Antônia, em vez de aparecer aqui para Gilda, houvesse ido à minha casa em uma sessão regular, o doutor Mendes não teria tomado consciência do problema do filho. Foi preciso que os fatos ocorressem como aconteceram, não só para que Renato pudesse ser auxiliado, como você pudesse ser alertada para essa realidade e Gilda descobrisse que a vida continua depois da morte. Embora tenha sido um susto para vocês, a vida, ao auxiliar Antônia, o fez a todos nós, cada um do seu jeito.

— De fato, pensando assim... Mas, apesar disso, sinto muito medo. Não é agradável pensar em morte nem sonhar com alguém em tal estado de sofrimento.

— Pense em como o espírito de Antônia deve estar sofrendo.

— Ela pede ajuda e nada podemos fazer. Isso é muito triste.

— Procure pensar nela não como a viu nesse sonho, mas como ela era quando estava entre nós. Lembre-se dos bons momentos de convivência que tiveram, faça de conta que ela continua como era. Isso vai ajudá-la, tenho certeza.

— Está bem. Tenho uma foto que tiramos juntas. Vou tentar esquecer o sonho e pensar nela como era.

— Faça isso. Sempre que lembrar do sonho, olhe a foto e pense que ela está assim, igual ao retrato.

Nina foi para sua sala e procurou a foto. Lembrava-se de havê-la colocado em uma pasta com outras da empresa. Encontrou-a e sentou-se, fixando-a. As três estavam sorrindo: ela, Antônia e Gilda. Depois do expediente, as três haviam ido a uma lanchonete comemorar o aniversário de Gilda. Naquele tempo, Neide não lhes permitia nenhuma comemoração dentro da empresa, mesmo depois do expediente.

Nina lembrou-se de que foi depois de uma conversa na sala com Neide que Antônia fechou-se no banheiro e deu cabo da vida. O que teriam conversado? O que teria acontecido para que ela tomasse aquela atitude desesperada?

Sempre que pensava nisso, arrependia-se de não a haver seguido. Nunca imaginou que ela fosse se matar.

Olhou a foto e reconheceu que apesar de aquele momento ter sido de alegria, o sorriso de Antônia era vago e havia muita tristeza em seus olhos. Aliás, ela nunca falava de si mesma, de sua vida nem de sua família. Pela primeira vez, Nina começou a pensar que Antônia poderia ter algum segredo, alguma coisa que ficara sem resolver e que a impedia de seguir seu caminho no outro mundo.

Sentiu um arrepio e guardou a foto novamente na gaveta. Ainda estava muito impressionada com aquela história. Seria melhor esquecer e cuidar de trabalhar.

Decidida, apanhou uma pasta, abriu-a e mergulhou na leitura.

***

Dois dias depois, André resolveu passar pelo escritório e conversar com Nina. Queria fazer mais uma tentativa para resolver aquele caso pacificamente. Na portaria do prédio foi informado de que ela havia saído e voltaria dentro de duas horas.

Disposto a esperar, André resolveu ir a um restaurante próximo para almoçar. Nos últimos tempos, quase não ia almoçar em casa. Evitava a companhia de Janete, que a cada dia se tornava mais desconfiada e insistente, fazendo perguntas desagradáveis que ele não queria responder.

O lugar estava lotado, e ele resolveu esperar.

— Como vai, André?

Ele voltou-se e viu o doutor Mendes sorrindo.

— Bem, e você?

— Bem. Eu o vi entrar. Não há lugar. Venha sentar-se conosco.

André aceitou de bom grado e acompanhou-o. Sentado na mesa estava Dantas, que se levantou e o cumprimentou.

A conversa fluiu natural e Mendes contou que estava processando o sócio. Trocaram ideias sobre o caso e foi Mendes quem levantou o assunto:

— Chega de falar nesse safado. Altamira não se conforma. Eu prefiro falar sobre espiritualidade. Sabia que estou estudando o assunto?

André surpreendeu-se. Mendes sempre fora descrente. Seus pais comentavam que ele parecia ateu.

— Como foi isso?

— Aconteceu no escritório do Dantas. Ele é mestre nesse assunto.

Em poucas palavras Mendes contou tudo. André interessou-se muito. Além da vontade de descobrir mais sobre Nina e o filho, havia o caso de Milena.

— Foi bom saber disso, doutor Dantas. Talvez possa orientar-me. Há alguns dias conversei com Milena. Ela garante que é capaz de perceber o que as pessoas pensam, sentem. Às vezes não consegue controlar as emoções e isso acaba criando caso com as pessoas. Pensei em telepatia. Acha que é possível?

— A telepatia é um fato comprovado. Mas o caso dela está me parecendo que vai além disso.

— Como assim?

— Mediunidade. Já ouviu falar nisso?

— Já. Mas nunca imaginei que fosse o caso dela.

— É o que me parece. Mas para ter certeza precisaremos estudar melhor, conhecer mais sobre ela.

— Milena é tímida, instável, vai da euforia à depressão com muita facilidade. Minha mãe não se descuida, leva-a ao psiquiatra, mas ele não consegue curá-la. Há temporadas que fica um pouco mais estável, mas em outras piora. Ela me confessou que se esforça para controlar certas emoções, mas não consegue. Acaba falando coisas a contragosto e envolvendo-se em situações desagradáveis.

— Ela precisa de ajuda espiritual e principalmente de compreensão. Seria bom que estudassem o assunto para poder auxiliá-la.

— Com Andréia isso não será fácil — disse Mendes sério.

— É — concordou André. — Minha mãe não aceitaria essa possibilidade. Já meu pai é mais compreensivo. O que nos aconselha, doutor Dantas?

— Minha filha Marta tem muita sensibilidade. Ela vê, sente e ouve os seres de outras dimensões do Universo. Gostaria que Milena a conhecesse. Ela poderia melhor do que eu orientar o caso.

— Ela faria isso por nós?

— Claro, André. Fale com Milena. Se ela quiser, poderá ir tomar um chá em casa. Tanto Mercedes como Marta terão muito prazer em recebê-los.

— Obrigado, doutor. Não sei se devemos aceitar. Não desejo incomodar.

— Deve, sim — interveio Mendes. — Minha vida mudou depois da noite em que fomos lá. Havia outro menino, filho da doutora Nina, o Marcos, que também possui sensibilidade. Não como Renato, mas Marta disse que também é médium.

André estremeceu e Dantas notou, mas não disse nada. Sem notar a emoção de André, Mendes continuou:

— Marta é um encanto. Tem o dom de encantar a todos. Os meninos a adoraram. Tenho certeza de que vai ajudar sua irmã.

— Dona Altamira também já aceitou que Renato é médium?

Mendes riu bem-humorado:

— Ela está tentando. Lutando com a incredulidade. Por que será que é tão difícil para nós aceitarmos a vida após a morte?

— Porque estamos vivendo dentro da matéria, em um mundo onde parece que tudo tem começo, meio e fim. Já no Universo, tudo é infinito — considerou Dantas.

— Gostaria de ajudar Milena — tornou André. — Ela se isola com receio de ser inconveniente. Sempre que recebemos amigos, minha mãe faz tantas recomendações que ela acaba fechando-se no quarto e não querendo ver ninguém.

Dantas tirou do bolso um cartão e entregou-o a André, dizendo:

— Convido vocês para irem à minha casa conversar. Eis o telefone. Peça a Milena para ligar e combinar com Marta. Se for à noite, estarei em casa e terei a maior satisfação em receber seus pais.

André apanhou o cartão, hesitou um pouco, depois disse:

— Agradeço o convite, mas por enquanto é melhor deixarmos meus pais fora disso. Eu irei com Milena.

— Como queira. Sinto que ela está precisando de ajuda, por isso aconselho-o a ir o quanto antes.

— Poderei ir esta noite mesmo se não tiverem outro compromisso.

— Combinado. Estaremos esperando.

Depois de haverem almoçado, André se despediu. Ao deixar o restaurante não teve coragem de ir ao escritório falar com Nina. Pensou que talvez fosse melhor aproximar-se de Dantas e de sua família.

Nina os estimava, frequentava-lhes a casa. Ele não tivera intenção de fazer isso, desejava sinceramente ajudar Milena, mas a situação o estava favorecendo e talvez esse fosse o melhor caminho para uma solução pacífica.

Dantas voltou ao escritório perguntando-se o que a vida desejava dele aproximando-o de André, que, além de trabalhar para um concorrente, tinha um caso complicado com Nina.

Ela estava intransigente. Não queria de forma alguma que André se aproximasse de Marcos. Mas seria o melhor?

André não tinha filhos e essa proximidade não iria trazer maiores problemas para seu casamento? Por outro lado, seria justo privar Marcos de relacionar-se com o pai?

Quando Nina entrou em sua sala, ele disse:

— Hoje eu e o Mendes almoçamos com André.

— Ele o foi procurar por minha causa?

— Não. Foi ocasional. Fomos almoçar e ele estava sem lugar. Mendes é muito amigo da família dele e o convidou para nossa mesa.

Nina suspirou aliviada. Antônio continuou:

— Mendes mencionou Renato e seus problemas espirituais, e André interessou-se por causa de sua irmã. Milena tem tido muitos problemas. Penso que é um caso de mediunidade. Convidei-o para levá-la a minha casa conversar com Marta. Sinto que ela poderá ajudá-la.

Ao deixar a sala do chefe, Nina firmava o propósito de espaçar as visitas a Marta. Não podia expor Marcos a um encontro casual com André.

Estava escurecendo quando André foi para a casa dos pais. Andréia, vendo-o, surpreendeu-se:

— Você aqui a esta hora, aconteceu alguma coisa?

— Nada. Está tudo bem. Quero falar com Milena.

Rapidamente, André subiu ao quarto da irmã, sem dar tempo a que Andréia o crivasse de perguntas. A porta estava fechada a chave e André bateu chamando:

— Milena, abre, sou eu.

Ela abriu, ele a abraçou e pediu:

— Feche a porta. Temos que conversar.

Sentou-se ao lado dela no sofá e contou-lhe a conversa que tivera com Dantas.

— Fiquei de levá-la lá esta noite para conversarmos com Marta.

Milena hesitou:

— Não sei... Tem certeza de que eles podem me ajudar?

— Tudo indica que sim. O doutor Mendes garante que é a pessoa certa.

— Como ele pode saber?

André relatou o caso de Renato e finalizou:

— Ele disse que conseguiu entender o problema do filho e tudo melhorou.

— Não sei se alguém pode me ajudar. A vida inteira tenho sofrido e nunca ninguém conseguiu.

— Mas devemos tentar. O doutor Dantas é um homem muito sério e muito respeitado. Se ele garante que pode nos ajudar, vamos experimentar. Não custa nada irmos lá conversar um pouco.

Ela pensou um pouco, depois decidiu:

— Está bem. Irei.

— Iremos depois do jantar. Virei buscá-la.

— Por que não janta aqui?

— Está bem. Vou ligar para Janete.

Milena pendurou-se no pescoço dele e deu-lhe um beijo na face:

— Obrigada por você ter se interessado. Mesmo que não consiga nada, fico feliz com seu interesse.

— Você vai ficar bem — garantiu ele. — Farei tudo para isso.

Quando ele desceu, Andréia o esperava curiosa.

— Vou ligar para Janete e avisar que ficarei aqui para o jantar. Papai ainda não chegou?

— Deve estar chegando. Por que não convida Janete para vir também?

— Porque não vou demorar aqui. Depois do jantar vou sair com Milena.

— Com Milena? Aonde vão?

— Visitar uns amigos meus.

— Por que isso? O que está tentando fazer?

— Milena precisa reagir, relacionar-se. É jovem, não pode ficar fechada em casa.

— Ela não sai porque não quer. Aliás, eu vivo dizendo isso. Quem são esses amigos?

— Um advogado que tem uma filha da idade dela.

— Você não precisa fazer isso. Vai se aborrecer. Ela vai dar o costumeiro vexame e envergonhar você. Seria melhor não ir.

— Você está prejulgando. Não faça isso.

— Se tivesse suportado o que já suportei com ela, não diria isso. Ela é imprevisível.

Milena estava na porta da sala e disse nervosa:

— É melhor não irmos mesmo. Não quero dar nenhum vexame.

André lançou um olhar irritado para Andréia e abraçou Milena, que estava com os olhos cheios de lágrimas.

— Nada disso. Vamos sair, sim. Faremos melhor. Está pronta?

Ela concordou com a cabeça.

— Nesse caso, vamos embora. Jantaremos em um restaurante. Conheço um lugar muito bom. Você vai gostar.

Antes que Andréia saísse da surpresa, ele segurou a mão de Milena e levou-a embora.

No carro, ele comentou:

— Você não pode impressionar-se com o que mamãe diz. Ela não entende nada do que se passa com você.

— Acontece que eu tenho mesmo criado problemas para ela. Sabe como é. Mamãe gosta que tudo seja perfeito. Eu nunca consigo fazer as coisas do jeito que ela quer. Às vezes eu até me esforço, mas, de repente, faço tudo ao contrário.

— Vamos mudar de assunto, jantar em um lugar gostoso e depois iremos visitar a Marta. Vai dar tudo certo.

Assim que André saiu, Andréia ligou para Janete para contar-lhe a novidade.

— Ele saiu com ela e foram a um restaurante. Acredita nisso?

— Eu digo que André está diferente. O que será que deu nele? Nunca se interessou pelos problemas da irmã.

— É esquisito mesmo. Ele não lhe disse nada sobre isso?

— Nada. Aliás, nos últimos tempos, quase não conversa comigo. Cheguei a pensar que havia outra mulher. Mas, depois do que me disse, começo a acreditar que esteja com algum problema nervoso. Ele mudou muito. Não parece o mesmo de antes. Talvez seja bom falar com o doutor Romeu e sugerir que André procure um médico para se tratar.

— Você acha mesmo que ele precisa?

— Não tenho outra explicação. Ele está muito nervoso, mudou de atitude comigo, não para em casa e quando está, fecha-se no quarto e não conversa. Alguma coisa muito séria está acontecendo com ele.

— Vou falar com Romeu. Vamos ver.

— Faça isso.

André e Milena, sentados no restaurante, conversavam. Animada com o interesse do irmão, que a ouvia atencioso, ela falou de seus sentimentos, dos pensamentos que turbilhonavam sua mente e das emoções inexplicáveis que muitas vezes não conseguia controlar.

À medida que ela falava, André parecia estar vendo-a pela primeira vez. Da surpresa que ela sentia quando uma frase que dissera sem pensar acabava acontecendo, do medo, da insegurança que esses fatos lhe provocavam.

— É a primeira vez que conto isso a alguém. Você deve estar me julgando desequilibrada. Eu até acho que sou. Mas, apesar disso, há momentos em que sinto dentro de mim uma clareza, uma lucidez, uma certeza muito grande de que tudo isso tem uma função e um dia ainda vou descobrir qual. Nessa hora sinto muita paz e a sensação de que tudo está certo.

— É surpreendente. O doutor Dantas me disse que Marta poderá nos ajudar a entender esse processo.

— Não vejo a hora de irmos até lá.

André olhou o relógio e respondeu:

— Está na hora de ir. Vamos pedir a conta.

Meia hora depois, chegaram à casa de Dantas, que os recebeu com alegria. Pouco antes, ele conversara com Mercedes sobre a visita de André e finalizara:

— Estou me perguntando por que a vida nos aproximou de André. Nós nos conhecemos há tantos anos e nunca passamos dos cumprimentos formais.

— Do que se admira? A vida tem seu próprio caminho. Se nos aproximou deles, deve querer alguma coisa de nós. Vamos ficar atentos, fazer nosso melhor. Sinto que essa moça precisa de ajuda espiritual.

— Mas o que dirá Nina? Ela está muito magoada com André.

— Vamos fazer nossa parte e Deus fará o que for melhor.

Vendo-os entrar, Mercedes levantou-se para cumprimentá-los, convidando-os a sentar-se. Marta entrou em seguida. Cumprimentou André, abraçou Milena com carinho.

— Estou contente que tenha vindo — disse sorrindo. — Está mais do que na hora de cuidarmos da sua sensibilidade.

Em seguida, Marta descreveu com naturalidade tudo que Milena sentia, repetindo, quase com as mesmas palavras, o que ela dissera ao irmão no restaurante meia hora atrás.

André observava surpreendido, e Milena, olhos emocionados, sentia seu corpo tremer. Marta segurou a mão dela e tornou:

— Sente-se. Não se preocupe. Não vai acontecer nada. Feche os olhos e relaxe.

Milena obedeceu e desandou a chorar. Um pranto sentido, longamente reprimido. André fez menção de interferir, mas Antônio fez-lhe sinal para que não o fizesse.

Marta levantou as mãos para o alto e pediu:

— Vamos orar em nossos corações, em silêncio.

Depois, colocou as mãos sobre a cabeça de Milena, sem a tocar por alguns instantes, orando em silêncio. Em seguida, começou a passá-las ao redor do corpo dela, como se estivesse arrancando alguma coisa e jogando fora. Por fim, levantou as mãos novamente, passando-as da testa aos pés, voltando várias vezes.

Milena havia parado de chorar, apenas seu corpo estremecia de vez em quando. Marta olhou-a e perguntou:

— Como se sente?

— Aliviada. Parece que saiu de mim um peso enorme.

André, que não conseguira rezar, preocupado com os acontecimentos, não sabia o que dizer. Sentiu que alguma coisa séria estava acontecendo ali, mas não se atreveu a perguntar. Milena continuou:

— Estou envergonhada. Não consegui conter o pranto. É a primeira vez que venho aqui. Por favor, desculpem-me.

Mercedes aproximou-se:

— Não se sinta constrangida. Foi bom ter chorado. Você deve ter vivido sob tensão durante muito tempo e era preciso jogar fora as energias reprimidas. Por esse motivo sentiu alívio.

— Foi uma limpeza energética — disse Marta sorrindo. — Meus amigos espirituais limparam sua aura e a revitalizaram. Vai sentir-se muito bem.

— Estou me sentindo bem. Há momentos em que fico assim, mas depois tudo volta. Seus amigos podem me curar?

— Você não está doente — respondeu Marta sorrindo. — Eles apenas deram uma ajuda a fim de que você aprenda a lidar melhor com sua sensibilidade.

— Quer dizer que minha vida será sempre assim, com altos e baixos?

— Quer dizer que você tem mediunidade e precisa aprender a lidar com ela.

— O que é mediunidade?

— É uma faculdade natural que todos possuem, em menor ou maior grau, e que lhe permite ver, sentir o que acontece além dos cinco sentidos físicos, penetrar em outras dimensões do Universo, registrando o que se passa com os que vivem nesses mundos, principalmente os que já viveram aqui.

— É por esse motivo que eu sinto e vejo coisas e pessoas que ninguém vê?

— É. Você possui mais desenvolvido o sexto sentido. Isso significa que você, além de não ser doente, é mais dotada que a maioria das pessoas. Você consegue perceber o que elas não podem.

— Mas eu não quero. Tenho sofrido muito.

— Você sofre porque não sabe lidar com o que sente. Mas, à medida que estudar, conhecer as leis que regem a vida, saberá cuidar melhor de sua sensibilidade. Desenvolverá a intuição, saberá escolher melhor seu caminho e poderá ainda esclarecer aqueles que estão despertando para a espiritualidade.

— Mas continuarei vendo coisas desagradáveis com as pessoas.

— Por certo. Saberá, porém, que cada um vive o próprio processo de amadurecimento e com o tempo descobrirá que a vida faz tudo certo.

— Muitas vezes senti vontade de prevenir as pessoas sobre os perigos que as envolvem, mas não tive coragem. Depois acontecem coisas ruins com elas e eu me arrependo.

— Nesses casos é preciso ter bom senso. Não se pode dizer às pessoas tudo o que vemos com elas. Podem se impressionar e ficar mais vulneráveis. A arte de ajudar é muito difícil.

— Então por que nos mostram o que vai acontecer de ruim?

— São raros os casos em que podemos intervir diretamente. Geralmente, eles nos são mostrados para que possamos auxiliar orando e enviando sobre os envolvidos energias positivas. Quando um momento de dor se aproxima, na maioria dos casos está em circunstâncias que o tornam inevitável. Mas nossas energias vão fortalecer os envolvidos, fazendo com que suportem com mais coragem aqueles momentos e não se demorem na depressão, aumentando o sofrimento.

— Tenho visto coisas muito tristes com certas pessoas. Algumas estão rodeadas por figuras assustadoras, e isso me faz muito mal.

— Eu sei. É bom saber que não existe vítima. Cada um atrai em sua vida as pessoas que se afinam com seu modo de ser. É assim em nossa sociedade. No colégio dava para perceber bem isso. Entre os alunos, os grupos se formavam entre os que tinham as mesmas preferências.

Milena sorriu:

— É verdade. Mas eu nunca me liguei a nenhum grupo. Minhas amizades eram apenas sociais. Nunca tive uma amiga íntima. Acho que não havia ninguém como eu.

— Como pode saber? Nestes assuntos as pessoas têm medo de falar. O preconceito ainda é grande. Tenho certeza de que você nunca contou o que sentia para ninguém.

— É verdade. Eu tinha medo de ser ridicularizada. Fazia o maior esforço para que ninguém notasse o que estava sentindo. Eu tinha horror de ir ao colégio por causa disso.

Marta passou a mão nos cabelos de Milena, dizendo séria:

— Está na hora de você se libertar desses medos e descobrir como pode usar esses conhecimentos para melhorar sua vida e ser mais feliz.

— Você acha que um dia aprenderei?

Marta sorriu e considerou:

— Tem um moço alto, moreno, olhos cor de mel, trajando uma camisa verde-clara e calça marrom, que está me dizendo que depende só de você. Ele já tentou lhe dizer muitas coisas, mas você não acredita nele.

Milena levantou-se admirada:

— De fato, ele tem aparecido, tentado conversar, mas eu não lhe dou chance. Então não é coisa da minha cabeça, ele existe mesmo!

— Claro que existe! Diz que deseja ajudá-la. Sua vida vai mudar muito daqui para a frente. Sua maior força está em ser verdadeira.

Marta aproximou-se de André, olhou-o fixamente, embora seus olhos estivessem sem expressão, e continuou:

— Tenha paciência. Seu arrependimento não vai trazer o passado de volta. Não entre na revolta, não deixe que o orgulho dite suas atitudes. Para alcançar o que deseja, terá que agir com o coração. Só o bem atrai o bem. Lembre-se disso.

Marta sentou-se e disse com naturalidade:

— Mamãe, pode me dar um café?

Mercedes saiu da sala e o silêncio se fez. André, surpreendido, não sabia o que dizer. As palavras de Marta, ditas com uma voz firme e mais grossa do que habitualmente tinha, sua conversa com Milena, o impressionaram muito. Olhou para Marta e perguntou:

— O que foi que disse?

Ela olhou-o sorrindo:

— Eu disse alguma coisa?

— Disse...

— Não me lembro.

Antônio interveio:

— Quando alguém fala através dela, como agora, quase sempre logo depois ela esquece.

Mercedes voltou segurando uma xícara com café e entregou-a a Marta. A criada mais atrás serviu os demais, colocando uma bandeja com biscoitos sobre a mesinha ao alcance deles.

Marta tomou o café, enquanto Milena não quis. Estava ansiosa para continuar a conversar, queria saber mais.

— Sinto que há muitas perguntas em sua cabeça. Venha, vamos à biblioteca. Desejo mostrar-lhe um livro.

Depois que elas deixaram a sala, André considerou:

— Não é só ela quem tem perguntas a fazer. O que aconteceu aqui hoje deixou-me perplexo. Quando estávamos vindo para cá, Milena falou-me de suas dúvidas, dos problemas que a vida toda tem enfrentado. Marta repetiu tudo, em alguns momentos até com as mesmas palavras e deu até algumas respostas. Dá-me a impressão de que ela ouviu nossa conversa.

— Ela não, mas certamente o espírito que os acompanhava ouviu e inspirou as palavras dela.

— É incrível...

— Mas tudo é natural. Para começar a estudar esses fatos, você precisa saber que a sobrevivência do espírito depois da morte do corpo, o fato de o espírito ir viver em outro mundo onde possui vida social, a reencarnação, a comunicação dos espíritos são fenômenos da natureza. Nada é sobrenatural. O fato de muitos não conseguirem perceber essa realidade não significa que não exista. Apenas os que desenvolvem mais sensibilidade registram esses fatos. Nossos amigos espirituais dizem que com o tempo todos terão essa sensibilidade. O sexto sentido é um dom do ser humano que se manifesta conforme o momento da evolução de cada um.

— Se tudo isso faz parte da vida, por que a ciência ainda não admite?

— A ciência deseja registrar elementos sutis através de aparelhos inadequados. Quando conseguir melhorar os equipamentos, vão obter todas as comprovações. Então, vão criar uma nomenclatura sofisticada para eles e brigar pela paternidade da descoberta. Mas isso não importa. A vida tem como eliminar os abusos. Você sabe que hoje a ciência humana vem se desenvolvendo vertiginosamente. Já há quem tenha conseguido mensagens de pessoas mortas nos gravadores, e na Itália há um pesquisador que procura fazer contato com os que partiram do mundo, através de um aparelho de televisão. Ele obteve a aparição da filha morta, e eu tenho essa pesquisa. Posso mostrar-lhe.

— Eu não sabia nada disso. Trata-se de um estudo sério.

— Seríssimo. Quando esses fatos forem definitivamente provados, nossa sociedade se transformará.

— Por certo. A morte perderá seu significado trágico.

— Assim a violência vai desaparecer, e o crime mostrará toda sua inconveniência.

— Como assim?

— Sabendo que apesar de matar um corpo, a pessoa continua vivendo em outro lugar e pode até querer vingar-se, perseguindo seu assassino, interferindo em sua vida, o homem pensará melhor e procurará uma solução menos drástica para resolver suas diferenças.

— Estou perplexo. Quem morreu pode mesmo interferir na vida das pessoas?

— Tanto para proteger como para perturbar. Depende das atitudes de cada um.

— Mesmo quando essa pessoa não tem muita sensibilidade?

— Mesmo assim. É claro que os médiuns registram com mais facilidade essas presenças. Quanto aos outros que se julgam imunes a essas influências ou mesmo que não acreditam nelas, registram cada um à sua maneira as energias dos espíritos que os rodeiam. Há os que sentem sintomas de doenças, dores, indisposições, vivem nos consultórios médicos e sem conseguirem um diagnóstico, tornam-se hipocondríacos. Há os que têm pesadelos, insônia, mal-estar, pensamentos negativos, fecham-se no medo, acabam deprimidos e insatisfeitos.

— Eles podem intervir na vida das pessoas a esse nível?

— Eles invadem a aura, que é a energia que cada pessoa irradia, e lançam nela seus pensamentos. Claro que cada pensamento emitido possui a energia equivalente. Se quem recebe acha que esse pensamento é seu, está aceitando essa influência.

— Basta isso?

— Sim. Há momentos em que passam pela nossa cabeça os pensamentos mais estranhos. Sugestões desagradáveis, medos, que provocam insegurança, depressão. Nesses momentos é preciso reagir, não os alimentar. Essa é a forma de impedir que espíritos desequilibrados interfiram em nossa vida.

— É por tudo isso que Milena apresenta instabilidade emocional?

— Claro. Ela, além de sentir, vê pessoas, ouve o que dizem. Para quem não conhece a espiritualidade, pode ser assustador. Mas, à medida que ela aprende as leis de influência, certamente conseguirá lidar bem com a sua sensibilidade.

— É o que eu mais quero. Ela não usufruiu sua adolescência nem sua mocidade. Quero estudar tudo isso e ajudá-la a superar.

André hesitou um pouco, depois continuou:

— Há um outro assunto pessoal que eu gostaria de ouvir sua opinião.

Mercedes levantou-se dizendo:

— Com licença, vou conversar um pouco com as meninas.

Ela saiu da sala e André ficou calado durante alguns segundos pensativo. Depois disse:

— O que aconteceu aqui deixou-me sensibilizado. Confesso que a vontade de ajudar Milena veio no momento em que me dei conta de que tenho me omitido com relação a ela. Nunca procurei entender o que ela sentia, nem lhe dar o carinho merecido. Estou arrependido.

— O apoio que está dando a ela é muito importante. Você não sabia o que estava acontecendo. Tenho certeza de que seus pais também não fazem ideia.

— Eles não acreditam em nada disso. Vou conversar com eles, mas não sei se conseguirei convencê-los.

— Não se preocupe com eles por enquanto. A vida tem meios de cuidar de tudo melhor do que nós. Procure apoiá-la e estudar melhor o assunto. Vamos confiar na vida. Tudo tem sua hora.

— É. De fato. Apoiar Milena, ouvi-la, tentar fazer alguma coisa, tem me feito muito bem. Contudo, há outro caso que me preocupa. É sobre isso que desejo ouvir sua opinião.

— Fale.

— É sobre Nina. Ela lhe contou que nos conhecemos há muitos anos?

— Sim. Depois que você esteve em nosso escritório ela me contou tudo. Até então eu não sabia de nada.

André passou a mão nos cabelos e suspirou triste:

— Esse é o pior remorso que me atormenta. Estou muito arrependido do que fiz. Primeiro porque Nina foi o grande amor de minha vida, depois porque me deixei levar pela ambição de minha mãe e fiz um casamento de conveniência. Meu casamento foi um erro. Minha mulher é muito diferente de mim, nunca fui feliz ao lado dela. Além disso, tem horror a crianças e, embora não diga abertamente que não deseja filhos, faz tudo para evitá-los.

André fez uma pausa e vendo que Antônio o ouvia com atenção continuou:

— Eu me casei com Janete pensando que Nina me amava tanto que, apesar do casamento, nosso relacionamento continuaria. Não tencionava deixá-la. Quando voltei da lua de mel, descobri o quanto estava enganado. Hoje me envergonho dessa atitude. Nina desapareceu da minha vida sem deixar rastro. Desde esse dia nunca deixei de procurá-la. Imaginava que ela, vendo-se abandonada, teria se livrado da gravidez. Só poucos dias atrás, quando vocês ganharam aquela causa, foi que descobri seu paradeiro e a existência de Marcos.

— Um menino muito inteligente e bonito.

— Fui vê-lo às escondidas na saída do colégio. Nina não me perdoa de jeito nenhum. Ela hoje está muito diferente da Nina que conheci. Era uma moça doce, alegre, carinhosa. Transformou-se em uma mulher fria, vingativa, dura.

— O medo de sofrer cria uma couraça de defesa. Nina é uma mulher muito corajosa, sabe o que quer. Educa muito bem o filho.

— Ela não quer que eu me aproxime dele. Apesar do que fiz, Marcos é meu filho! Não pode me impedir de estar com ele. Não vou aceitar isso nunca. Estou arrependido. Por que ela me nega o direito de corrigir meu erro e aliviar a consciência?

André calou-se, tentando impedir que as lágrimas corressem pelo seu rosto. Não conseguiu.

— O que pretende fazer?

— Reconhecer a paternidade. Dar meu nome a ele e ser um bom pai. É o que posso fazer agora.

— Já pensou nas implicações legais perante sua família?

— Sim. Mas isso não importa. Estou disposto a enfrentar todos os obstáculos. Sinto-me tocado quando penso em meu filho. É um sentimento forte que grita dentro de mim. Nina não tem o direito de me impedir de estar com ele, ajudá-lo a crescer e ser feliz.

— Você está magoado com Nina. Mas tente compreender. Ela foi ferida em seus sentimentos. Foi traída, abandonada no momento em que mais precisava de apoio. Não estou julgando você. Não tenho essa competência. Entendo que quando somos jovens não sabemos bem lidar com nossos sentimentos. Só quero que compreenda as razões dela.

— Sei que a magoei muito, mas estou arrependido e disposto a corrigir o erro.

— Você não tem como. Para reconhecer seu filho terá que brigar com sua família. Talvez Nina não deseje passar por essa situação.

— Ela me odeia. Deseja vingar-se. Está usando Marcos para isso.

— Não seja injusto. Nina é uma mulher valorosa, admirável, criou seu filho sozinha, trabalhou, estudou, é uma vencedora. Eu a admiro e respeito muito.

— Estou desesperado. Desde que a encontrei não consigo dormir, trabalhar, não tenho paz.

— Lembre-se das palavras de Marta. Não entre na revolta. "Não deixe que o orgulho dite suas atitudes." Acalme-se. Se deseja se aproximar de Marcos, precisa ter paciência, saber esperar. Apesar do que você disse sobre Nina, eu afirmo que ela continua doce e bondosa.

— Como pode ter essa certeza? Quando fala comigo, noto o brilho de ódio em seu olhar.

— Você também está chocado com a descoberta. Tente se acalmar. Não faça nada de que possa vir a arrepender-se depois. Marcos é seu filho e esse fato tem muita força. Se deseja corrigir seus erros, o primeiro passo é entender. As mulheres são mais sensíveis do que nós, dão grande importância aos sentimentos. Ela o amou muito, entregou-se a você com toda a força do seu afeto. Sua atitude a feriu profundamente. Conheço Nina, tem um senso ético muito atuante. Seu erro foi pensar que ela pudesse aceitar ser sua amante depois que estivesse casado.

— Reconheço isso. Estou arrependido. Mas ela me nega o direito de corrigir meu erro.

— Durante anos ela lutou para criar o filho sem pai. Pode imaginar o esforço que precisou fazer? Os momentos difíceis que precisou suportar?

— Se ela houvesse me procurado, eu a teria ajudado. Não precisaria sofrer nada disso.

— Ela mesma me disse que aceitou a separação e tratou de deixar seu caminho livre. Penso que nas circunstâncias foi o melhor que poderia fazer. Aliás, admiro-a. Você é um homem rico. Outras o teriam importunado, procurado tirar partido. Foi nobre da parte dela.

— Isso aumenta meu remorso e faz-me sentir mais canalha.

— A bem da verdade devo dizer que Nina, depois que se separou de você, nunca mais teve ninguém. Você sabe como é, uma mulher jovem, bonita, culta como ela, é muito assediada. Sei de alguns que dariam tudo para que ela os aceitasse. Mas Nina trancou o coração e só pensa no filho e no trabalho.

André suspirou inquieto e respondeu:

— Mas o pior é que eu ainda a amo muito. Nestes anos todos nunca deixei de amá-la. Se ela me quisesse, eu largaria tudo. Bastaria uma palavra.

Antônio olhou-o sério e arriscou:

— Será que não está dizendo isso apenas porque ela tornou-se uma conquista difícil ou porque seu casamento não está sendo satisfatório?

André sacudiu a cabeça energicamente:

— Não. Claro que depois que a perdi foi que pude avaliar o quanto a amava. Mas desde aquela época a tenho procurado. Quantas vezes pareceu-me vê-la em outras mulheres e quando me aproximava percebia que estava enganado? Se ela sofreu, eu também sofri. Paguei caro pelo meu erro. Um casamento errado já não é castigo bastante?

— Pode ser. Mas foi uma escolha sua.

— Não sei o que fazer. Estou inquieto, triste, sem rumo.

— Nesse caso não faça nada. É arriscado tomar qualquer decisão nesse estado. Acalme-se. Deixe a poeira assentar. Nesse meio tempo Nina vai pensar melhor.

— Desculpe o desabafo. É que esta noite tudo me parece diferente. Não saberia explicar.

— Quando a espiritualidade toca nossa alma, tudo se transforma. É preciso lembrar que não estamos sós. Ao nosso redor estão espíritos amigos, dispostos a nos ajudar a encontrar um caminho melhor. Eu costumo conversar com eles, agradecer o apoio e pedir ajuda. Sei que jamais apontam o que devo fazer porque não interferem em meu livre-arbítrio, mas me inspiram bons pensamentos, aclaram minhas ideias e assim tenho condições de decidir melhor.

— Apesar dos meus erros, será que me ouvirão?

— Eles nunca julgam nem criticam ninguém. Só esclarecem. Tente e verá.

— É o que farei.

Mercedes entrou na sala acompanhada das duas moças e André levantou-se dizendo:

— Está na hora de irmos.

— Já? — indagou Milena.

— É tarde. Não devemos abusar.

— Fiquem à vontade — interveio Mercedes, sorrindo.

— Desculpe — respondeu Milena. — André tem razão. É que nunca me senti tão bem em um lugar!

Marta segurou a mão de Milena dizendo:

— Por que estão com tanta pressa? Agora que encontrei uma amiga, não desejo que vá embora.

— Fico contente por vocês — disse Mercedes. E voltando-se para André concluiu: — De fato, Marta nunca teve uma amiga íntima. Estou feliz que tenham se encontrado.

— Obrigada por me dizer isso — respondeu Milena.

— Voltaremos outro dia — disse André. — Agora precisamos ir.

Despediram-se carinhosamente e depois que os dois se foram Marta comentou:

— Milena não se recorda, mas nós somos amigas há muito tempo. Como é bom tê-la a meu lado!

Quando se viu a sós com o marido, Mercedes tornou:

— Marta está feliz. André falou sobre Nina?

— Sim. Vou lhe contar tudo.

Depois de ouvir a narrativa do marido, Mercedes concluiu:

— Apesar do que Nina nos disse, André não me parece ser mau.

— De fato. Demonstra bons sentimentos. Quando se relacionou com Nina era muito jovem. Depois, estava sob influência de Andréia, e você sabe como ela é.

— Mas Nina nunca poderia aceitar o que ele lhe propôs.

— Concordo. Mas acredito que se ele soubesse a verdade teria assumido o filho.

Mercedes ficou pensativa por alguns instantes, depois disse:

— Nina entregou-se a ele por amor. Esse filho representava para ela um prêmio. O fato de André haver sugerido o aborto a magoou muito e significou que ele não a amava como pensava. Por tudo isso não acredita no arrependimento dele.

— De certa forma ela tem razão. Mas André é pai do Marcos. Essa verdade não pode ser negada. Ele tem direito sobre o menino.

— Direito legal, você quer dizer.

— Não podemos esquecer que existem leis. Ele garante que vai reconhecer o menino e tem o amparo da lei.

— Será que ele vai fazer isso mesmo?

— Ele garante que vai. Aconselhei-o a ter paciência, tentar resolver amigavelmente. Janete fará um escândalo quando souber.

— Andréia também. As duas vão unir-se contra Nina.

— Temos que confiar na ajuda espiritual. Depois de tantos anos eles se reencontraram e fico me perguntando, o que será que a vida pretende com isso?

— Só Deus sabe. Nós vamos rezar por eles e confiar na sabedoria da vida.

A partir daquela noite, Milena e André passaram a frequentar as reuniões espíritas na casa de Dantas todas as quartas-feiras. Nesses dias, no fim da tarde, André passava na casa dos pais e saía com Milena, só regressando depois da meia-noite.

Eles não haviam dito nada aos pais, e Andréia, intrigada, assim que saíam ligava para Janete:

— O que será que está acontecendo? André lhe disse aonde vão?

— Nem uma palavra. Quando pergunto, diz que Milena é jovem e precisa passear um pouco.

— Aí tem coisa! Ele nunca se preocupou com as depressões de Milena. O estranho é que só saem às quartas-feiras, às sete e meia.

— De fato, é estranho.

— Ele vem aqui, sobe no quarto de Milena e ficam horas conversando. Quando eu chego, param.

— Se não fosse com ela, eu ficaria com ciúme. André mudou muito. Tem saído quase todas as noites. Nas noites em que fica em casa, tranca-se no escritório, lendo até tarde.

— Vai ver que está trabalhando em algum caso difícil.

— Não sei. Ele não comenta nada. Parecemos dois estranhos vivendo na mesma casa. Já tentou falar com Milena, perguntar aonde vão?

— Já. Mas ela desconversa. Você sabe como ela é. O que me intriga é que Milena também está diferente: se arruma melhor, vai ao salão de beleza. Comprou discos e fica ouvindo música. Ontem a surpreendi cantando. Imagine!

— Estou abismada! Já André anda sério, triste, não temos ido a lugar algum, aceitado nenhum convite nem convidado ninguém para vir à nossa casa. Nossos amigos perguntam se ele está doente, se brigamos, se nosso casamento vai mal. Estou envergonhada! Não sei mais o que lhes dizer.

— Tenho pedido a Romeu que converse com ele, procure saber o que está acontecendo. Ele tentou duas vezes, mas André não conta nada. Diz que está tudo bem e ele não deve preocupar-se. Romeu é comodista, você sabe, alega que Milena está melhor, mais alegre. Fica satisfeito por André levá-la para passear.

— Posso pedir ajuda de papai, mas não sei se isso será bom. Do jeito que as coisas estão, André pode zangar-se. Ele anda muito nervoso, fica irritado quando papai o procura para falar sobre nosso relacionamento.

— Então, é melhor não envolver seu pai. Vamos tentar descobrir.

— Como?

— Podemos contratar um bom profissional.

— Um detetive particular?

— Minha amiga Dalva conhece um de confiança. Cuidou do caso dela, em pouco tempo descobriu tudo. Ela ficou muito satisfeita com o trabalho dele.

— Nesse caso, podemos experimentar.

— Deixe comigo. Vou obter o endereço dele.

— Fico muito agradecida. Sinto que meu casamento está por um fio. Apesar do que me disse, pode haver outra mulher.

— Não creio. Você está exagerando. Se houvesse outra mulher, ele não sairia com Milena.

— Acontece que André mal fala comigo. Não tem me procurado.

— Ele deve estar preocupado com trabalho. Por que não tenta uma aproximação? Tenho certeza de que sabe como fazer isso!

— Acha que não tentei? Comprei roupas, fiz tratamento de beleza, mudei o perfume, mas ele nem nota. É como se eu não existisse.

Andréia suspirou preocupada.

— O caso é pior do que eu pensava. Não acha que está na hora de ter um filho? Tenho certeza de que ele mudaria com você. A rotina do casamento acaba com o romantismo, mas um filho pode reacender o interesse.

Janete não concordava, mas não quis irritar a sogra.

— É, tenho pensado nisso. Eu quero ter um filho, mas não vem, não sei por quê.

— Talvez precise consultar outros especialistas. Posso ajudá-la nisso, se desejar.

— Não sei como agradecer seu interesse. Antes de qualquer providência nesse sentido, preciso saber o que está acontecendo.

— Está certo.

Janete desligou pensativa. Precisava fazer alguma coisa. Não podia continuar saindo sozinha ou ficar fechada em casa enquanto André saía com Milena.

A sonsa de sua cunhada bem poderia estar acobertando alguma amiga. O intrigante era saber que Milena não tinha amigas. Não adiantava ficar tentando descobrir. Contratar um detetive parecia-lhe uma boa ideia.

***

Naquela mesma tarde, Nina levou alguns documentos para Dantas assinar. Depois de ler e assiná-los, ele os devolveu. Ela ia sair, mas ele olhou-a nos olhos dizendo:

— Nina, quero saber se aconteceu alguma coisa em minha casa que a desagradou?

Apanhada de surpresa, ela corou e apressou-se a responder:

— Não. Por que pergunta isso?

— Você não tem aparecido por lá como antes. Mercedes acha que aconteceu alguma coisa que a aborreceu.

— Não aconteceu nada.

— Marta acha que você ficou assustada por ela ter dito que Marcos tem mediunidade.

— De fato, isso me assusta um pouco. Ainda não sei bem o que é isso. Acho cedo para ele se preocupar com a vida após a morte.

— Nesse caso, poderia nos ter dito. Marta falou o que pensava, mas ela sabe respeitar sua vontade. Não precisava ter se afastado. Todos gostamos muito de vocês e temos sentido falta de suas visitas.

— Desculpe, doutor. Fiquei muito assustada com o que aconteceu aqui. Depois, o pesadelo com Antônia foi horrível. Fiquei com medo.

— Fugir não vai adiantar. Ela está querendo se comunicar. Precisa de ajuda.

— Eu não tenho como fazer isso. Nem sei o que farei se sonhar com ela de novo.

— Se acontecer, lembre-se de perguntar o que ela quer.

— Vou rezar para ela me deixar em paz.

— Tem outra coisa que desejo dizer-lhe. É sobre Milena.

— A irmã de André?

— Sim. Ela sempre foi uma menina problemática. Fez tratamento psiquiátrico.

— Eu sei. André comentava comigo que ela era doente.

— Como já lhe contei, naquele dia em que eu e Mendes almoçamos com André, pedi-lhe que levasse Milena a minha casa e, de fato, tratava-se de um caso de mediunidade.

— Ela também?

— O interessante é que as duas se entenderam, porquanto Marta descreveu o espírito que Milena também vê e ela ficou aliviada por descobrir que não era doente. Tornou-se animada, alegre, falante, o que despertou o interesse de André pela espiritualidade. Eles estão frequentando nossas sessões às quartas-feiras.

— Ainda bem que me afastei. Seria embaraçoso nos encontrarmos em sua casa.

— Se não deseja vê-lo, basta não ir no dia em que eles vão. Não precisa afastar-se de uma vez.

— Será melhor. Ele pode aparecer de surpresa.

— Não tem o que temer. Vocês já conversaram.

— É. Mas, mesmo assim, não desejo que ele se aproxime de Marcos.

— Ele conversou comigo sobre vocês.

— Vai ver que ele foi à sua casa só por esse motivo, para tentar convencê-lo a interceder.

— Não seja injusta, Nina. Você me conhece, sabe que eu nem ninguém de minha família se prestaria a isso.

— Desculpe, doutor. É que esse assunto me tira do sério.

— Nesse caso, não falaremos mais nisso.

— É melhor mesmo.

Nina foi para sua sala, sentou-se, apanhou alguns papéis, mas não conseguiu trabalhar. Sentia-se nervosa, irritada. O fato de André haver se aproximado dos seus amigos mais queridos a incomodava.

Certamente ele fora fazer-se de vítima, mas ele era o único culpado do afastamento. Depois de tudo quanto ela sofrera, arcando sozinha com as consequências daquele relacionamento, ele aparecia querendo roubar-lhe o filho. Era demais.

No fim da tarde, quando entrou novamente na sala de Dantas, ele apanhou os papéis que ela lhe entregou para assinar, colocou-os sobre a mesa e fixando seus olhos disse:

— Nossa conversa deixou-a nervosa.

— Foi só na hora, já passou.

— Não é verdade. Está agitada, abatida. Vamos conversar.

— O senhor está enganado. Não vamos voltar ao assunto.

— É preciso, Nina. Sente-se, por favor.

Ela o obedeceu, tentando conter as lágrimas que estavam prestes a cair.

— Acalme-se. Vamos analisar os fatos. Tanto eu como minha família nunca nos aproximamos de André, embora frequentemos a mesma roda de pessoas e tenhamos amigos comuns. De repente, encontramo-nos naquele restaurante, através do Mendes, e ele relata o problema de Milena. Você sabe que trabalhamos com os nossos amigos espirituais e temos o hábito de esclarecer as pessoas sobre espiritualidade. Sempre com a finalidade de auxiliar.

— Eu sei, doutor.

— Senti de imediato que ela precisava de ajuda e ofereci os recursos de que disponho para isso. Tudo ficou claro quando eles foram à minha casa. Nós teríamos feito isso com qualquer pessoa que nos procurasse nas mesmas condições.

— Eu sei, doutor. Não os estou criticando. Ao contrário. Fico contente que Milena se recupere.

— Tenho certeza disso, sei que tem bons sentimentos. Mas quero chamar sua atenção para os sinais que a vida está dando de que chegou a hora de encarar a situação e resolvê-la.

— Tudo ficou resolvido quando André decidiu casar-se com outra e me abandonou.

— Engana-se. Ele estava iludido e você também. A situação de vocês nunca foi resolvida.

— É um mal sem remédio. Nunca vou esquecer o abandono, o descaso aos meus mais puros sentimentos. Agora ele aparece e diz que se arrependeu. Mas não há nada que se possa fazer.

— Você nunca o procurou para dizer-lhe que tinham um filho.

— Ele sabia que eu estava grávida e que jamais faria um aborto.

— Não quero entrar no mérito de nenhum dos dois. O que estou observando, e isso desejo esclarecer para seu próprio bem, é que ele fez um casamento errado quando se deixou persuadir pela família a casar por conveniência e hoje está sofrendo os resultados disso.

— Foi ele quem disse isso para o senhor?

— Não. Há alguns comentários em sociedade e Mercedes ficou sabendo. Inclusive, parece que André deseja muito ter filhos, mas ela não quer.

— Bem feito. Ele não merece mesmo ser pai.

— Não seja maldosa, Nina. Isso não combina com você.

— Desculpe, doutor. Quando se trata de André, perco o controle.

— A ferida que há em seu coração ainda está aberta. Você continua sofrendo pelo amor que sentia por ele.

— Há muito tempo que esse amor morreu. Só ficou a raiva.

— É hora de perdoar, Nina. Esquecer. Você é jovem, tem uma vida toda pela frente. Enquanto guardar essa mágoa no coração não poderá ser feliz.

— Não consigo, doutor. É essa raiva que tem me impulsionado para a frente, é a vontade de provar a ele que sou inteligente, capaz, forte. Que posso conduzir minha vida e a de meu filho oferecendo a ele tudo que André nos negou.

— Isso é orgulho ferido, Nina. Machuca você e tira do seu caminho o verdadeiro prazer da realização. Faz você desejar sempre mais, e é o que a está impedindo de compreender melhor o passado e notar que André é apenas um homem, que tem lados positivos e pontos fracos.

— Eu me entreguei a esse amor de peito aberto. Pensei que ele houvesse feito o mesmo. Mas estava enganada.

— Estava apaixonada. Não estou querendo defender as atitudes dele. Apesar de tudo, ele a amava.

— Não creio. Amor não é isso.

— Talvez não. Mas ele era muito jovem, foi fraco, deixou-se conduzir pelas ambições da mãe. Eu a conheço, sei o quanto valoriza a posição social.

— Pois agora ele que fique com a família que tem.

— O que estou tentando dizer é que a vida os está aproximando de nós. Alguma coisa boa ela pretende com isso.

Nina suspirou:

— O que o faz pensar isso? Nada de bom pode vir deles.

— Talvez seja para você limpar seu coração e passar a viver plenamente sua vida, o que você não tem feito desde que se separaram. Pense nisso, Nina. Não vou dizer mais nada. Só lembrar que nós gostamos muito de você e de Marcos e não vamos nos conformar com seu afastamento de nossa casa. Não pode nos castigar só porque estamos auxiliando Milena.

Nina levantou-se e sorriu. Sua inquietação havia passado. Sentia-se mais calma.

— Eu também sinto falta de vocês.

— Apareça sábado lá em casa. André só vai às quartas-feiras.

— Está bem, irei.

Depois que ela deixou a sala, Antônio ligou para Mercedes:

— Conversei com Nina e ela ficou de ir a nossa casa no sábado.

— Que bom. Como ela está?

— Magoada, triste. Parece que o tempo não passou. Ela continua sofrendo como no primeiro dia.

— Pobre Nina. Vamos nos esforçar para alegrá-la.

— O círculo está se fechando, mas é preciso dar tempo. Tudo vai acontecer no momento certo.

— Eu sei. Só nos resta rezar e esperar.

Nina voltou a sua sala pensativa. As palavras de Dantas voltavam à sua mente:

"A vida os está aproximando de nós. Alguma coisa boa ela pretende com isso."

Não podia concordar com o que ouvira. A família de André era esnobe, nunca veria com bons olhos um filho de André fora do casamento, mesmo que ela agora desfrutasse posição melhor. Embora André afirmasse estar arrependido, era igual a eles, casara-se por ambição.

A influência deles seria perniciosa para Marcos. Depois, ele pensava que o pai havia morrido. Havia se conformado com isso. Não demonstrava sentir falta. Saber que ela havia mentido, que o pai o havia desprezado, não seria despertar a revolta em seu coração?

Não. Dantas estava errado. Nada de bom poderia vir da proximidade daquela família. Eles iriam odiar. Fariam escândalo. Marcos sofreria. Ela não poderia permitir.

Talvez fosse melhor mesmo evitar a casa de Dantas. Iria lá no sábado, colocaria seu ponto de vista, eles haveriam de entender.

Tendo decidido isso, tentou trabalhar, mas não conseguiu prestar atenção ao contrato que estava lendo. Insistiu. Leu várias vezes, mas pareceu-lhe confuso.

Deixou-o de lado, passou a mão nos cabelos, suspirou triste. Por que tinha que ser assim? Por que a vida queria tirar-lhe os únicos amigos que possuía?

Essa era a verdade. Se a vida havia aproximado André e Milena de seus amigos, era para afastá-la deles, uma vez que ela não aceitava essa convivência com Marcos. A presença frequente de André na casa de Dantas a estava privando da alegria de conviver com esses amigos.

Isso não era justo. André escolhera o próprio caminho. Tinha vida social intensa. Muitos amigos. Nunca havia se aproximado de Dantas. O problema de Milena não havia sido um pretexto para chegar até Marcos?

Uma onda de revolta a envolveu. André não tinha esse direito. Dantas havia se interessado por ela, ajudara-a profissionalmente, abrira as portas de sua casa, onde ela e Marcos foram recebidos com carinho. Marcos adorava visitá-los.

Ele havia lhe tirado tudo. Não lhe bastara deixá-la abandonada nos momentos mais difíceis de sua vida? Não fora o bastante ter negado a Marcos o direito de viver?

A cabeça lhe doía e Nina decidiu sair, dar uma volta. Apanhou a bolsa, avisou a secretária que não estava se sentindo bem e que só voltaria no dia seguinte.

Uma vez na rua, não foi apanhar o carro no estacionamento. Resolveu dar uma volta a pé pela cidade. Entrou em uma farmácia, comprou comprimidos para a dor de cabeça, pediu um copo d'água e ingeriu um.

Depois, caminhou pelas ruas, olhando as vitrines, procurando distrair-se. Viu um vestido bonito, elegante e pensou:

— Há quanto tempo não vou a uma festa?

Pensou em comprá-lo, mas desistiu. Não teria onde usá-lo. Esse pensamento a deixou irritada. Em um ponto Dantas estava certo. Desde que André a deixara ela perdera o prazer de viver, só pensara em estudar, subir na vida, conquistar nome e posição.

Onde estava a moça alegre e sonhadora de outros tempos, que adorava cantar, dançar, ir a festas?

As palavras de Dantas voltaram-lhe à mente:

"Talvez seja para você limpar seu coração e passar a viver plenamente sua vida, o que você não tem feito desde que se separaram."

Ele tinha razão quanto a isso. Reconhecia que a falta de dinheiro a limitara, mas agora estava ganhando bem, podia fazer amigos, ter vida social, comprar boas roupas, divertir-se.

Resolveu voltar e entrar na loja para experimentar o vestido. Enquanto esperava a vendedora pegar seu número para provar, ela viu uma senhora sair do provador. Reconheceu-a de imediato. Era Olívia, tia de Antônia.

Olívia olhou em volta e não vendo a vendedora aproximou-se de Nina e falou:

— Você também trabalha aqui?

— Não. Estou comprando um vestido.

— Desculpe. Como não vi a vendedora...

A moça apareceu com o vestido para Nina, que o apanhou para ir ao provador. Olívia olhou-a séria e perguntou:

— Você não era colega de Antônia?

Nina notou pelo tom de sua voz que ela estranhava o fato de estar em uma loja fina comprando um vestido caro. Sentiu-se feliz de poder responder à altura:

— Sim. Além de colega fui amiga dela. Lamento não ter podido impedi-la de fazer o que fez. Permita que me apresente.

Apanhou um cartão e entregou-o a ela, que leu:

Doutora Nina Braga — Advogada.

— Prazer. Não sabia sua posição.

— A senhora vai dar-me licença. Vou provar o vestido. Se precisar de alguma coisa, estamos à sua disposição em nosso escritório.

Nina entrou no provador e Olívia ficou olhando para o cartão pensativa. Talvez precisasse consultar um advogado. Não poderia falar com os amigos do marido. Além de tudo, uma mulher seria conveniente.

— A senhora gostou da blusa? — indagou a vendedora, solícita.

— A cor não ficou bem em mim.

— Temos outras cores, outros modelos.

— Tenho que ir. Estou atrasada para um compromisso. Na próxima semana voltarei. Obrigada.

Ela se foi e a vendedora esperou que Nina saísse do provador. Ela apareceu em seguida, rosto corado e sorrindo:

— Ficou ótimo. Vou levar este.

Nina pagou, apanhou a sacola com o vestido e decidiu comprar complementos para ele. Percorrendo as lojas, comprou uma bolsa e sapatos combinando.

Quando voltou ao estacionamento para apanhar o carro, sua dor de cabeça havia passado. Satisfeita, foi para casa. Vendo-a entrar, Marcos correu a abraçá-la:

— Veio cedo, que bom. Talvez possa me ajudar a entender um texto que preciso analisar.

— Faremos isso mais tarde. Tenho outras coisas para fazer agora.

Segurando as sacolas das compras, foi para o quarto. Colocou tudo sobre a cama, olhando com satisfação. Abriu o guarda-roupas e arrumou espaço para guardá-las. Depois de guardar tudo, sentou-se pensativa.

Talvez tivesse se precipitado comprando um vestido de festa. Era verdade que ela deixara de tudo depois que se separara de André. Mesmo depois que Marcos nasceu, o dinheiro era pouco e o tempo também. Sua situação de mãe solteira a tornara retraída, sem vontade de ter amigas que pudessem intervir em sua vida pessoal.

Tinha planos e não podia desviar a atenção de seus objetivos. Mas, mesmo agora, depois que conquistara uma situação financeira estável, não desejava frequentar festas, manter vida social.

Não pensava em encontrar um novo amor, casar-se. Uma desilusão fora o bastante para saber que não podia confiar em alguém. Ir a certos lugares era atrair admiradores, o que considerava desagradável.

Notava o interesse masculino onde passava, e por várias vezes fora difícil afastar os insistentes e convencê-los de que não estava interessada em namorar.

Olhou o vestido com certa tristeza e pensou:

— Vai ficar guardado. Qualquer dia destes pode aparecer ocasião para usá-lo.

Fechou o guarda-roupas e resolveu não pensar mais nisso. Desceu e foi ter com Marcos, disposta a ajudá-lo nos deveres escolares.

Na manhã seguinte, chegou cedo ao escritório. Sentia-se melhor e estava disposta a recuperar o tempo perdido no dia anterior. Mergulhou no trabalho.

Uma hora depois, Lúcia entrou na sala dizendo:

— Há uma senhora ao telefone que insiste em falar com você pessoalmente. Tentei saber o assunto, mas ela disse que é particular.

— Perguntou o nome?

— É dona Olívia Fontoura, disse que você a conhece.

Nina surpreendeu-se.

— Pode passar. Eu atendo.

Quando o telefone tocou, Nina atendeu prontamente:

— Alô, dona Olívia?

— Como vai, doutora?

— Bem, obrigada. Em que posso ser-lhe útil?

— Desejo marcar uma hora com você para uma consulta profissional. Se possível hoje mesmo.

— Preciso ver a agenda, aguarde um momento, por favor.

Apertou o interfone, Lúcia atendeu. Não havia nada importante marcado para aquela tarde.

— Pronto, dona Olívia, poderei atendê-la hoje às dezesseis horas. Está bem?

— Combinado. Estarei aí.

Nina desligou e imediatamente foi à sala de Dantas. Bateu levemente e entrou. Ele levantou a cabeça e sorriu:

— Hoje você está com bom aspecto. O descanso fez-lhe bem.

— Sinto-me melhor, obrigada. Lembra-se da tia de Antônia, Olívia Fontoura?

— Aquela mulher desagradável?

— Ela mesma. Ontem quando saí daqui estava com muita dor de cabeça e fui andar um pouco, tomei um comprimido e fui olhar as vitrines. Entrei em uma loja para ver um vestido e encontrei com dona Olívia. A loja era de grife, roupas finas, e ela pensou que eu trabalhasse lá. Desfiz o engano e me apresentei, oferecendo-lhe um cartão.

— Fez muito bem.

— Esqueci o encontro, mas agora há pouco ela ligou querendo uma consulta com urgência. Como não tinha nada para esta tarde, marquei para as dezesseis horas. O que será que ela quer?

— Alguma orientação. Com aquele jeito de olhar os outros por cima, pode bem ter arranjado alguma encrenca na Justiça.

— O senhor quer atendê-la?

— De modo algum. Poupe-me esse trabalho. Afinal ela procurou você.

— Está certo. Vamos ver o que deseja. Acha que teria alguma coisa a ver com Antônia?

Ele meneou a cabeça pensativo por alguns instantes. Depois disse:

— Talvez não. Elas viviam separadas e não se davam bem.

— Tem razão. Logo mais saberemos.

Às dezesseis horas em ponto, Olívia foi conduzida à sala de Nina, que a recebeu educadamente. Depois dos cumprimentos, Nina pediu que se sentasse na poltrona à sua frente. Esperou que ela falasse.

— Foi bom tê-la encontrado ontem. Eu estava precisando muito de um profissional e preferia que fosse uma mulher.

— Continue, por favor.

— Há certas coisas que só a sensibilidade feminina pode entender. O que vou lhe contar é um segredo e espero que fique entre nós.

— O sigilo faz parte do nosso trabalho. Pode falar.

— Bernardete, única irmã de meu marido, deu um mau passo na juventude. Fugiu de casa com um jovem estudante de engenharia. Os pais proibiram o namoro por tratar-se de um rapaz sem futuro, que trabalhava para custear os estudos, o que fazia com dificuldade. Eles descobriram que ela o ajudava a pagar a faculdade.

— Bernardete? Não era a mãe de Antônia?

— Sim. Bernardete é mãe de Antônia. Foi um escândalo abafado a custo. Eles não chegaram a se casar. Ernesto morreu em um acidente, deixando Bernardete grávida. Ela procurou os pais, quis voltar para casa, mas, quando souberam da gravidez, não a quiseram de volta.

Nina recordou-se do seu próprio caso e suspirou triste. Procurou controlar a emoção.

— Continue, por favor.

— Os pais dela insistiram com ela para que fizesse o aborto como condição para voltar para casa, porém ela recusou-se terminantemente. Como a família não voltou atrás, ela foi embora. Durante quatorze anos, não ouvimos mais falar dela. Uma noite, Artur chegou em casa abatido, nervoso.

— O que aconteceu? — perguntei.

— Foi a Bernardete. Acaba de falecer.

— Como soube?

— Ela estava doente havia algum tempo. Eu fiz o que podia, mas não conseguimos salvá-la.

Olívia continuava seu relato:

— Fiquei irritada. Percebi logo que Artur a havia ajudado todos esses anos às escondidas de todos nós, da família. Então eu disse:

— Você sabia onde ela estava e nunca me disse nada? O que mais você faz às escondidas, como um ladrão?

Nina controlou-se para não dizer o que estava pensando da atitude dela. Na profissão sabia que não podia emocionar-se, fosse o que fosse que o cliente dissesse.

— Prossiga.

— Discutimos. Foi terrível. Mas não é sobre isso que vim falar. O pior aconteceu depois. Ele insistiu para que eu fosse ao enterro, e lá apresentou-me a sobrinha, Antônia.

— Ela chorava muito e ele a abraçou dizendo-lhe palavras carinhosas. Percebi logo que eles tinham intimidade. Ficou claro que Artur costumava visitá-las. Depois do enterro, ele mandou-a arrumar suas coisas e levou-a para nossa casa. Eu pressenti que não ia dar certo. Mas ele não permitiu que eu interferisse.

Nina interveio:

— É uma história triste.

— Conforme eu previa, desde que chegou, Antônia só me deu trabalho. Tinha hábitos diferentes dos nossos. Eu não gostava que ela aparecesse quando recebia nossos amigos. Como explicar sua origem? Como dizer que ela era filha bastarda de Bernardete? Mas Artur sempre foi condescendente demais. Tratava-a como uma princesa. Isso eu não podia tolerar. Ela foi causa de todos os desentendimentos que tive com Artur. Ficou quatro anos em nossa casa. Até que um dia ela conseguiu um emprego e resolveu sair de casa. Arranjou uma vaga em uma pensão. Fiquei aliviada. Mas uma noite, três anos depois, Artur chegou em casa com um recém-nascido nos braços. Fiquei assustada. Nosso único filho já estava moço.

— Onde vai com essa criança? Por que a trouxe para nossa casa?

— É um menino que precisa de ajuda. Prometi à sua mãe que cuidaria dele. Pretendo adotá-lo.

— Por favor, continue – disse Nina.

— Fiquei emudecida de surpresa. Adotar uma criança desconhecida? Apesar de estar habituada com o seu exagerado desejo de ajudar as pessoas, não concordei. Aquilo era demais. Respondi nervosa:

— Isso não. Você está indo longe demais. Deve tratar-se de algum filho bastardo de uma mãe desequilibrada.

— Então ele me olhou muito sério e respondeu:

— Ele ficará aqui, em nossa casa, e terá todo o conforto e todas as oportunidades que eu puder lhe oferecer.

— E o que aconteceu? – perguntou Nina interessada.

— Eu fiz de tudo para fazê-lo mudar de ideia. Mas foi inútil. Como me recusei a cuidar do menino, ele arranjou uma pajem, transformou uma das suítes, adaptando-a para ele. Colocou a pajem lá cuidando de tudo. Foi um horror. Quase nos separamos por causa disso. Diante de tanta insistência, comecei a suspeitar que Eriberto, esse é o nome do menino, fosse filho dele com alguma sirigaita. Coloquei um detetive atrás dele, mas não descobri nada. Artur não tem outra mulher, é muito dedicado ao trabalho. Contei-lhe tudo isso para que possa entender minha situação.

— Estou entendendo. Continue.

— Agora vou chegar ao ponto que me trouxe aqui. Artur perdeu o pai há dez anos e há um ano sua mãe também faleceu. Eu soube que ele recebeu a herança, mas negou-se a dizer-me quanto foi. Os pais dele eram ricos, possuíam propriedades, ações, joias. Claro que eu tinha direito de saber. Então, entrei no escritório dele, achei a chave da escrivaninha e fui verificar os documentos. Descobri que neles Eriberto estava com o mesmo sobrenome nosso. E tem mais: ele havia passado metade dos bens que herdou dos pais para o menino. Fiquei alarmada. Não posso permitir que prejudique nosso filho. Antero está casado, formando uma família. Não posso deixar que seja espoliado em seus direitos por um bastardo.

— Quantos anos tem o menino?

— Seis, mas isso não muda nada. Eu quero saber o que preciso fazer para entrar na Justiça e conseguir a anulação desses documentos.

— A senhora não assinou nenhum desses documentos?

— Não. Mas eu os li. Eriberto foi registrado como nosso filho legítimo, usa nosso nome.

— A senhora viu o registro de nascimento dele?

— Não. Mas, nos documentos que li, Eriberto aparece como filho legítimo meu e de Artur. O que não é verdade. Quero entrar na Justiça e reclamar os direitos de meu filho.

— Antes de fazer isso, seria bom que a senhora conversasse com seu marido. Peça-lhe explicações sobre esses documentos.

— Ele não vai me dizer. Nem o montante da herança quis dizer-me.

— Fica difícil opinar sem ver os documentos. Depois, para fazer uma reclamação na Justiça é necessário documentá-la devidamente. Sem isso não será possível.

— Ele registrou esse menino como meu filho sem eu saber! Onde está nossa Justiça? Então um homem pode fazer o que quiser sem que se possa fazer nada?

— Eu não disse isso. Mas a Justiça funciona com provas.

— Eu posso prestar queixa dizendo que o registro é falso e Eriberto não é meu filho. Arrumo algumas testemunhas. Tenho amigos que me conhecem há anos e que sempre estiveram por perto. Podem restabelecer a verdade, comprovando que eu nunca tive esse filho.

Apesar do controle a que estava habituada, Nina a custo conseguia conter a indignação. Procurando manter a calma tornou:

— A senhora gostaria de tomar uma água, um café?

— Um café, por favor.

Nina pediu a Lúcia que providenciasse. Enquanto esperavam, Nina considerou:

— Ainda penso que o melhor seria a senhora conversar com seu marido, tentar entender melhor por que ele fez isso. Ele deve ter razões fortes que a senhora desconhece para assumir a responsabilidade dessa criança de maneira tão firme.

— A única explicação seria de que ele é o pai. Foi o que pensei a princípio, mas ele nega isso, e, depois do que o detetive falou, pode estar dizendo a verdade. Você não conhece Artur. Ele é muito condescendente com as pessoas. Vive dando dinheiro aos empregados, protegendo uns e outros. Não sei de quem ele herdou isso. Nem parece da família. Os Fontouras são pessoas de classe e muito exigentes com seus relacionamentos. Sabem manter distância das pessoas que não pertencem à sua classe social.

Lúcia bateu na porta e a copeira pediu licença, entrou, serviu o café, colocou um pratinho com delicados biscoitos e retirou-se.

Nina tomou café devagar, enquanto pensava no que diria a Olívia. Era um assunto desagradável e ela não pretendia aceitar essa causa.

Olívia colocou a xícara sobre a bandeja e continuou:

— Desejo recorrer à Justiça o quanto antes. Preciso saber quais as primeiras providências e os seus honorários.

Nina colocou a xícara na bandeja por sua vez, e disse séria:

— A senhora já pensou nas consequências de uma atitude dessas? Como acha que seu marido vai reagir?

— Ele vai brigar, com certeza. Ele é mole com as pessoas, mas, quando toma uma decisão, não volta atrás.

— Nesse caso pode haver entre vocês um sério desentendimento.

— Estou disposta a tudo. Não posso permitir que ele jogue fora o patrimônio de meu filho.

— Essa atitude pode provocar uma separação. É difícil para um homem aceitar que a esposa cobre suas atitudes na Justiça.

— Se ele quiser a separação, pior para ele. Todos os nossos amigos estão do meu lado. Sabem que nestes vinte e oito anos de casamento tenho sido uma esposa dedicada.

— Pense bem. Depois de viver tanto tempo juntos, é difícil aceitar uma separação. Pode se arrepender.

— Isso não. Quando nos casamos, ele era um homem dedicado. Mas depois de algum tempo tornou-se indiferente. Vive para a profissão, e nos últimos tempos temos nos visto muito pouco. Ele está sempre em algum congresso, em palestras, em simpósios. Valoriza mais o trabalho do que a família.

Nina olhava-a pensativa. Ela continuou:

— E então, o que preciso para fazer o que pretendo?

Nina ficou calada por alguns segundos, depois disse:

— Primeiro vai precisar escolher quem será seu advogado, passar uma procuração a ele, que lhe esclarecerá os primeiros passos.

— Não entendi. Vim procurá-la porque quero que você seja minha advogada.

— Fico agradecida por sua preferência, mas infelizmente não vou poder aceitar sua causa.

— Por quê?

— No momento estou muito envolvida em vários processos e sem tempo para me dedicar a um novo trabalho como seria necessário.

Ela levantou-se dizendo:

— Nesse caso, deveria ter-me dito logo antes que eu lhe contasse os segredos de nossa família.

— A senhora pediu-me uma consulta. Foi o que fiz. Quanto aos segredos de sua família, pode ficar tranquila. Nenhuma palavra do que conversamos sairá desta sala. Como eu lhe disse, em nossa profissão guardamos sigilo absoluto.

Olívia suspirou inquieta.

— Fiz mal vindo procurá-la. Deveria ter procurado um advogado mais conceituado. Tenho amizade com grandes advogados, que prazerosamente aceitariam essa causa. Escolhi você por não ser pessoa das nossas relações.

— Infelizmente não poderei aceitar.

— Quanto ao preço da consulta?

— Acerte com minha secretária.

Ela inclinou a cabeça e saiu sem se despedir.

Nina deixou-se cair na poltrona aliviada. Decididamente essa mulher era intolerável. O rosto triste de Antônia voltou em sua lembrança. Mais uma vez arrependeu-se de não haver se aproximado mais dela. Pobre moça, sempre triste. O que teria acontecido em sua vida para fazer o que fez?

Nina sentiu uma onda de tristeza lembrando-se de Antônia. O que ela não sabia e não pôde ver, é que o espírito de Antônia, rosto lavado em lágrimas, estava a seu lado, emocionado, implorando ajuda.

Depois que Olívia saiu, Nina permaneceu algum tempo pensando no que ela lhe contara. A situação desse menino a emocionou muito. O que teria acontecido com a mãe dele? Pensou em Marcos e imaginou: o que teria sido dele se ela houvesse morrido?

A esse pensamento, sentiu a angústia aumentar. Tentou reagir. Ela estava bem, havia conseguido criar Marcos com amor e dar-lhe tudo que ele precisava.

Resolveu esquecer o ocorrido e começar a trabalhar. Apanhou alguns documentos que precisava rever, porém a insatisfação, a angústia não iam embora. Levantou-se, tomou um copo d'água e foi procurar Dantas.

Bateu na porta, mas não obteve resposta. Lúcia aproximou-se dizendo:

— O doutor Dantas precisou sair. Disse que não voltará mais hoje. É alguma coisa que eu possa ajudá-la?

— Não, obrigada. Falarei com ele amanhã.

O resto da tarde, Nina procurou esquecer aquela conversa desagradável. Estava claro que ela ficara sensibilizada por ser um caso que a fazia recordar-se de sua própria experiência.

Em sua profissão precisava ser impessoal, fazer valer a lei e cuidar dos interesses dos seus clientes sem envolver-se. Não aceitara a causa e não deveria pensar mais no assunto.

Disposta a isso, mergulhou no trabalho varrendo da mente qualquer pensamento que não fosse o assunto que precisava resolver. Assim, conseguiu trabalhar, mas o esforço constante acabou por provocar forte dor de cabeça.

Ficou aliviada quando acabou o expediente e preparou-se para ir embora. Na saída, encontrou-se com Lúcia. Desceram juntas.

— Você está bem? — indagou ela.

— Estou com dor de cabeça.

— Notei que você não ficou bem depois da visita daquela senhora. Quando pediu café você estava pálida.

— De fato. Essa senhora fez-me lembrar de Antônia e esse assunto é sempre muito doloroso.

— Quer um comprimido?

— Já tomei. Estou só um pouco cansada. Vai passar.

— Quer que eu vá com você até sua casa?

— Não é preciso. Estou bem. Olha lá, o Breno está à sua espera. Até amanhã.

Ela cumprimentou Breno com um aceno de cabeça e saiu. Lúcia aproximou-se de Breno, que a beijou na face com carinho. Depois dos cumprimentos, Lúcia perguntou:

— Como vão as coisas com André com relação à Nina?

— Ele melhorou. Está mais calmo. Não tem falado em entrar na Justiça para reclamar a paternidade do filho. Por que pergunta?

— Nina não está bem. Imaginei que fosse por causa dele.

— Não que eu saiba. Aliás, depois que ele começou a frequentar a casa do doutor Dantas todas as semanas, tem estado mais calmo.

— O doutor Dantas é boa pessoa. Nina gosta muito dele. Acho estranho de repente André começar a ir lá. Será que é por causa de Nina?

— A princípio também pensei, mas ele levou a irmã, que sempre teve problemas. Você sabia que o doutor Dantas lida com espiritismo?

— Ouvi dizer.

— André está convencido de que o problema da irmã tem relação com isso. Ele vai lá com Milena assistir a sessões espíritas. Diz que ela melhorou muito. Mas, para ser sincero, eu tenho notado que ele também ficou muito melhor. Tem estado mais calmo. Até me aconselhou a procurar um Centro Espírita.

— Para quê?

— Para ajudar Anabela a melhorar o gênio. Mas eu acho que o caso dela não tem nada a ver com espíritos. O mau gênio é dela mesmo. Não há oração que cure.

Lúcia ficou pensativa e não respondeu. Entristecia-se sempre que se lembrava de que Breno tinha uma esposa, a quem deveria ser fiel e eles a estavam traindo.

— O que foi? Você ficou triste de repente.

Ela suspirou e respondeu:

— Não gosto de pensar que estou entre você e ela. É uma situação muito desagradável. Se não fosse por Mirela...

Ele abraçou-a com carinho:

— Não diga uma coisa dessas! Meu casamento foi um erro! Eu amo você. Mirela é tudo para mim. Eu também gostaria de assumir publicamente nossa relação. Mas há outras coisas em jogo. Por enquanto não é possível.

— Não estou exigindo nada. Entenda. É que às vezes fico triste por estar envolvida em uma situação dessas, que sempre condenei nos outros.

— Eu também não gosto. O que sei é que amo vocês duas e não saberia mais viver sem vocês. Meu relacionamento com Anabela é apenas formal. Um dia ainda estaremos livres para viver nossa vida juntos. Você vai ver.

— Eu também não saberia viver sem você. Vamos para casa.

Abraçados, eles foram para o carro antegozando o prazer de encontrar a pequena Mirela.

***

Nina chegou em casa sentindo a cabeça latejar. O comprimido não fizera nenhum efeito. Não quis jantar. Certificou-se de que Marcos jantou bem e, como já havia feito os deveres escolares, foi para o quarto ver televisão.

Ela foi para o quarto, deitou-se sem acender a luz e procurou relaxar para desfazer a tensão e melhorar. Aos poucos foi conseguindo e adormeceu.

Sonhou que estava em um lugar escuro, sentiu-se angustiada e procurou ansiosamente a saída. Entrou por um corredor fracamente iluminado no fim do qual uma porta se abriu e Antônia surgiu.

Estava com a mesma roupa que havia sido enterrada, rosto contraído, fisionomia pálida, mãos estendidas em sua direção.

Nina quis gritar, mas não conseguiu emitir nenhum som. Bastante apavorada, desejou fugir, mas seus pés pareciam de chumbo e ela não saiu do lugar.

Antônia aproximou-se, rosto lavado em lágrimas, e disse:

— Nina, não fuja de mim. Por favor, ajude-me!

"Não posso fazer nada", pensou Nina aflita.

— Você pode, sim. Estou arrependida, sofrendo muito. A morte não é o fim. Agora eu sei. Ela vai perseguir meu filho como fez comigo. Só você vai poder ajudá-lo! Não me abandone, eu imploro. Tenha piedade de mim.

Ela encostou a mão gelada no braço de Nina, que sentiu aumentar seu pavor. Finalmente, ela conseguiu gritar e acordou suando frio e com a respiração difícil.

Sentou-se na cama, procurando coordenar as ideias. Ofélia entrou no quarto assustada:

— O que aconteceu? Ouvi você gritar.

— Ela estava aqui, Ofélia, de novo me pedindo ajuda.

— Ela quem, Nina?

— Antônia, minha colega que se suicidou.

— Cruz-credo, Deus nos livre e guarde. É bom rezar. Tenho medo de alma de outro mundo!

— Foi só um pesadelo. A tia dela esteve em meu escritório esta tarde. É uma mulher antipática, deixou-me nervosa, com dor de cabeça. Eu associei essa visita com Antônia e provoquei esse pesadelo.

Ofélia meneou a cabeça:

— Acho bom você procurar fazer alguma coisa para afastar essa alma daqui. Dizem que os suicidas não ficam em paz.

— Não se impressione. Já passou.

— Vou fazer um chá de cidreira. Seria bom também comer alguma coisa. Você não comeu nada.

— Só o chá está bom. Não estou com fome.

Marcos entrou no quarto dizendo sério:

— Por que não vai falar com Marta? Ela entende dessas coisas.

Nina fez um gesto de contrariedade.

— Tive um pesadelo. Não é o que está pensando.

— Ouvi você dizer que a Antônia, sua colega que se matou, estava aqui pedindo ajuda.

— Esse não é um assunto para você.

— Por quê? Do que tem medo? Se ela era sua amiga, não está querendo fazer-lhe nenhum mal.

— Não estou com medo de nada. Antônia era uma boa moça. — Olhando para Ofélia continuou: — Você não ia me fazer um chá?

Ela saiu apressada e Marcos sentou-se ao lado da mãe na cama.

— Mãe, ainda acho que você deveria falar com Marta.

— Não é preciso. Estou bem.

— Sabe o que é? Se o espírito de Antônia está precisando de ajuda, querendo alguma coisa, ela não vai desistir. Se você for falar com Marta, ela saberá o que Antônia deseja, a ajudará e ela poderá seguir em paz.

Nina olhou para o filho admirada. Ele falara a mesma coisa que Dantas. Lembrou-se da figura de Antônia no sonho e disse:

— Não quero nunca mais ter esse pesadelo.

— Nesse caso, trate de fazer alguma coisa para ajudá-la.

Nina lembrou-se das palavras dela:

"A morte não é o fim. Agora eu sei. Ela vai perseguir meu filho como fez comigo".

Essas palavras eram estranhas. Antônia não tinha filhos. Se fosse mesmo o espírito dela, nunca teria dito isso. O melhor era esquecer. Fora apenas um mau sonho.

— Vamos esquecer isso, meu filho. Está tudo bem. Vamos descer. Ofélia já deve ter feito o chá, assim você me fará companhia.

Marcos sorriu e concordou. Desceram abraçados. Sentaram-se, Ofélia serviu o chá e, enquanto tomavam, Nina perguntou sobre as aulas dele no colégio, sobre seu relacionamento com os colegas.

Queria esquecer o pesadelo. Marcos demonstrava interesse em falar sobre a comunicação dos espíritos, o que a preocupava.

Um menino como ele não era para encher a cabeça com um assunto que além de sério poderia ser perigoso.

Quando terminaram, enquanto Marcos voltou à televisão no quarto, Nina apanhou uma revista e acomodou-se em uma poltrona para ler. As matérias eram interessantes e ela mergulhou na leitura, mas mesmo assim de vez em quando um *flash* do sonho reaparecia, fazendo-a estremecer de susto.

Sentia-se inquieta, temerosa, como se fosse acontecer alguma coisa terrível. Ao mesmo tempo pensava:

— Por que estou tão sensível? Um simples sonho! Nunca fui pessoa impressionável.

Sentiu enjoo e ligeira tontura. Havia tomado o mesmo chá a que estava habituada. Não comera nada que pudesse estar lhe causando aquele mal-estar.

Foi ao banheiro e tomou uma dose de sal de frutas. Aliviou ligeiramente o enjoo, porém a azia aumentou.

Pensou em ir ao médico no dia seguinte. Os encontros com André, o fato de ele querer aproximar-se do filho a deixaram nervosa e era provável que estivesse com uma gastrite.

Foi à cozinha e pediu a Ofélia que esquentasse a sopa que preparara para o jantar. Sentia-se cansada, corpo pesado, mas o pior era a inquietação. Não conseguia ficar muito tempo parada, subiu para o quarto, abriu uma gaveta e decidiu mudar a arrumação, mas acabou deixando para outro dia.

Desceu novamente, tomou um pouco de sopa, imaginando que ficar sem comer seria pior. Quando terminou, apanhou novamente a revista e sentou-se na sala.

O telefone tocou, Ofélia atendeu e avisou que era para ela. Nina não estava com disposição para atender. Fez sinal que não, mas era tarde, ela já havia dito que Nina estava em casa.

— É Marta. Eu disse que você estava.

Nina atendeu, procurando encobrir a irritação.

— Como vai, Marta?

— Bem. Eu liguei para perguntar o que está acontecendo com você?

— Nada. Um ligeiro mal-estar de estômago. Acho que comi algo que me fez mal. Logo estarei bem.

— Há pouco vi você muito angustiada, inquieta, andando de um lado a outro. Aconteceu alguma coisa que a desagradou?

— De fato. Atendi uma cliente muito desagradável, fiquei com dor de cabeça. Tomei remédio, melhorou um pouco, mas ainda estou angustiada.

— A angústia não é sua, mas do espírito de Antônia. Ela está ao seu lado.

Nina sentiu aumentar sua tontura.

— Não pode ser.

— A pessoa que você atendeu tem a ver com ela.

— Tem. É a tia dela.

— Não adianta fugir, Nina. Antônia confia em você e está lhe pedindo ajuda. É melhor conversar com ela.

— Não quero fazer isso. Se é ela, não posso fazer nada.

— Está bem. Sei como ajudá-la a melhorar. Vou dar um pulo aí.

— Não é preciso. Não quero incomodá-la.

— Eu e mamãe estamos com saudades. Faz tempo que vocês não aparecem. Dentro de quinze minutos estaremos aí.

Nina não teve como recusar. Desligou o telefone sentindo a inquietação aumentar. Tomou um copo d'água e não conseguiu ler. Ficou caminhando de um lado a outro.

Meia hora depois, Marta e Mercedes entraram na sala e Nina apressou-se a abraçá-las.

Sentia as pernas trêmulas, atordoamento, dores ora no estômago ora na nuca.

— Desculpem. Não estou bem. Depois que falei com você meu mal-estar aumentou.

Marta alisou seus cabelos com carinho.

— Você vai ficar bem.

Segurou as mãos dela e pediu que ela se sentasse a seu lado no sofá. Sem largar suas mãos disse:

— Vamos mentalizar luz e orar para que nossos amigos espirituais nos protejam.

Marta fechou os olhos e murmurou sentida prece solicitando ajuda. E concluiu:

— Estamos aqui à disposição dos espíritos para colaborar no que for necessário.

No mesmo instante, o corpo de Marta estremeceu e ela disse com voz entrecortada:

— Nina! Sou eu, Antônia! Finalmente consigo falar com você!

Marta largou as mãos de Nina enquanto ela, tomada de emoção, não conseguia conter as lágrimas. Com voz embargada, Marta continuou:

— Desculpe. Não desejo perturbá-la! Mas... não tenho ninguém neste mundo. Tenho sofrido muito. Fui fraca. Não soube enfrentar as consequências das minhas atitudes. Você sempre foi muito boa comigo. Sou muito grata por tudo quanto fez por mim, mas não posso ter sossego pensando em meu filho! Estou desesperada. Você é mãe, passou o mesmo que eu, vai compreender.

Nina estremeceu e perguntou admirada:

— Então não foi um pesadelo! Você tem mesmo um filho!

— Sim. Minha desgraça começou no dia em que minha mãe morreu e meu tio levou-me para morar com ele. Tia Olívia nunca me suportou. Tinha ciúme de mim, talvez por ser jovem, não sei. Juro que nunca dei motivo para que fosse assim. Tentei agradá-la de todas as formas, mas nunca consegui.

Marta calou-se por alguns segundos e Nina pediu:

— Continue.

— Bem, desde o primeiro dia me senti atraída pelo meu primo. Antero que era cinco anos mais velho do que eu e fiquei fascinada. Era bonito, galanteador. Perto da mãe demonstrava ser indiferente, mas, quando ela virava as costas, ele me cercava de atenções. Apaixonei-me perdidamente. Mas ele namorava e eu procurei esquecê-lo. Quando eu estava com dezenove anos, ele finalmente marcou o casamento e fiquei desesperada. Uma noite, ele me viu chorando, abraçou-me e confessou seu amor por mim. Disse que ia se casar para fazer a vontade dos pais, mas que era a mim que ele amava. Eu acreditei. Passamos a nos ver às escondidas. Aconteceu o inevitável. A partir dessa noite, ele passou a frequentar o meu quarto. Haviam marcado o casamento para breve, ele quis romper com ela para ficar comigo. Recusei. Não podia dar esse desgosto a meu tio. Ele deixou de ir ao meu quarto. A menos de uma semana para o casamento dele, desconfiei que estava grávida. Assustada, com medo de minha tia, não disse nada a ninguém. Decidi ir embora. Arrumei minhas coisas e fui. Não queria atrapalhar o casamento de Antero. Eu o amava muito e queria que ele fosse feliz.

— Seu tio concordou com sua partida? — indagou Nina.

— Ele viajava muito, estava fora. Saí de lá sem ter para onde ir, possuía um pouco de dinheiro guardado, pois tio Artur sempre foi generoso comigo. Procurei uma pensão modesta e corri atrás de um emprego. Não consegui. Quando o dinheiro acabou, telefonei para tio Artur e ele foi até a pensão, pagou o que eu estava devendo e queria me levar de volta. Quis saber quem era o pai, eu disse a verdade. Ele insistiu para eu voltar, mas eu não quis. Olívia havia dito a ele que eu fora embora porque estava cansada deles e queria viver minha vida a meu modo. Ele tentou me encontrar, mas não tinha o endereço.

Marta suspirou enquanto as lágrimas voltaram a descer pelas suas faces. Respirou fundo e continuou:

— Meu tio fez tudo por mim e, quando meu filho nasceu, ele convenceu-me a entregar-lhe a criança. Alegava que registraria o neto como seu filho, assim ele seria respeitado por todos, teria um nome e ainda herdaria todos os bens a que tinha direito. Chorei muito, mas por fim concordei. Ele o levou e eu, mesmo a distância, acompanhei seu desenvolvimento. Ele estava com um mês quando fui trabalhar naquele escritório. Pouco depois conheci você.

— Agora compreendo por que você estava sempre triste.

— Acho que era meu destino. Livrei-me de Olívia e encontrei dona Neide. A vida para mim tornou-se muito triste. Sentia saudades de Antero e mais ainda de meu filho. Angustiada, muitas vezes, depois de deixar o escritório no fim da tarde, ficava em frente à casa dos meus tios na esperança de ver meu filho. Uma tarde, minha tia surpreendeu-me em frente ao jardim e ficou muito zangada. Aproximou-se antes que eu pudesse me esconder e expulsou-me dali:

— O que está fazendo aqui? Vá embora, não quero que ninguém a veja por perto. Você é a vergonha de nossa família. O que pretende? Se pensa em voltar para morar aqui, está enganada, jamais permitirei. Volte para a vida desregrada que escolheu.

— Nervosa, tentei explicar: Não quero nada. Estava apenas passando.

— Não creio. O que está planejando? Pensa que vai comover Artur com sua cara fingida? Fique sabendo que não terá mais nada dele.

Nina pediu que ela continuasse.

— Um carro parou em frente ao portão e reconheci Antero com a esposa. Olhou-me surpreendido, enquanto ela, observando a chegada deles, gritou enfurecida:

— Saia daqui. Nunca mais apareça.

— Antero desceu do carro e aproximou-se de mim com olhar indagador:

— Antônia! O que está acontecendo com você?

— Antes que eu pudesse responder, Olívia abriu o portão. Aproximou-se de nós dizendo:

— Se quer saber, eu vou dizer. Ela se prostituiu, anda arrastando o nome de nossa família na lama. Por esse motivo não a quero por aqui.

— A esposa de Antero havia se aproximado e eu, coberta de vergonha, não tive forças para responder. Saí correndo desesperada sem olhar para trás. Aquela noite não consegui dormir. Pela minha cabeça passavam todos os momentos de minha vida desde a morte de minha mãe. Pensamentos tristes povoavam minha mente. Então pensei em acabar com a vida. Mas a lembrança de meu filho me angustiava. Momentos havia em que eu desejava morrer e outros que sentia medo.

Nina ouvia o relato emocionada, e Marta continuou:

— Naquela manhã, sem pregar olho a noite toda, peguei o veneno de matar ratos que havia comprado e coloquei-o na bolsa. No escritório não conseguia trabalhar. Minha cabeça estava confusa, doía muito. Fui falar com dona Neide que não estava bem e pedir para me dispensar.

— Você está com olheiras. Vai ver que passou a noite na farra e agora quer ir descansar — disse dona Neide com arrogância.

— Apesar de magoada, tentei conversar, dizer que me sentia mal, mas ela não concordou:

— Você vai trabalhar como todo mundo, senão pode pedir a conta.

Marta continuou:

— Saí da sala correndo, peguei o veneno e fui ao banheiro. O resto vocês já sabem.

Enquanto as lágrimas desciam pelo seu rosto e as outras duas tentavam controlar a emoção, ela fez uma pausa. Depois prosseguiu:

— Foi a pior coisa que eu poderia ter feito. Se minha vida estava ruim, a partir desse dia ficou muito pior. A morte é uma ilusão e a vida continua, os problemas continuam agravados por males físicos que eu havia provocado. Sofri muito e não quero falar nisso agora. A bondade divina é infinita e, apesar do que fiz, tenho recebido muita ajuda. Mas o pior é descobrir o que está acontecendo com Eriberto. Olívia o odeia, deseja prejudicá-lo de todas as formas.

— Seu tio é um homem bom e não vai permitir.

— Ela vai encontrar um jeito.

— Antero sabe que tem um filho?

— Não. Se souber, vai contar à Olívia. A vida dele correrá perigo. Tenho sentido os pensamentos dela.

— Nesse caso, o que você espera que eu faça?

— Procure meu tio. Fale com ele. Diga-lhe que Eriberto corre perigo. Ele precisa ser afastado daquela casa.

Nina remexeu-se na cadeira, inquieta.

— Não sei se ele me ouviria. Não me conhece. Vai pensar que estou louca ou coisa pior.

— Por favor. Não tenho muito tempo. Querem me levar para um lugar de tratamento. Tenho sofrido muitas dores. Mas antes de ir quero deixar isso resolvido. Só assim terei paz.

— Veremos o que se pode fazer. Vamos rezar e pedir a inspiração divina — interveio Mercedes. — Sua história nos comove muito. Faremos o que estiver ao nosso alcance para ajudá-la. Entretanto, é preciso que você nos ajude também. Seu filho tem proteção. Precisamos confiar que nada de mau vai lhe acontecer. Sua confiança é importante para que nossos amigos espirituais tenham condições de auxiliá-lo. Reze e confie. O bem sempre será mais forte do que o mal.

— Eu era confiante, mesmo assim o mal tomou conta de mim.

— Você era ingênua, o que é diferente. Confiou em pessoas; se houvesse confiado na sabedoria da vida, não teria aberto a porta para o mal entrar. Medite sobre isso e aprenda com sua triste experiência para não cometer o mesmo erro. Agora vá, que Deus a abençoe.

Marta suspirou e pouco depois abriu os olhos dizendo:

— Mãe, pode me dar um copo d'água?

Mercedes apressou-se em buscar e voltou em seguida oferecendo o copo a Marta, que foi tomando devagar. Nina sentou-se novamente. Sentia-se tocada, emocionada, não encontrando palavras para expressar-se.

Mercedes quebrou o silêncio:

— Vou pedir água para você também.

Levantou-se, foi à copa e pediu a Ofélia para providenciar. Depois de Nina tomar a água, indagou:

— Sente-se melhor, Nina?

— Sim. O mal-estar passou como por encanto. Mas o que aconteceu aqui me impressionou muito.

Marta sorriu e considerou:

— A vida continua. Antônia estava do seu lado angustiada. Eu senti. Por esse motivo resolvemos vir aqui para que ela pudesse dizer o que desejava. Você precisa entender que esses fatos são naturais. Fazem parte da vida, que continua em outras dimensões do Universo. Já conversamos sobre isso.

— Mas eu tinha muitas dúvidas. Hoje descobri que você falava a verdade. Eu sonhei com Antônia me pedindo ajuda para o filho. Duvidei, porquanto não sabia da existência dele. Você não tinha conhecimento de nada disso, veio aqui, Antônia se comunicou e falou exatamente a mesma coisa. Contou sua triste história. Ainda penso que, se eu houvesse tentado conversar com ela naquela dia, ela não teria se suicidado.

— Não se culpe, Nina. Ela estava deprimida, não sabia lidar com seus próprios problemas. Não sei se você teria conseguido impedi-la. Depois, você não imaginou que ela ia fazer o que fez.

— Isso mesmo — disse Marta. — Ela fraquejou e recebeu dura lição. Talvez essa seja a forma de Antônia aprender a valorizar mais as oportunidades que a vida lhe ofereceu.

— Ela está me pedindo que interfira na vida de pessoas que não conheço. Não me sinto em condições de fazer isso.

— Ela confia em você — tornou Mercedes, pensativa. — Pense no caso. Peça inspiração a Deus. Tenho certeza de que Ele encontrará uma forma de ajudá-la.

Nina contou-lhes a visita de Olívia querendo contratá-la como advogada para anular o registro de Eriberto e finalizou:

— Recusei. A visita dela fez-me mal. Deixou-me angustiada.

— Isso significa que a vida está colocando você dentro dessa história — disse Mercedes.

— Mesmo sem saber do que se tratava não aceitei. Agora muito menos.

— Não é a isso que mamãe se refere. Mas ao fato de você ficar conhecendo todos os lados da questão para poder atuar. É um sinal de que a vida está cooperando para você poder fazer isso.

— Não tenho como. Não posso chamar essas pessoas e contar-lhes o que aconteceu aqui. Vão dizer que estou louca. Se alguém fizesse isso comigo, nunca acreditaria.

— Não penso que você deva fazer nada disso — tornou Mercedes. — Mas acredito que, depois do que aconteceu, é melhor preparar-se, ficar atenta, porquanto não tenho dúvidas de que outros acontecimentos virão, envolvendo essas pessoas que lhe darão oportunidade de fazer alguma coisa em favor delas.

— Isso mesmo — disse Marta. — É assim que as coisas acontecem.

— Você se sente culpada por não haver dado a devida atenção a Antônia quando ela estava em crise. Sensibilizado pelo sofrimento, o espírito de Antônia sentiu sua amizade, sabe que você está sendo sincera. Por tudo isso a está assediando, procurando ajuda.

— Você disse uma vez que os espíritos de luz estão sempre dispostos a auxiliar os que estão sofrendo no astral. Eles com certeza podem fazer por ela muito mais do que eu. Por que permitem que ela continue sofrendo tanto?

— Porque eles respeitam o livre-arbítrio de cada um. Sabem que todo auxílio só funciona se o necessitado cooperar. Antônia ainda se encontra muito perturbada por suas ilusões. Em seu sofrimento ainda há muita revolta, impotência, frustração por não haver logrado acabar com a vida. Nesse estado não consegue perceber a verdade, além do que a preocupação com o filho ficou agora muito maior. Ela sabe o quanto Olívia o detesta. Pode ler os pensamentos dela a respeito e fica ainda mais angustiada.

— Posso compreender. Se eu estivesse no lugar dela, acho que enlouqueceria — disse Nina, pensativa.

— Antônia precisava tomar contato com a realidade. Nada melhor para isso do que ficar ao redor das pessoas com as quais ela se relacionava, sentir seus pensamentos e avaliar melhor os fatos. Por esse motivo foi-lhe permitido permanecer mais tempo por aqui — esclareceu Marta.

— Tudo isso me emociona e ao mesmo tempo me deixa insegura. Gostaria de ajudar, mas não sei como.

— Não se preocupe com o problema de Antônia. Ela já está sob proteção dos espíritos de luz. Eles trabalham em favor de todos os envolvidos, incluindo você — tornou Marta sorrindo.

— De fato. A vida tem dado sinais de que é hora de você interessar-se pela espiritualidade. Ao dizer isso, entenda que não estou falando de religião — disse Mercedes.

— Como assim?

Mercedes continuou:

— Falo do Criador, que estabeleceu leis perfeitas que funcionam de acordo com o nível de cada um, organizando e disciplinando tudo no Universo. As religiões refletem as interpretações que os homens fizeram das revelações que a inteligência da vida concede à humanidade para agilizar o progresso e permitir que a evolução se processe com menos atrito, menos dor. Chega um momento em que a maturidade do espírito não lhe permite aceitar mais as meias-verdades que os homens estabeleceram em suas interpretações e deseja mais. Inicia então a busca para os verdadeiros valores da alma.

— Isso está acontecendo com você — esclareceu Marta.

— Como você sabe?

— Porque a vida está lhe mandando sinais como que dizendo que é hora de você se aprofundar na busca espiritual — continuou Marta.

— Como fazer isso?

— Ligando-se com Deus e pedindo que Ele lhe mostre o caminho. Ficando atenta para perceber os sinais que a inteligência universal vai lhe mostrar — tornou Mercedes.

— Será suficiente?

— É o mais importante. A leitura, a meditação também podem ajudá-la.

Marcos entrou na sala dizendo:

— Mãe, por que não me avisou que elas estavam aqui?

As duas o abraçaram com carinho, enquanto Nina dizia:

— Pensei que você estivesse dormindo.

— Desci para tomar um copo de leite. Eu estava vendo um filme, mas se soubesse teria descido antes.

— Vamos até a copa. Eu também estou com fome.

— Nós precisamos ir embora — disse Mercedes.

— Ah, não! Fiquem mais um pouco. Quero conversar com Marta.

Nina levantou-se dizendo:

— Vocês vão nos fazer companhia.

Elas concordaram. Nina serviu um lanche e a conversa fluiu agradável. Meia hora depois elas se despediram. Nina acompanhou Marcos, acomodou-o na cama e depois foi para o quarto.

Sentia-se calma. Toda a angústia havia desaparecido. Deitou-se e pouco depois adormeceu.

14

Nina acordou bem-disposta na manhã seguinte, mas a história de Antônia não lhe saía do pensamento. Assim que chegou ao escritório, procurou Dantas.

— Dona Mercedes já lhe contou o que nos aconteceu ontem?

— Sim. Antônia se comunicou para pedir ajuda.

— Na noite anterior eu havia sonhado com ela me pedindo para ajudar o filho. Fiquei intrigada. Não acreditei que pudesse ser verdade, mas fiquei muito mal. Marta sentiu e foi com dona Mercedes a minha casa. Então Antônia se comunicou, falou a respeito de sua preocupação com o filho e relatou toda a sua vida. Confesso que não consigo esquecer esse encontro.

— Agora você tem certeza de que a vida continua.

— Sim. Apesar de não gostar desse assunto, não há como duvidar. Depois que conversamos, meu mal-estar desapareceu como por encanto. É extraordinário!

— É natural, Nina. Tudo isso faz parte da vida e é natural. Quando entender isso, seu medo vai desaparecer. Saber que a morte não é o fim de tudo, que continuamos existindo em outro lugar e somos os mesmos, é motivo de alegria, não de tristeza. Apesar do que fez, Antônia continua viva, sofrendo, vendo desmoronar suas ilusões, mas tendo que reconhecer os próprios limites, pagando o preço de suas escolhas. Agora ela sabe que, se houvesse optado por enfrentar seus problemas com coragem, sofreria menos.

— Mas ela não teve sorte. Perdeu a mãe muito cedo, precisou conviver com uma tia perversa, viu o homem que amava e pai de seu filho casar-se com outra sem se importar com ela, separou-se do filho. Tremo só em pensar nisso. Depois, ela era uma moça inexperiente. Dá para entender por que chegou ao suicídio.

— Você está fazendo o mesmo que ela, enxergando os fatos pelo lado pior. Vocês não observaram os outros lados. Ela perdeu a mãe cedo porque precisava aprender a cuidar de si mesma, mas foi protegida pelo tio que a amava e lhe deu todo o carinho. Quanto à tia problemática, era uma oportunidade de aprender a relacionar-se com as pessoas e exercitar a tolerância. Quanto ao rapaz, não sabemos como os fatos aconteceram. Ele pode ter se apaixonado por ela de verdade ou apenas cedido a uma tentação de momento. Seja como for, ela aceitou.

— Concordo com tudo isso. Mas e a indiferença de Antero pelo filho? Ele não tomou nenhuma atitude. Foi preciso o pai assumir a paternidade do neto!

— Mas será que ele sabia que tinha um filho? Aliás, nesta história falou-se muito da participação do avô, da tia Olívia, mas ninguém mencionou o rapaz. Você também não contou a André que ele era pai. Ela pode ter feito o mesmo.

Nina baixou a cabeça confusa, hesitou um pouco e respondeu:

— É. Pode ter acontecido isso.

— Nina, é difícil julgar. Como eu disse, nesse caso havia muitos fatores positivos, porém Antônia escolheu olhar os fatos de maneira negativa. É um hábito que muitos têm. Mas pagam um preço caro por agir assim. Todos desejamos ajudar Antônia. Vamos fazer isso orando em favor dela, para que enxergue a verdade e obtenha paz.

— É. Vou fazer isso mesmo.

— Apareça lá em casa, Nina. Estamos com saudade daqueles encontros. Marcos está nos fazendo falta.

— Sábado à tarde iremos até lá. Marcos adora estar com vocês.

Nos dias que se seguiram, Nina se sentiu bem e dedicou-se ao trabalho. No sábado levou Marcos à casa de Mercedes e passaram uma tarde muito agradável. Apesar de a lembrança de Antônia estar na memória de todos, falaram pouco no assunto.

A conversa que Nina tivera com Dantas a fizera analisar melhor a situação de Antônia, e ela acabou sentindo que ele tinha razão. Antônia passara por problemas delicados, mas sempre fora amparada pelo tio amoroso, que lhe dera tudo, educando-a, oferecendo-lhe oportunidade de ter uma vida boa.

Por que as pessoas pensam sempre no pior? Por que não enfrentam seus desafios, ignoram sua própria força e preferem fugir?

Esse pensamento levou-a a seu próprio caso. Ela havia enfrentado tudo, mas não por entender o lado positivo e sim pela raiva de admitir a própria impotência e pelo orgulho de mostrar a André que era melhor do que a mulher que ele escolhera para esposa.

Esses pensamentos tumultuavam a cabeça de Nina, que mergulhava no trabalho procurando esquecer tudo. Mas à noite, quando se recolhia para dormir, eles voltavam, fazendo-a recordar-se de tudo quanto lhe acontecera.

Se ela houvesse contado a ele que tinha um filho, o que teria mudado? Por certo lhe ofereceria uma pensão para satisfazer sua consciência e isso teria sido infinitamente pior.

Ele pretendia continuar seu relacionamento com ela depois do casamento, o que a revoltava ainda mais. Era uma prova de que ele a considerava indigna de ser sua esposa. Esse pensamento a incomodava muito.

Ela agira certo e continuaria assim. Ele não tinha o direito de intervir na vida de Marcos. Nos últimos dias ele não os havia assediado. Talvez houvesse desistido. Melhor assim. Poderiam viver em paz.

Mas apesar disso ela não se sentia em paz. Por quê? Havia conquistado o sucesso profissional, conseguido provar a ele que era tão inteligente e capaz quanto a mulher pela qual ele a trocara, mas esse pensamento não lhe proporcionara o sentimento de realização profissional que imaginara.

Ao contrário. Continuava sentindo aquele vazio no peito, aquela sensação desagradável de perda, aquela mágoa que começara no dia em que André a abandonara.

Na verdade, conseguira dar ao filho uma vida confortável. Isso era bom, mas não o bastante para fazê-la esquecer o passado e torná-la feliz.

Nesses momentos sentia que precisava esquecer, virar essa página de sua vida. Tentava encontrar outros interesses além do trabalho, mas era inútil. O passado reaparecia mais forte do que nunca e Nina sentia aumentar seu rancor por André, como se ele fosse responsável pelos seus pensamentos.

No escritório, o telefone tocou. Nina atendeu. Era Marta:

— Alô. Como vai, Marta?

— Bem. Estou ligando para convidar vocês para vir à minha casa no sábado.

— Você obteve mais alguma notícia especial sobre Antônia?

— Não. Desejo reunir alguns amigos queridos para comemorar meu aniversário.

— Obrigada pelo convite.

— Conto com vocês. Avise o Marcos que o Renato virá!

— Ele vai gostar.

— Eu mais ainda. Espero vocês.

Nina desligou o telefone imaginando um presente para ela. Olhou o relógio: passava um pouco das quatro. Sairia um pouco mais cedo para escolher alguma coisa bem bonita.

Passava das cinco quando Nina deixou o escritório e foi andando pelo centro, olhando as vitrines em busca de uma sugestão. Entrou em uma loja e dirigiu-se à seção de perfumaria. Marta adorava perfumes.

Foi difícil escolher, mas por fim decidiu-se. Comprou, pagou, mandou embrulhar para presente e ficou encostada no balcão esperando.

De repente a porta da loja abriu com certa violência e um homem entrou correndo, dirigiu-se ao balcão, pulou para dentro e abaixou-se dizendo à balconista:

— Estou sendo perseguido. Se você disser onde estou vai se arrepender.

Antes que a moça tivesse tempo de responder, dois policiais entraram, olharam ao redor e aproximaram-se do balcão perguntando à balconista:

— Onde está ele? Vimos que entrou aqui.

A moça sentia a ponta de uma lâmina fina encostada em sua perna e não conseguiu responder.

— Ele está aqui. Vamos encontrá-lo.

Nina esperava nervosa e calada. Nesse instante um moço muito elegante entrou, aproximou-se. Um dos policiais foi ter com ele.

— Meu colega mandou o gerente fechar as portas. Ninguém pode entrar ou sair daqui enquanto não o encontrarmos. Trata-se de um gatuno perigoso. Fique tranquilo. Vamos reaver sua carteira.

Um dos guardas fez ligeiro sinal ao outro, indicando o balcão, piscou para Nina e disse à balconista:

— Vá buscar um copo d'água para esta moça. Ela está assustada.

Com o coração aos saltos, ela obedeceu e assim que saiu os dois pularam para dentro do balcão e dominaram o ladrão. Encontraram o relógio de ouro e a carteira que ele havia roubado e a entregaram ao moço, que respondeu aliviado:

— Ainda bem. O relógio é lembrança de família. Há os documentos também.

Eles algemaram o homem e enquanto um deles o conduzia à viatura o outro considerou:

— O senhor precisa me acompanhar para formalizar a queixa.

— Talvez não seja necessário.

— Se não for, ele logo será solto e estará roubando outra pessoa. Ele estava com uma faca. Pode fazer coisa pior.

— Vou apanhar meu carro no estacionamento e irei em seguida. Basta dar-me o endereço.

— Nesse caso vou anotar seus dados. Como é seu nome?

— Antero Fontoura.

Nina sobressaltou-se. Teria ouvido bem?

O policial deu a direção e se afastou. O rapaz olhou Nina dizendo:

— Imagino que deve estar nervosa. Lamento.

— De fato. Foi desagradável, mas já passou. Felizmente não houve dano maior. Seu nome lembrou-me uma pessoa que conheço.

— Quem?

— Dona Olívia Fontoura.

— É minha mãe. Que coincidência! É amiga dela?

Nina abriu a bolsa, apanhou um cartão e entregou-o a ele dizendo:

— Não exatamente. Sou advogada. Antônia, uma sobrinha dela, trabalhava em nosso escritório.

Nina notou que o olhar dele se entristeceu quando respondeu:

— Era lá que ela trabalhava quando aconteceu?

— Sim.

A moça entregou o pacote a Nina dizendo:

— Desculpe o trabalho. Não foi nossa culpa.

— Eu sei. Obrigada.

Nina estendeu a mão a Antero:

— Você teve sorte. Até outro dia.

— Também vou sair.

Acompanhou-a até a rua e continuou:

— Aceitaria tomar um café, um refresco comigo? Gostaria que falasse sobre Antônia. Nunca soube bem como as coisas aconteceram.

Nina emocionou-se. Sentiu que não podia recusar:

— Aceito um café.

Entraram em uma lanchonete, sentaram-se e Antero pediu café e alguns salgadinhos. Depois que a garçonete os serviu, Nina perguntou:

— O que quer saber?

— Tudo.

— Conheci Antônia quando entrei no escritório de advocacia do doutor Dantas para trabalhar. Eu ainda não havia me bacharelado. Ficamos amigas. Ela era uma moça muito doce, mas muito triste. Nunca falava de seus sentimentos.

Nina falou sobre o suicídio e como conhecera Olívia. Não teve coragem de mencionar a comunicação que o espírito dela fizera através de Marta nem o filho deles.

Antero ouviu em silêncio, rosto entristecido. Quando ela finalizou, considerou:

— Quando ela veio para nossa casa era uma moça alegre, cheia de vida. Vivia cantando. Não se parecia nem um pouco com essa que você descreveu. Um dia, sem dar nenhuma explicação, ela foi embora. Não consegui entender por quê. Minha mãe disse que ela havia ido porque queria ser livre para levar uma vida desregrada, mas não acreditei.

— Você está certo. Antônia era uma moça séria, irrepreensível.

— Minha mãe é mulher de ideias muito rígidas. Interpretava mal a alegria e a exuberância dela.

— Você dava-se bem com ela?

— Eu gostava muito dela. Se ela não houvesse ido embora, talvez... — ele fez uma pausa, olhos perdidos em um ponto indefinido por alguns segundos.

— Talvez?

— Tudo houvesse sido diferente. Nossa casa ficou muito triste sem ela. Certa tarde, quando fui até a casa de meus pais, ela estava na porta discutindo com minha mãe. Tentei conversar, mas ela saiu correndo. Foi a última vez que a vi.

Nina suspirou pensativa. Estava claro que Olívia havia manipulado o filho para evitar seu relacionamento com Antônia. Era provável que ele não soubesse mesmo que eles haviam tido um filho e que esse menino era Eriberto.

Mas era cedo para falar nisso. Não podia precipitar os acontecimentos. O rapaz parecia-lhe bem diferente da mãe. Falava de Antônia com carinho. Talvez a tenha amado.

Conversaram um pouco mais, ele relembrando detalhes da personalidade de Antônia, até que Nina levantou-se dizendo:

— É tarde, preciso ir. Foi um prazer conhecê-lo.

— Alguém já disse que Deus escreve certo por linhas tortas. O assaltante me proporcionou a chance de conhecê-la e podermos falar sobre um fato que há muito vem me preocupando. O suicídio de Antônia abateu-se sobre mim como uma bomba.

— Sobre todos nós. Quando penso nela, não me perdoo por não ter ido atrás quando se trancou naquele banheiro.

— Fico me perguntando o que teria lhe acontecido para tomar uma decisão tão drástica.

— Algo me diz que um dia ainda saberemos.

Antero apanhou a carteira, tirou um cartão e entregou-o a Nina dizendo:

— Agradeço sua gentileza de me contar tudo isso. Aqui tem meu cartão. Se descobrir mais alguma coisa, procure-me. Ainda tenho algumas perguntas sem respostas.

— Combinado.

Nina estendeu a mão em despedida. No trajeto de volta até sua casa ela rememorava aquele inusitado encontro. A forma como os fatos aconteceram a fazia suspeitar que uma força maior a estava auxiliando para que ela pudesse fazer alguma coisa em favor de Antônia.

Mercedes havia dito que, se fosse para ela ajudar aquele menino, a vida se encarregaria de criar as oportunidades para isso. A esse pensamento Nina emocionou-se. Estava ansiosa para contar tudo a ela e a Marta, mas decidiu esperar pelo dia seguinte quando iriam cumprimentá-la pelo aniversário.

Marta havia dito que o chá seria servido às cinco, mas gostaria que Nina fosse mais cedo. Apesar de estar ansiosa para contar as novidades, ela não quis abusar.

Passava das quatro quando chegou na casa de Dantas com Marcos. Foi recebida por Mercedes, que os abraçou, e logo apareceu Marta com Renato e uma moça. Depois dos cumprimentos a aniversariante Marta apresentou:

— Milena, e minha amiga Nina.

Nina estremeceu. Não pensara nessa possibilidade. Olhou a moça, que lhe estendia a mão olhando-a nos olhos, e procurou controlar a emoção.

— Muito prazer — disse, apertando-lhe a mão e olhando com curiosidade seu rosto, involuntariamente procurando traços de sua semelhança com André.

A não ser pela cor de pele e dos cabelos, ela não se parecia com ele. Rosto delicado, traços finos, olhos profundos.

Tentando controlar o embaraço, Nina tornou:

— Vim mais cedo porque aconteceu uma coisa. Gostaria de conversar com vocês antes que cheguem as outras pessoas.

Marta pediu que os dois meninos fossem brincar no jardim, o que eles fizeram com boa vontade.

— Vamos ao escritório de papai. Lá ficaremos mais à vontade. Mamãe ficará aqui para receber mais alguns amigos que vão chegar. — Notando que Milena não saíra do lugar, continuou: — Venha, Milena.

Ela respondeu hesitante:

— Não sei se devo. Deve ser particular.

— É sobre um caso que estamos tratando. Você poderá nos ajudar.

Uma vez acomodadas no escritório, Nina contou o que lhe acontecera na véspera, finalizando:

— Antero me pareceu muito diferente da mãe. Talvez não saiba mesmo nada sobre o menino. Demonstrou muito carinho para com Antônia.

Milena, que até então estivera calada, disse:

— Ele estava apaixonado por ela. Mas a mãe percebeu e fez tudo para separá-los. Ele nunca soube que ela ficou grávida e muito menos que tem esse filho.

Nina não conteve um gesto de surpresa. Milena mantinha agora uma postura ereta, falara com voz firme, tornando-a muito diferente da moça que conhecera momentos antes. Indagou:

— Como você sabe?

— Meu amigo espiritual está me dizendo.

— O que mais ele diz? — indagou Marta.

— Que ele se arrependeu muito de haver se casado por conveniência, para fazer a vontade da mãe. Amava Antônia. Pela esposa sentia apenas amizade. Quando soube do suicídio, abalou-se muito. Ultimamente não tem se sentido bem.

— Eu sei — continuou Marta. — Antônia o está assediando, preocupada com o filho. Deseja que ele saiba da existência do menino e possa protegê-lo.

— Isso mesmo — tornou Milena. — Ele tem sonhado muito com ela, fica angustiado, triste, e não sabe por quê. Aí é que você entra — concluiu, dirigindo-se a Nina.

— Acham que eu deveria contar tudo a ele? Creio que vai dizer que estou louca.

— Você não precisa fazer isso — disse Marta. — Continue rezando em favor deles e no momento certo os fatos vão acontecer.

— É impressionante a fé que vocês têm...

— Se tivesse passado pelas experiências que nós duas passamos, também a teria — esclareceu Marta com um sorriso.

— Isso mesmo — aduziu Milena. — Peça também a paz para seu coração atormentado. Esqueça o passado e procure ser feliz. Você merece!

Nina sobressaltou-se. Olhou fixamente para Milena, que abrira os olhos e modificara completamente tanto a postura como a expressão de seu rosto.

— O que foi que disse? — indagou Nina.

— Eu disse alguma coisa? — murmurou Milena, admirada.

— Disse. Pode repetir, por favor?

Marta interveio:

— Ela não se lembra. Milena é como eu, tem o mesmo tipo de sensibilidade. Às vezes eu fico consciente e sei o que estou dizendo, embora esteja servindo de médium para um amigo espiritual. Outras vezes, fico ausente e não lembro de haver dito nada. Foi o que aconteceu agora com Milena.

— Não me recordo do que disse, mas vi uma moça alta, esbelta, morena, cabelos castanhos, que estendia as mãos para você pedindo sua ajuda.

— É Antônia! — tornou Nina, admirada. — Você vê os espíritos?

— Desde pequena. Eu pensava que todos os estavam vendo e falava. Minha família não acreditava e dizia que eram alucinações. Passei a não lhes contar mais, mas continuei vendo, sentindo, percebendo o que estava acontecendo com as pessoas e não podendo dizer nada. Sofri muito. Não ia a festas, não tinha amigas, vivia à margem de tudo. Conheci Marta através de meu irmão, que se empenhou em me ajudar. Desde esse dia, minha vida mudou muito. Recuperei o prazer de viver.

— Assim que nos vimos, ficamos amigas. Temos impressão de que nos conhecemos há muito tempo — disse Marta.

— É muito bom ter amigos. Esta casa é um lugar privilegiado. Eu também me sentia muito só antes de conhecê-los. Penso que já tomei muito tempo da aniversariante. Seus convidados devem estar chegando.

— Foi bom termos conversado — disse Marta. — Estou me sentindo muito bem.

— Eu também — garantiu Milena.

Conversando prazerosamente, elas foram até a sala onde estavam os pais de Renato, conversando animadamente com os donos da casa. Marcos e Renato entraram e foram abraçar Marta.

— Você agora vai ficar conosco — disse Marcos.

— Isso mesmo. Temos muito que conversar. Vamos para seu quarto? — pediu Renato.

— Agora não posso. Mais tarde darei um jeito — respondeu ela sorrindo e retribuindo o abraço.

Nina foi apresentada a duas senhoras que não conhecia, e a conversa fluiu agradável. Altamira aproximou-se de Nina e tornou alegre:

— Viu como meu filho está bem?

— Sim. Parece ótimo.

— Vou lhe dizer uma coisa: no início fiquei com medo de vir às sessões espíritas com ele. Ficava nervosa. Mas, ao contrário do que eu temia, ele foi se acalmando, ficou mais alegre, dorme bem e, o que é melhor, melhorou muito nos estudos. Confesso que eu e meu marido também melhoramos. Vendo Renato bem, estamos mais alegres.

— Dá para notar isso.

— Seu filho também está muito bem. Interessante a afinidade deles. Renato ficou muito feliz ao saber que Marcos estaria aqui hoje.

— Marcos também, ao saber que iria encontrá-lo aqui.

Altamira afastou-se e Nina olhou os dois meninos conversando com Milena e Marta. Sentiu certa tristeza. Por certo Milena não sabia que Marcos era seu sobrinho, e era muito provável que Marcos, por sua vez, nunca descobrisse esse laço de parentesco.

Por que a vida teria que ser assim? Por que seu filho teria de viver afastado da própria família? Mercedes aproximou-se, colocou o braço sobre os ombros de Nina e disse baixinho:

— Aproveite o momento bom que estamos vivendo. Deixe a tristeza de lado.

— Tem razão. É que há coisas inesperadas que fogem ao nosso controle.

— Não se preocupe. A vida faz tudo certo. Confie.

Marta havia se afastado um pouco e Milena sentara-se no sofá, os meninos sentaram-se um em cada lado dela, que, tendo um livro nas mãos, mostrava-lhes algumas gravuras, fazendo uma narrativa que ambos acompanhavam com entusiasmo.

Nina observou que os olhos de Milena eram muito semelhantes aos de Marcos. Mercedes, notando a tristeza dela, chamou-a para participar do grupo de mulheres que conversavam sobre assuntos da atualidade.

As pessoas eram inteligentes, agradáveis, e Nina entregou-se ao prazer de uma boa conversa, de tal sorte que o tempo passou rápido.

O chá foi servido acompanhado de muitas guloseimas. O ambiente estava agradável e ninguém pensava em ir embora. Marta e Milena levaram os meninos ao jardim. Eles conversavam alegremente sentados em um banco.

Havia escurecido e as primeiras estrelas já apareciam. A brisa leve espelhava o delicado perfume das flores no ambiente. Nina pensou que era hora de ir embora. Levantou-se e foi ao jardim em busca de Marcos.

Chegando lá, seu coração disparou. André estava sentado entre Marcos e Renato, enquanto as duas moças se entretinham numa animada conversa.

Nina empalideceu e esforçou-se para controlar o nervosismo e manter a calma. Fitou Marcos ansiosa e notou que ele estava relaxado, prestando atenção ao que André dizia, olhando-o com naturalidade. Certamente ele não havia lhe contado nada.

Quando conseguiu controlar o nervosismo, ela chamou:

— Marcos, nós já vamos. Entre para se despedir.

— Já, mãe? A conversa está tão boa... Não podemos ficar um pouco mais?

— Não. Está na hora de ir. Venha.

Todos se levantaram e André aproximou-se de Nina dizendo:

— Vocês podiam ficar um pouco mais.

Nina irritou-se, mas procurou controlar-se.

— Temos de ir. Não insista.

— Precisamos conversar.

— Tudo que tínhamos de dizer já foi dito. Espero que não insista. Estamos em uma festa. Não é o momento para isso.

— Eu sei. Mas gostaria de procurá-la em outro lugar.

Vendo que Marcos havia se aproximado e olhava-os com certa curiosidade ela tornou:

— Vamos entrar, Marcos. Precisamos nos despedir. — E dirigindo-se a André continuou: — Se deseja tratar daquele caso, não há nada que eu possa fazer. Você precisa se conformar. Não adianta me procurar. Vamos deixar as coisas como estão.

— Não vou insistir. Mas não aceito essa decisão. Voltaremos ao assunto em outra ocasião.

Nina não respondeu. Segurou Marcos pelo braço e conduziu-o para dentro. Despediram-se rapidamente de todos e foram embora.

Durante o trajeto, Marcos indagou:

— De onde você conhecia o irmão da Milena?

— Ele é advogado como eu, tivemos uma causa que ele perdeu e nosso escritório ganhou.

— Ele não é bom advogado?

— É, mas nesse caso nós fomos melhores. Agora chega de falar nisso.

— É que eu gostei muito da Milena e dele.

— Fazia tempo que ele estava lá?

— Só um pouco. Ele foi buscar Milena e nós pedimos para ela ficar mais um pouco. Ele nos contou uma história muito boa de quando ele estava no colégio.

— Sei. Falar em colégio, já fez seus deveres para amanhã?

— Eu preferia falar da festa. Quando eu fizer aniversário, você poderia fazer uma festa como essa. Eu poderia convidar todas essas pessoas.

— Vamos ver — desconversou ela.

Talvez fosse melhor não voltar à casa de Marta. Agora que Milena frequentava lá, André por certo usaria isso para aproximar-se de Marcos. Não podia permitir isso.

Um sentimento de rancor a acometeu. Por que ele teria que se infiltrar na casa de seus melhores e únicos amigos? André já havia infelicitado sua juventude e continuava e perturbar sua vida. Já não bastava o passado que ela gostaria de esquecer?

Uma vez em casa, depois que Marcos foi para seu quarto, Nina apanhou um livro na tentativa de esquecer a preocupação. Mas a cena de André sentado ao lado de Marcos reaparecia em sua mente, deixando-a angustiada.

Na casa de Marta, depois que Nina saiu, Renato foi à procura dos pais, deixando André com as duas moças. Ele sentou-se no banco, passando a mão nos cabelos como que tentando arrancar da cabeça os pensamentos que o incomodavam.

— É preciso ter paciência — disse Marta. — O tempo dissolve todas as mágoas e o amadurecimento renova as ideias.

— Ela está sendo dura comigo. Eu errei, mas quero de alguma forma reparar o erro. Nina não pode ser tão vingativa.

— Ela não é vingativa — respondeu Milena. — Acontece que a ferida que carrega em seu peito ainda não cicatrizou.

— Isso não é ser vingativa?

— Isso é uma manifestação de dor — esclareceu Marta.

— Eu não sabia que ia lhe causar tantos sofrimentos. Não foi intencional.

— Você sabia que ela o amava e pensou em se aproveitar desse sentimento. Pretendia ficar com as duas. Fez o que pensava ser melhor para você naquele momento. Os fatos mostraram o quanto estava iludido. Nina joga a culpa em você, mas ela é a responsável pelos sofrimentos que até hoje a infelicitam.

— Por que diz isso? Eu fui o causador de tudo.

— Não. Você foi leviano, usou o afeto dela confiando que ela fosse aceitar um relacionamento extraconjugal. Não percebeu que, para o temperamento sincero de Nina, ela nunca aceitaria uma situação dessas. Claro que você agiu mal. Contudo, se Nina houvesse compreendido que você não era como ela imaginava, que tinha pontos fracos, que ela também se iludira, se enganara, teria reconhecido sua parte de responsabilidade nos fatos. Teria deixado você de lado, virado essa página de sua vida. Se houvesse feito isso, certamente teria encontrado outro amor, hoje nem se lembraria do passado.

A voz de Marta estava ligeiramente modificada e Milena a observava emocionada. André respondeu:

— Apesar de tudo, eu não gostaria de vê-la casada com outro.

— Você quebrou o compromisso assumido com ela, fez sua escolha, com isso libertou-a para seguir outro caminho.

— Eu errei. Estou pagando o preço do meu erro. Gostaria que Nina pelo menos entendesse isso.

— Ela preferia que houvesse sido diferente. Sofreu, mas foi forçada a aceitar e corajosamente reagiu, esforçando-se para dar uma vida digna ao filho. Teve a dignidade de não perturbar sua vida pessoal e assumir as consequências de um relacionamento frustrado.

— Eu preferia que ela não houvesse feito isso. Assim que regressei da viagem de núpcias, procurei-a por toda parte. Não consegui encontrá-la. Durante anos sofri me perguntando o que teria acontecido com ela e a criança.

— Não se martirize com o que aconteceu. Seja paciente.

— Hoje, quando entrei aqui e vi Marcos, tive de fazer enorme esforço para me controlar, agir com naturalidade. Mas dentro de mim alguma coisa gritava, dizendo-me para abraçá-lo, contar-lhe que era meu filho! Contive-me, pensando que uma atitude dessas iria perturbá-lo. Não quero que seja assim. Desejo que ele seja preparado para chegar à verdade.

— Fez bem — interveio Milena. — Ele me disse que seu pai morreu durante a gravidez de Nina.

— Outra injustiça. Como ela pôde dizer-lhe essa mentira?

— Foi a maneira que ela encontrou para explicar sua ausência — considerou Marta. — Ela decidiu que nunca o procuraria nem permitiria que soubesse a verdade. Para ela, você morreu no dia em que a deixou para se casar com outra.

— Mas eu estou vivo! Ele precisa saber a verdade.

Mercedes aproximou-se deles, cumprimentou-o e depois disse a Marta:

— Por que não convidou o doutor André para entrar?

— Ele chegou e ficamos conversando. Vamos? — justificou Marta.

— Aqui fora está muito agradável. Se não se importa, gostaria de ficar mais um pouco.

— Esteja à vontade — respondeu Mercedes.

Ela entrou e André considerou:

— Ainda estou muito emocionado. Vamos esperar mais um pouco para entrar.

Milena abraçou o irmão, dizendo com carinho:

— Tenha calma, algo me diz que um dia tudo mudará. O tempo muda todas as coisas. Vamos confiar na vida.

André suspirou e respondeu:

— É difícil para mim passar por essa situação e não poder fazer nada. Encontrar Nina, conhecer Marcos modificou minha vida. Não estou suportando o compromisso com Janete. Ela está cada dia mais desagradável.

Com voz firme, Marta respondeu:

— Você assumiu esse compromisso livremente. Se não deseja mais mantê-lo, é um direito seu, mas terá de arcar com as consequências. Ela não vai aceitar com facilidade.

— Tenho certeza disso — concordou Milena. — Pense bem se é isso o que realmente deseja.

— Por enquanto não tenho certeza de nada. Só sei que não somos felizes juntos. Nunca fomos, mesmo antes de eu rever Nina e Marcos.

— O futuro pertence a Deus e Ele sempre faz o melhor — tornou Marta sorrindo. — Vamos entrar, doutor André. Lá dentro tem um bolo de chocolate delicioso. É hora de adoçar um pouco sua vida.

Ele sorriu, concordou e, abraçado à irmã, entrou na sala para cumprimentar os outros convidados.

15

Sentada em uma poltrona em sua luxuosa sala de estar, tendo entre as mãos um livro que fingia ler, Olívia observava discretamente o marido, que, acomodado em sua cadeira favorita, entretinha-se na leitura de uma revista.

Ela precisava encontrar um jeito de afastar Eriberto. Pensando bem, talvez fosse melhor não bater de frente recorrendo à Justiça. Artur era um homem bom, tolerante, mas muito teimoso. Quando decidia alguma coisa, não voltava atrás.

A conversa com Nina a fizera pensar e concluir que não desejava brigar com ele. O relacionamento deles não estava bom. Fazia muito tempo que ele não tinha um gesto de carinho. Mas ela o amava e não queria uma separação.

Josefa pediu licença e entrou trazendo Eriberto pela mão:

— Ele veio dar boa-noite.

Artur colocou a revista sobre a mesinha e abriu os braços dizendo carinhosamente:

— Venha me dar um abraço.

O menino sorriu feliz e com olhos brilhantes atirou-se nos braços de Artur, que o beijou na testa com carinho.

Olívia esforçou-se para esconder o desagrado. Para aquele menino insignificante, Artur se desdobrava em atenções. Quando o via, seus olhos brilhavam emocionados. Havia colocado Eriberto sobre seus joelhos e disse a Josefa:

— Deixe-o aqui. Eu mesmo vou levá-lo para dormir.

— Você me conta de novo aquela história do homem que queria conversar com os bichos?

— Conto, sim. Mas eu tenho uma outra que você vai gostar mais.

— Então você conta primeiro a dos bichos e depois a outra.

Artur riu divertido. Em seguida, perguntou como havia sido seu dia, o que ele fizera na escola etc.

Olívia fingia ler, lutando para conter-se e não dizer o que estava pensando. Não era possível que aquele menino fosse um qualquer. Talvez estivesse enganada acreditando que o marido lhe fosse fiel.

Havia mais de dez anos Artur, em razão dos chamados de emergência no hospital, que não lhe permitiam ter um horário fixo para dormir, tinha se instalado em um quarto separado. Desde essa época, raras vezes a procurava para um relacionamento íntimo.

Observando bem, Artur era um homem bonito, cheio de saúde. Com certeza tinha outra mulher. Por esse motivo havia se afastado dela. Aquele menino bem que poderia ser filho deles. Assim tudo estaria explicado. O registro em seu nome, o amor que sentia por ele, a alegria que demonstrava claramente.

— Dê boa-noite para sua tia e vamos subir.

Eriberto aproximou-se dela receoso.

— Boa noite, tia.

— Boa noite — respondeu ela secamente.

Artur precisava entender que a presença daquele menino a contrariava muito.

Eles subiram as escadas conversando e Olívia sentiu uma onda de rancor. Artur estava abusando de sua confiança. Se ele pensava que ela ia aceitar aquela situação, estava enganado. Daria um jeito de livrar-se daquele fedelho de uma forma ou de outra.

Jamais permitiria que ele, além de usufruir do carinho de Artur, ainda herdasse parte de seus bens. Se não podia ir pelos meios legais, procuraria outros. O que não podia era cruzar os braços e aceitar aquela humilhação.

No quarto, Artur esperou Eriberto vestir o pijama, acomodou-o na cama, recostou-se ao lado dele.

— Vai me contar aquela história?

Artur acenou que sim e começou a contar e enquanto falava observava aquele menino lindo, rosto expressivo, olhos redondos e negros como os de Antônia, mas o nariz reto, o queixo proeminente, os cabelos ondulados assemelhavam-se muito aos de Antero.

À medida que contava a história, Eriberto reagia, corrigindo alguma pequena modificação que inadvertidamente Artur fazia, cobrando cada detalhe. Artur sorria orgulhoso, reconhecendo o quanto ele era observador e inteligente.

No fim, Eriberto dormiu e Artur ajeitou as cobertas com carinho, depositando um beijo em sua testa.

Ficou ali mais um pouco pensando. Era-lhe desagradável notar a intolerância de Olívia, sua implicância com ele, seu ciúme.

Às vezes se perguntava se teria feito bem em atender ao pedido de Antônia, ocultando a verdade. Queria muito chamar Antero à responsabilidade. Lembrou-se da conversa que tivera com Antônia.

— Ele precisa saber que tem um filho! Que suas atitudes tiveram consequências.

— Não, tio. Ele não teve culpa de nada. Nunca me forçou. Acontece que eu me apaixonei por ele e o envolvi.

— Mas ele é um homem. Eu o ensinei a enfrentar as consequências de suas atitudes. Não posso mentir para ele.

— Ele está casado. Um filho pode atrapalhar sua felicidade. Eu o amo muito e desejo que seja feliz.

— Pense bem, Antônia. Aconteceu antes do casamento. Glória pode entender, perdoar, e tudo se arranja.

— Nenhuma mulher aceita uma traição. Eles eram noivos.

— Podemos conversar com ela, explicar.

— Não, tio. Se insistir nisso, irei embora com meu filho e você nunca mais nos verá.

— Isso não. Não posso permitir. Como iriam sobreviver?

— Posso trabalhar.

— Com um bebê no colo?

— Darei um jeito.

— Não. Nesse caso, deixe-o comigo. Vou registrá-lo como filho legítimo e o criarei com todo o amor e conforto.

— O que dirá a tia Olívia? Ela nunca vai aceitar.

— Se não posso contar a Antero, é melhor que ela também nunca saiba. Direi que era filho de uma paciente; que os pais morreram e decidi adotá-lo. Ela terá que aceitar. Apesar do seu temperamento intolerante, não se atreverá a enfrentar-me.

— Não sei, tio... Não gostaria de separar-me dele.

— Você é jovem. Bonita. Um dia vai encontrar um homem de bem que a valorize, vai amar, se casar. Terá outros filhos. Se ele ficar com você, mais cedo ou mais tarde Antero vai descobrir. Tenho certeza disso.

As lágrimas corriam pelas faces de Antônia quando ela disse:

— Vai ser difícil para mim...

— Nos veremos com frequência e poderá vê-lo quando desejar.

— Preciso pensar. Dê-me alguns dias.

— Está bem. Voltarei no sábado para saber o que decidiu. Pense que comigo seu filho estará protegido, terá um nome, uma família.

No sábado, conforme havia prometido, ele voltou a procurar Antônia. Entre lágrimas ela lhe disse que havia pensado muito e compreendera que para o bem do menino e garantir seu futuro, aceitaria sua proposta, se ele jurasse nunca contar a verdade a ninguém. Acreditava que assim ele estaria protegido. Tinha medo de que Olívia o perseguisse se descobrisse que era seu filho e de Antero.

Poucos dias depois ela arranjou um emprego e ele acreditou que esse caso estivesse resolvido. Cumpriu sua palavra, visitando-a sempre.

Nos primeiros tempos levara o menino alguma vezes para que ela o visse, porém notou que, em vez de confortá-la, a presença dele a deixava mais deprimida, sofria por ter de separar-se dele.

Por essa razão, espaçou esses encontros, preferindo levar fotos para que ela visse como ele estava bem.

Apesar da tristeza dela, ficou chocado quando, em uma de suas viagens para fora do país, Olívia telefonou informando-o que Antônia havia se suicidado. Apressou o quanto pôde seu regresso, ansioso para saber detalhes do acontecimento.

Olívia em poucas palavras contou-lhe o que sabia e desde esse dia Artur se perguntava se separá-la do filho teria contribuído para que ela tomasse essa decisão. Se o tivesse deixado com ela, dando-lhe condições financeiras para criá-lo, talvez ela não houvesse feito isso. Talvez ele tivesse sido egoísta pretendendo educar o neto, como fizera com o filho.

Olhando o rosto de Eriberto adormecido, esse sentimento voltou muito forte. Pareceu-lhe ver Antônia, rosto lavado em lágrimas, mãos estendidas dizendo:

— Você prometeu protegê-lo! Faça isso. Eu estou vigiando.

Artur meneou a cabeça como para expulsar esse pensamento. Alisou a testa de Eriberto e pensou:

— Que pensamento bobo! Foi como se Antônia estivesse aqui me cobrando. Que ilusão. Quem morre não volta. Depois, tenho feito tudo que prometi.

Decidido, levantou-se beijou a testa do neto e saiu fechando a porta com suavidade. Desceu até a sala, apanhou novamente a revista disposto a continuar a leitura. Olívia não se conteve.

— É incrível como você me trata! É capaz de fazer tudo por esse menino que não se sabe de onde veio, enquanto eu, sua esposa, sou relegada a segundo plano. Por que está fazendo isso comigo?

— Não seja implicante, Olívia. Pelo menos uma vez tente ver as coisas como são. Eriberto é uma criança que considero como um filho, enquanto você é adulta o bastante para entender que ele precisa muito do nosso carinho.

— Não sei por quê. Para mim é um intruso que apareceu não sei de onde para intrometer-se em nossa vida. Você o registrou como filho, colocou-o em meu nome sem me pedir permissão, coisa que ninguém faz. Às vezes penso que ele é realmente seu filho e me pergunto quem será a mãe dele.

— Você está totalmente enganada. Ele passou a ser meu filho desde o dia em que decidi adotá-lo. É uma criança inteligente, linda, que trouxe alegria para nossa casa.

— Só se for para você. Desde que ele entrou aqui, não tenho tido paz.

— Fico triste ouvindo-a dizer isso. Vi logo que você não gostou de eu tê-lo trazido para cá, mas eu esperava que com o tempo você se sensibilizasse. Uma criança, com sua espontaneidade, inspira alegria, conquista afeto. Mas estou vendo que você continua insensível, mantendo seu coração fechado.

— Quem fechou o coração foi você. Mudou muito depois que nos casamos. Não tem para mim um gesto de carinho. Ao contrário. Percebo que me evita, não conversa, não fala do seu trabalho nem de suas preocupações. Vive arranjando desculpas para não jantar em casa ou sair comigo.

— Ultimamente tenho vindo jantar todas as noites.

— Tem, mas penso que é para mimar o menino, contar-lhe histórias, levá-lo para dormir. Hoje ficou lá em cima com ele quase uma hora. Voltou e pegou a revista, como se eu nem estivesse aqui.

— Sinto muito que esteja se sentindo assim. Estamos casados há muitos anos e nesse tempo já falamos tudo que tínhamos para dizer um ao outro. Você sabe, na minha profissão preciso me atualizar. Há muito o que aprender. Quando volto para casa, estou cansado, desejo descansar e dormir.

— Mas tem tempo para Eriberto.

— Tenho. Ele me traz alegria com suas tiradas alegres, seu sorriso maroto, seu jeito carinhoso de me abraçar. A presença dele me faz muito bem.

— Você gosta mais dele do que de mim.

— Não seja ridícula! Não queira competir com uma criança. Não posso levá-la a sério. É por esse motivo que muitas vezes não tenho vontade de conversar. Sempre acabo me aborrecendo com suas palavras.

— Se estou mal-humorada, a culpa é sua.

— Vou subir para dormir. Não dá para conversar com você. Boa noite e até amanhã.

Ele subiu sem lhe dar tempo para responder. Olívia, irritada, ficou ali, pensando em uma forma de afastar Eriberto de sua casa. Precisava encontrar uma maneira de fazer isso sem que Artur desconfiasse dela.

Ela foi para o quarto, deitou-se e custou a pegar no sono. Revirava-se na cama inquieta, e, quando conseguiu adormecer, sonhou que estava andando por um caminho escuro e um vulto a perseguia.

De repente, o vulto parou em sua frente, impedindo-a de seguir e ela reconheceu Antônia. Estava pálida, fisionomia contraída, segurou-a pelos ombros e disse:

— Se você fizer alguma coisa para Eriberto, eu acabo com você. Está tramando contra ele, mas eu o estou protegendo. Se tentar algo, vai se ver comigo.

Olívia tremia apavorada, um suor gelado provocava arrepios em seu corpo. Angustiada, quis fugir e acordou com o coração batendo forte, sentindo ainda os arrepios desagradáveis, tendo dificuldade de respirar.

De um salto levantou-se, procurou a jarra de água, encheu um copo e bebeu, procurando acalmar-se:

"Foi um pesadelo. Apenas isso", pensou. "Estava tão nervosa que sonhei com aquela infeliz."

Acalmou-se um pouco, mas a figura pálida de Antônia, tal qual a vira no sonho, não lhe saía do pensamento. Tentava se acalmar, raciocinando que era um disparate Antônia ameaçá-la por causa do menino. Ela nem sequer o conhecia.

Era bobagem ficar assim por causa de um pesadelo. Mas, apesar de tentar se convencer disso, sentiu medo de dormir. Abriu a gaveta da cômoda, apanhou o vidro de calmantes e tomou um comprimido. Deitou-se novamente e, desta vez, adormeceu sem sonhar.

Acordou tarde na manhã seguinte e, quando desceu para o café, Artur já havia saído e Eriberto estava no jardim com a pajem.

Josefa fora contratada por Artur no dia seguinte que ele o levara para sua casa. Ela viera do interior de Minas Gerais a pedido de um colega de Artur, que nascera na mesma cidade e conhecia sua família. Tinha oito irmãos menores e estava difícil ao pai mantê-los. Aos dezesseis anos ela estava decidida a trabalhar e ajudar os seus.

Sabendo disso, o colega de Artur a recomendara, porquanto se tratava de gente simples, mas muito boa.

Artur simpatizou com ela desde o primeiro dia e deixou o bebê a seus cuidados. Ela demonstrou boa experiência, pois desde cedo ajudara a mãe a cuidar dos irmãos.

Contudo, ela notou logo que Olívia era diferente do marido e não gostava nem um pouco do menino. Amorosa, dedicada, sabendo que ele havia sido adotado, comoveu-se por ele não ter mãe. Foi com muito amor que se dedicou a ele e Artur sentiu-se aliviado, confiante com ela por perto.

Diante da implicância de Olívia com Eriberto, disse a Josefa que o menino estava sob a responsabilidade dela porque sua esposa não tinha paciência para assumir essa tarefa.

Durante aqueles anos, Josefa procurou sempre que possível afastar Eriberto da proximidade de Olívia. Quando o dia estava bonito, logo depois do café, ela o levava ao jardim, onde ficavam até o almoço. Depois, levava-o à escola e ia buscá-lo no fim da tarde. Nesse meio-tempo cuidava das roupas e dos aposentos deles.

Artur havia colocado Eriberto no quarto de Antero e adaptado o quarto de vestir para Josefa. Eram aposentos espaçosos e arejados, tendo um banheiro requintado.

Olívia ficou contrariada, pois pretendia colocar os dois em um pequeno quarto nos fundos da casa. Colocar aquele menino que não sabia bem de onde viera e uma moça da roça naqueles aposentos de luxo que Antero reformara com todos os requintes modernos era demais para ela.

Protestou, mas não conseguiu demover Artur e teve que ceder. Ele sabia o que estava fazendo. Eriberto era seu neto, filho de Antero, era natural que ocupasse o espaço que fora de seu pai e usufruísse de tudo que era dele.

Sem dar ouvidos a Olívia, fez a adaptação, clareando as paredes, colocando móveis infantis, e os instalou ali.

— Se quer pôr o menino no quarto de Antero, acho um desperdício, mas, já que insiste, não posso fazer nada, porém aquela roceira é demais. Ela vai para o quartinho dos empregados.

— Nada disso. Uma criança precisa de cuidados a todo momento. Você não vai se levantar durante a noite quando ele chorar ou estiver doente.

— Claro que não. Já criei meu filho e chega.

— Criou é modo de dizer, porquanto nunca se levantou durante a noite para atendê-lo.

— Não fiz isso porque não precisei. Tinha uma boa enfermeira e depois a babá. Mas quem providenciou tudo para ele fui eu.

— Está bem. Não vamos discutir. Mas Josefa vai ficar lá, com ele.

Sentada na sala, Olívia podia ver através da janela Josefa e Eriberto brincando no jardim. Eriberto ria sonoramente e Olívia, irritada, levantou-se, fechou a cortina. A risada alegre do menino a incomodava.

Por que esse moleque indesejado tinha saúde, ria feliz e Antero não conseguira ainda um filho saudável? Glória fizera duas tentativas e em ambas abortara espontaneamente no quarto para o quinto mês.

Se fosse um filho de Antero, ela ficaria feliz. Ele viria perpetuar o nome da família e herdaria o patrimônio deles. Não podia admitir que metade desse patrimônio fosse para as mãos daquele indigente que em má hora Artur recolhera.

Josefa entrou e foi preparar Eriberto para ir à escola. Depois, desceram e foram à copa para ele almoçar. Olívia não permitia que ele comesse com eles na sala. Artur não almoçava em casa e à noite, na hora do jantar, ela dizia que o menino havia jantado mais cedo porque era melhor para ele.

Artur nunca soube que ela havia proibido Josefa de colocá-lo na mesa com eles, mesmo sabendo que aos seis anos Eriberto já havia aprendido a portar-se educadamente.

Olívia ouviu barulho de carro, levantou-se e foi à janela. Seu rosto iluminou-se. Antero havia chegado. Dirigiu-se ao saguão de entrada para abraçá-lo.

— Ainda bem que você chegou!

— Vim almoçar com você. Como vai?

— Mal. Ultimamente tenho vivido solitária. Seu pai não me convida para sair.

— Ele é muito ocupado. Por que não sai com suas amigas?

— Não gosto. Tenho marido. Antes ele saía comigo. Agora, desde que recolheu esse menino, dá mais atenção a ele do que a mim.

Antero abraçou-a sorrindo:

— Você está com ciúme de uma criança!

— Que não sabemos de onde veio. Seus antecedentes etc. Acho isso um perigo.

Josefa apareceu na porta com Eriberto, dizendo:

— Cumprimente o doutor Antero.

O menino levantou os olhos para Antero:

— Como está, doutor Antero?

Antero apertou a mão que ele lhe estendia e respondeu:

— Vou bem, e você?

— Também. Agora tenho que ir. Está na hora da escola.

— Você gosta da escola?

— Gosto. Tenho lá muitos amigos e já aprendi a ler.

— Já? — disse Antero, fingindo admiração. — Qualquer dia destes vou lhe trazer um livro e ver se isso é verdade.

O rosto de Eriberto iluminou-se e seus lábios abriram-se em um sorriso.

— Que bom! Adoro ler. O senhor vai ver que leio tudo.

— Você vai perder a hora — interveio Olívia. — Deixe a conversa para outro dia.

— Sim, senhora. Até outro dia, doutor Antero. Não esqueça o que me prometeu.

— Até outro dia. Não vou esquecer.

Eles saíram e Olívia não se conteve:

— É melhor não dar corda para esse moleque. Ele é muito confiado. Viu como cobrou você?

Antero olhou-a e respondeu:

— Você continua implicando com Eriberto. Não acho que ele seja confiado. Ao contrário. Parece ser muito bem-educado para um menino de sua idade.

— Você não deveria se preocupar com ele. Já basta seu pai, que o estraga com tantos cuidados. O que eu acho que seria bom você fazer é me ajudar para que Artur o leve embora.

— Para onde? Papai disse que ele não tem família.

— Se ele deseja protegê-lo, poderia colocá-lo em um colégio e, na minha opinião, estaria fazendo muito. Meu filho, Artur o registrou como nosso filho legítimo. Ele nunca poderia ter feito isso. Já se deu conta de que um dia terá de dividir nosso patrimônio com ele?

— Isso nunca me preocupou. Se papai achou por bem tomar essa atitude, deve ter um bom motivo. Eu respeito muito as decisões dele, que sempre foram sensatas. Depois, o patrimônio a que se refere é resultado do trabalho dele, que tem todo o direito de dispor de seus bens como achar melhor. Eu tenho uma profissão, uma empresa que está indo bem. Não preciso de nada. Você não deveria preocupar-se com isso. Tenho certeza de que papai não faria nada que nos prejudicasse.

— Não concordo com isso. Você é nosso filho legítimo. Não pode ser espoliado dessa forma.

— Você não está vendo os fatos como eles são. Vamos mudar de assunto. Vim aqui para fazer-lhe companhia e não para falarmos de assuntos desagradáveis.

— Um dia Glória conseguirá o filho que tanto desejam. Ele é o dono de nosso patrimônio e está sendo lesado.

Antero colocou as mãos nos braços de Olívia, olhou-a nos olhos e respondeu:

— É melhor não contar com isso por enquanto. Da última vez ela correu risco de vida. Não desejo sentir-me responsável pelo que possa lhe acontecer.

— Você não vai desistir!

— Eu já desisti. Glória só pensa nisso, só fala nisso, mas o médico nos aconselhou a fazer um tratamento, chegou a sugerir que adotássemos uma criança.

— Deus nos livre! Mais um!

— Eu até achei que seria uma solução boa. Mas Glória não quer nem ouvir falar.

— Ainda bem.

— Vamos deixar esse assunto e falar de coisas alegres. Vim para almoçar com você e não para aborrecê-la.

Uma hora depois, Antero despediu-se. Uma vez no carro, ele pensava sobre o relacionamento dos pais. Reconhecia que Olívia tinha um temperamento difícil, ele mesmo muitas vezes irritava-se com as opiniões que ela dava sobre as pessoas, com suas atitudes mesquinhas, seu mau humor.

Se ele, que era filho, não se sentia bem ao lado dela, imaginava o quanto esse convívio era penoso para seu pai.

Ele era o oposto dela. Generoso, afetuoso, altruísta, sempre disposto a ajudar os outros. Pessoas assim nunca deveriam se casar.

Sentia que, apesar de estarem vivendo juntos, Artur colocara uma distância entre eles, dormindo em quarto separado, passando a maior parte do tempo fora de casa.

Ele trabalhava muito, mas Antero sabia que ele ficava a maior parte de seu tempo livre na Associação Médica, onde prestava serviços como voluntário. Perspicaz, ele notava que o pai não sentia prazer em ir para casa e se perguntava: até quando o pai aguentaria aquela situação?

A adoção de Eriberto, sua dedicação a ele, fora uma maneira de satisfazer sua afetividade. Lembrou-se de como Artur gostava de Antônia, dava atenção a ela, permanecendo horas conversando, o que nunca o vira fazer com Olívia.

Talvez, se não houvesse adotado Eriberto, ele já tivesse se separado dela. Antero o apoiava. Entendia que o menino era a válvula de escape da aridez daquele relacionamento.

Ele mesmo sentia-se cansado da companhia de Glória. Ela era uma moça alegre, cheia de projetos profissionais ao deixar a faculdade de arquitetura. Mas tudo isso caiu por terra depois do casamento, principalmente diante das duas tentativas malsucedidas de ser mãe.

Em vão Antero tentara fazê-la retomar seus antigos projetos, mas ela nem sequer queria falar sobre isso. Vivia obcecada pela ideia de engravidar, comprava livros sobre fertilidade, gestação, e conseguira no mês anterior uma gravidez psicológica da qual ainda não havia conseguido sair inteiramente, alegando que o médico estava errado e procurando outros profissionais, afirmando que estava grávida de fato.

Para acalmá-la, o médico havia sugerido a adoção de um bebê, afirmando que isso a faria voltar ao normal. Mas ela não queria de forma alguma.

Eles se conheciam desde crianças. As famílias eram amigas e desde muito cedo estimulavam o namoro. Glória era bonita, educada, alegre. Antero gostava dela. Mas, depois que Antônia foi morar com eles, alguma coisa mudou em seu coração.

Antônia era radiante, cheia de vida. Apesar de Olívia a tratar com rispidez, ela não ligava. Dizia que o carinho do tio e dele a deixavam de bem com a vida e com as implicâncias de Olívia.

O amor brotou entre eles e, quando aconteceu o inevitável, Antero desejou romper com Glória, mas Antônia não permitiu. Não queria causar um desgosto para os tios, que estavam muito contentes com o casamento dele.

Antero começou a pensar que talvez Antônia não o amasse o suficiente para um compromisso maior. Sabia que seus pais não concordariam com o casamento deles, principalmente a mãe, mas estava disposto a enfrentar todos os obstáculos.

Quando sua mãe lhe disse que a prima tinha ido embora de casa e deu a entender que ela estava se relacionando com outro, ficou chocado. Pensou em procurá-la e saber o que estava acontecendo. Mas, se não acreditou que ela houvesse descambado para uma vida desregrada como Olívia insinuou, imaginou que ela poderia ter se apaixonado por outro.

Apesar de decepcionado, Antero resolveu esquecer e dedicar-se a Glória, que o amava de verdade. Sofreu com o suicídio de Antônia e não compareceu ao enterro porque estava fora do país e sua mãe só lhe contou quando regressou.

Desde essa época se arrependera de não a ter procurado. O ciúme o impedira de ir vê-la e muitas vezes se perguntava se ela teria feito isso, caso ele a tivesse amparado, tentado ajudá-la de alguma forma a resolver seus problemas. Ele havia sido egoísta, pensado apenas em si mesmo, sem se preocupar com ela.

Nos últimos meses, a lembrança de Antônia havia se tornado mais viva. Havia sonhado com ela, muito triste, abatida, pedindo ajuda. Acordava angustiado, nervoso.

Sua conversa com Nina, afirmando que ela levara vida exemplar, deixou-o intrigado. Principalmente porque ela disse que Antônia não tinha ninguém e que em seu velório havia apenas os companheiros de trabalho.

Era possível que ela tivesse ido embora com outro e que esse amor não tivesse dado certo. Talvez essa tenha sido a causa de seu suicídio. Precisava saber a verdade.

Assim que chegou ao escritório, Antero procurou em sua carteira o cartão que Nina lhe dera. Era possível que ela tivesse as respostas que procurava.

Ligou e pouco depois a secretária passou para Nina. Depois dos cumprimentos Antero tornou:

— Tenho pensado muito na conversa que tivemos sobre Antônia. Ela não me sai do pensamento. É que há alguns pontos que eu gostaria de esclarecer para poder entender por que ela se matou.

— Eu já lhe contei o que sabia.

— Tenho me sentido culpado por não a ter procurado e tentado ajudá-la. Há coisas que eu não lhe contei e gostaria de falar sobre isso. Não tenho a quem recorrer. Sei que você é pessoa ocupada e não tem nada a ver com o que está acontecendo comigo, mas, pela amizade que teve com Antônia, aceitaria tomar um café comigo no fim da tarde para podermos conversar? Eu lhe serei muito grato.

— Sim. Você pode me apanhar às quatro e meia, na porta do nosso prédio.

Ela confirmou o endereço e assim que desligou foi à sala de Dantas contar-lhe a novidade. Ele ouviu atentamente e depois disse:

— Eis a chance que você esperava.

— Estou nervosa. Não sei se devo lhe contar toda a verdade. O que me aconselha?

— Acalme-se. Certamente você estará inspirada por nossos amigos espirituais. Na hora certa saberá o que dizer.

— Mas eu não tenho mediunidade. Seria melhor que o senhor ou Marta conversassem com ele.

— Você foi a escolhida para isso e deve seguir sua intuição. Mais tarde, se for preciso nós conversarmos com ele, o faremos. Não vamos nos precipitar.

— Estou insegura.

— Lembre-se de que não estará sozinha. Vou ligar para Mercedes e pedir que ela e Marta façam vibrações a vocês. Tenho certeza de que vai dar tudo certo.

Nina voltou à sua sala, sentou-se, mas não conseguiu concentrar-se no trabalho. O rosto de Antônia não lhe saía do pensamento.

— Deus permita que eu possa ajudá-la de verdade. Gostaria muito que ela pudesse ficar em paz.

Às quatro e meia Nina apanhou a bolsa e desceu. Antero já se encontrava à sua espera. Estendeu-lhe a mão dizendo:

— Obrigado por haver concordado em falar comigo. Vamos a um lugar sossegado para que possamos conversar melhor. Meu carro está no estacionamento.

Nina o acompanhou, procurando controlar a ansiedade. Notou logo que Antero estava angustiado, abatido. Certamente, havia se atormentado com o drama que começava a pressentir. Precisava ficar calma para conseguir agir com serenidade e bom senso. Sabia que era muito sério e importante o que tinha para revelar.

Sentados em um lugar discreto em uma casa de chá, Nina esperava que Antero entrasse no assunto. O chá acompanhado de algumas guloseimas fora servido e, depois de haverem tomado alguns goles, Antero tornou:

— Apesar de você me haver dito que havia me contado tudo sobre Antônia, sinto que há alguma coisa mais que não teve coragem ou não quis me contar.

Nina ia responder, porém ele não lhe deu tempo e continuou:

— Antes de dizer qualquer coisa, quero lhe fazer uma confissão. Eu tive um caso com Antônia. Ou melhor, eu amei minha prima e teria me casado com ela se me houvesse aceitado. Mas ela se recusou. Percebi que não me amava como eu pensava.

Havia tanta tristeza na voz dele que Nina não se conteve:

— Você foi o único e grande amor da vida dela.

Antero segurou a mão de Nina com força:

— O que está dizendo? Como sabe disso? Ela lhe falou sobre mim?

— Sim. Mas continue. No final lhe contarei tudo.

— Eu sofri muito acreditando que ela não me queria. Eu estava noivo, conhecia Glória desde criança, nossas famílias desde cedo apoiaram nosso namoro. Quando ela foi embora, procurei reagir, dediquei-me a Glória e casei-me com ela.

Antero fez ligeira pausa e, notando que Nina ouvia com atenção, continuou:

— Minha mãe disse que ela decidiu deixar nossa casa porque queria ser livre para levar uma vida desregrada. Claro que não acreditei. Apesar do que houve entre nós, eu sabia que era uma moça direita. Imaginei que ela houvesse se apaixonado por outro e tivesse ido embora com ele. Confesso que foi difícil para mim imaginá-la nos braços de outro. Mas esforcei-me para esquecê-la.

— Você não a viu mais?

— Uma tarde, quando fui com Glória visitar minha mãe, ela estava no portão. Mas, assim que me viu, foi embora correndo. Eu queria ir atrás dela, saber se estava bem. Mas minha mãe me impediu. Não a vi mais.

— Então aconteceu o suicídio. Você não foi ao velório.

— Estava viajando. Minha mãe não me avisou. Fiquei sabendo alguns dias depois, quando regressei. Até hoje não me perdoo por não ter ido atrás dela naquela tarde.

— Sei como é isso. Tenho o mesmo sentimento. Não sei como vai reagir ao que vou lhe contar. Antes preciso dizer que a morte de Antônia tem me conduzido por um caminho que nunca imaginei.

— Como assim?

— Tentarei explicar. Um caminho do qual tentei fugir, mas agora, depois do que aconteceu, sinto que daqui para a frente terei que enfrentar.

— Não estou entendendo aonde quer chegar.

— Antes devo esclarecer que, embora eu intuitivamente imaginasse que a alma de quem morre deveria ir para algum lugar, nunca pensei que pudesse se comunicar conosco.

— Há quem acredite que os espíritos dos que morreram podem voltar para conversar. Por acaso... Antônia...

— Sim. Ela tem me aparecido em sonhos, pedindo ajuda. Vou contar-lhe como foi.

Nina falou sobre Dantas, sua família, especialmente sobre Marta, e narrou tudo quanto Antônia lhe havia dito através de Marta. Não ocultou nada. Quando mencionou o filho, Antero não conteve a emoção. As lágrimas desciam pelo seu rosto sem que ele conseguisse evitar.

Nina falava baixinho, sensibilizada pelo momento, escolhendo as palavras com cuidado. Antero ouvia atento o que ela dizia e a certa altura apanhou um lenço, tentando enxugar as lágrimas que teimavam em continuar caindo.

Nina fez uma ligeira pausa, depois disse:

— Não sei se estou fazendo bem em contar-lhe tudo isso, mas Antônia pediu ajuda para Eriberto. Não tenho como ajudar, mas você, que é o pai dele, pode fazer isso. Infelizmente, sua mãe não aceita esse menino. Ela me procurou para entrar na Justiça e provar que ele não tem direito a nada.

— Meu pai deveria ter me contado tudo. Minha mãe tem um gênio forte, está sempre reclamando. Meu pai é muito diferente. Eu pensei que a adoção do menino havia sido uma forma de compensar sua afetividade.

— Pelo que sei, ele prometeu a Antônia, jurou que nunca lhe contaria nada. Ela não queria atrapalhar sua felicidade.

— Ela não queria, mas atrapalhou. Eu a amava de verdade. Se houvesse se casado comigo, nada disso teria acontecido. Hoje estaríamos juntos, felizes, criando nosso filho.

— Antônia estava insegura, era inexperiente, adorava o tio, sabia que sua mãe não aceitaria o casamento de vocês, não desejou ser instrumento de desentendimento da família.

— Tem razão. Ela era muito tímida. Vivia em nossa casa contra a vontade de minha mãe, que não a poupava. Ao contrário, não perdia chance de diminuí-la, mesmo diante das pessoas. Eu também fui fraco. Aceitei a decisão dela como falta de amor, sem me lembrar das inúmeras provas de afeto que havia me dado.

— Agora tudo isso acabou. Você tem sua vida com sua esposa e precisa virar essa página.

— Há Eriberto. Ele é meu filho. Algumas vezes notei sua semelhança com Antônia, os mesmos olhos negros e brilhantes, o mesmo sorriso. Mas nesses momentos eu pensava estar fantasiando.

— O que pensa fazer?

— Assumir a paternidade. Eu posso, devo e quero cuidar dele.

— Quando eu soube a verdade, não pensei em procurá-lo. Fiquei apreensiva, porquanto desejava atender ao pedido de Antônia, mas não sabia como. O assunto é delicado. Eu não queria procurar vocês e contar essa história. Não sabia como reagiriam. Tanto Mercedes como Marta me acalmaram dizendo que eu não precisaria fazer nada. Que se a espiritualidade nos mostrara a verdade, proporcionaria as condições de ajudar-nos. Confesso que não acreditei muito nisso. Mas, quando nos encontramos naquela loja de forma tão inesperada, compreendi que era com você que eles queriam que eu conversasse.

— É verdade, sem falar que eu não costumo andar pela cidade naquele horário. Pensei que nosso encontro havia sido obra do acaso, mas agora percebo que uma força maior nos uniu.

Antero calou-se emocionado e Nina sentiu-se sensibilizada também.

— Estou descobrindo que a vida tem recursos que eu nunca havia imaginado e que ao nosso lado há sempre um amigo espiritual nos inspirando. É o que Marta sempre diz. Isso nos conforta.

— O que me conforta é saber que Antônia, apesar de seu ato de loucura, continua existindo em outro lugar, sentindo o mesmo amor que sentia por mim e por nosso filho.

— Já pensou como vai fazer para assumir a paternidade de Eriberto? Vai criar um problema com sua esposa e com sua mãe.

— Aconteça o que acontecer, terei que enfrentar. Errei muito com Antônia, estou pagando alto preço. Não posso continuar omisso e errar com Eriberto. Estou decidido, mas preciso pensar em como fazer, que providências tomar. Preciso abrir um processo de reconhecimento de paternidade. Como advogada, o que me aconselha?

— Primeiro, conversar com sua família. Eles precisam saber toda a verdade.

— Poderia falar com papai. Mas tenho quase certeza de que ele não vai concordar para poupar Glória e mamãe. Ele odeia discussões, ao contrário de minha mãe, que parece estar sempre brigando com tudo e todos.

— Posso fazer uma sugestão?

— Claro. Será um favor.

— Gostaria de apresentá-lo ao doutor Dantas e família. Eles estão acompanhando o caso e, além da experiência de vida que possuem, Marta poderá pedir orientação espiritual.

— Eu adoraria. Quando poderemos ir?

— Falarei com eles ainda hoje.

— Gostaria de ir vê-los esta noite. Sinto vontade de ir até a casa de meus pais, abraçar meu filho, levá-lo para minha casa. Sei que não devo fazer isso. Ele tem seis anos apenas, não desejo perturbá-lo.

— Precisa controlar a ansiedade. O bem-estar dele deve estar em primeiro lugar.

— Eu sei. Acontece que sempre desejei ter filhos. Nestes sete anos de casamento minha esposa teve dois abortos espontâneos. Na última vez, Glória correu sério risco de morte e, embora ela queira muito ter um filho, tenho procurado evitar. Pensei que nunca pudesse ser pai. Mas hoje descobri que tenho um filho, um menino lindo, saudável, inteligente. Fica difícil controlar o entusiasmo.

— Esperar um pouco mais não vai prejudicar. O importante é saber como conseguir o que pretende sem criar problemas maiores. Vou conversar com meus amigos e ligarei para você assim que tiver a informação. Agora preciso ir. Meu filho está me esperando.

— Está certo. Posso deixá-la em casa.

— Não é preciso. Meu carro está no estacionamento perto do escritório. Ficarei lá.

Ele pagou a despesa e saíram. Dentro em pouco ele a deixou na porta do estacionamento. Ao despedir-se, segurou a mão dela com carinho dizendo:

— Obrigado por tudo que tem feito por mim e por Antônia. Deus a abençoe.

Nos olhos dele havia o brilho de uma lágrima. Nina sentiu um calor brando no peito, sorriu e respondeu:

— Não agradeça. Com tudo isso, tenho aprendido mais do que você.

Ele se foi e Nina, uma vez no carro a caminho de casa, não conseguia esquecer aquele encontro. Por que a vida a colocara diante daquele caso? Por que a fizera presenciar a emoção de um pai que não sabia da existência do filho, sua alegria, sua vontade de cuidar dele?

Suspirou pensativa. André passara pela mesma coisa e reagira da mesma forma. O caso fora diferente. Ela havia sido abandonada, enquanto Antônia havia se recusado a casar com Antero. Mas, salvo esse detalhe, ambos estavam passando pelo mesmo problema.

André também não tinha filhos com Janete. Diziam que era ela quem não queria. De certa forma, esse fato a deixava satisfeita, porquanto ele a desprezara por causa de uma mulher aparentemente estéril.

Pensando bem, talvez fosse melhor que ele houvesse tido filhos, assim não ficaria tanto atrás de Marcos. Mas ao pensar nisso ela sentiu um forte aperto no peito. Era-lhe prazeroso perceber o interesse dele pelo filho.

Sentiu uma ponta de remorso. Estaria fazendo bem impedindo Marcos de conhecer o pai? Não estaria agindo apenas pelo desejo de vingança? Se um dia ele descobrisse que o pai estava vivo e que ela o impedira de vê-lo, aprovaria?

A esse pensamento, Nina estremeceu. Ele nunca poderia saber a verdade. Ela o ensinara a ser verdadeiro em quaisquer circunstâncias. Seria terrível saber que ela ocultara um assunto tão grave que dizia respeito a sua vida.

Por que fora envolver-se nesse caso de Antônia? O melhor seria apresentar Antero aos amigos e deixar que eles o orientassem. Era o máximo que poderia fazer. As providências que Antero iria tomar eram problema dele com a família. Depois das apresentações, daria sua parte por encerrada.

Decidida, assim que chegou em casa ligou para Mercedes informando-a de tudo, finalizando:

— Antero deseja conversar com vocês, pedir orientação espiritual. O que direi a ele?

— Traga-o amanhã a nossa casa, às sete e meia.

— Mas amanhã é dia da sessão. Não seria melhor outro dia?

— Não. Marta está me dizendo que é para vocês virem amanhã à noite.

— Eu também?

— Os dois.

Nina hesitou um pouco, depois disse:

— Está bem. Falarei com ele. Se aceitar, iremos.

— Estaremos esperando. É importante que ambos compareçam.

Depois que desligou o telefone, Nina ficou indecisa. Sabia que André costumava frequentar essa reunião. Não queria encontrar-se com ele. Por mais que se distanciasse, os fatos pareciam colocá-los frente a frente.

A maneira incisiva com que Mercedes falara a fizera entender que precisava acompanhar Antero. Por outro lado, seria melhor enfrentar André, mostrando-se indiferente. Sabia que isso teria que acontecer cedo ou tarde.

De nada lhe valeria fugir. Escolhera a mesma profissão dele querendo mostrar sua capacidade, seu valor. Agora que estava conseguindo, não podia voltar atrás. Se Antero concordasse em ir à sessão no dia seguinte, ela iria com ele.

Por outro lado, estava curiosa para ouvir a orientação que ele receberia. Se Antônia se comunicasse, ela gostaria de estar presente. Decidiu telefonar para Antero na manhã seguinte. Não gostaria de ligar para sua residência.

Mas Antero não conseguiu esperar que ela ligasse. Ligou depois do jantar. Estava ansioso para saber quando iria conhecer a família de Dantas. Nina explicou:

— Bem, falei com Mercedes e ela pediu para irmos amanhã à noite. Eles fazem uma sessão espírita, não sei se você deseja ir.

— Claro. Depois da nossa conversa é o que eu mais desejo.

— Nesse caso, iremos.

Combinaram que ele iria buscá-la às sete na noite seguinte. Mesmo sabendo que Renato iria, ela decidiu não levar Marcos. Ele era muito criança para preocupar-se com comunicação de espíritos. Depois, havia a presença de André.

Antero foi buscá-la na hora combinada e, quando chegaram, Mercedes os esperava no saguão, ao lado do marido. Depois das apresentações, ela disse:

— Está na hora, vamos nos acomodar.

Quando eles entraram na espaçosa sala onde se daria a sessão, as pessoas já se encontravam acomodadas, algumas ao redor da mesa, outras sentadas mais atrás. Sobre a mesa, alguns livros, flores, uma bandeja com copos e uma jarra com água.

Nina notou que André e Milena estavam sentados ao lado de Marta ao redor da mesa. Mercedes acomodou os dois nas cadeiras mais atrás e foi sentar-se ao lado do marido.

Nina notou que André a olhou sério e com olhar indagador. Sentiu vontade de rir. Antero era um homem bonito. Talvez ele tenha imaginado que houvesse uma relação afetiva entre eles. Ele nunca a havia visto em companhia de outro. Sentiu prazer em pensar nisso, apesar de nunca mais haver se envolvido com ninguém.

As luzes foram apagadas, a sala ficou em penumbra, iluminada apenas por uma lâmpada azul. Mercedes fez uma breve oração, pedindo a proteção divina e a assistência dos espíritos iluminados. Depois, as luzes foram acesas, Dantas apanhou um dos livros, pediu a uma senhora presente que o abrisse ao acaso, o que ela fez e entregou-o de volta. Dantas leu: "O Amor cobre a multidão dos pecados".

Tratava-se de uma mensagem de um amigo espiritual estudando o amor, com delicadeza, profundidade, falando do prazer que o espírito sente ao alcançar esse sentimento em toda a sua plenitude.

Terminava afirmando que amor é luz. Que quem ama dessa forma desfruta da alegria, tem motivação de viver. Deseja que o ser amado seja feliz, mas não se perturba quando isso não acontece e, mesmo que seu amor não seja correspondido, sabe esperar tempos melhores, porquanto tem certeza de que um dia aquele ser vai amadurecer e encontrar a felicidade.

Talvez para muitos ainda seja difícil entender esse sentimento, pela incapacidade de perceber que ainda carregam carências e pontos fracos que se misturam, turvando sua lucidez. Mas um dia todos amarão uns aos outros verdadeiramente e a humanidade encontrará harmonia e paz.

As luzes foram apagadas novamente e o silêncio se fez, apenas quebrado pelo som de uma música suave. De repente, Milena suspirou profundamente e disse:

— Estou feliz por estar aqui hoje, trazendo comigo uma pessoa que tem sofrido muito, deseja se comunicar, mas está muito emocionada. Peço a todos que nos ajudem, orando para que ela consiga.

O silêncio se fez por alguns minutos, mas, de repente, Marta gritou:

— Perdão! Quero pedir perdão! Eu errei... pequei contra a vida, mas eu pensei que acabaria com meu sofrimento, mas não... tudo ficou muito pior. Por favor, ajudem-me...

Ela soluçava em desespero e Milena, alisando a cabeça de Marta, disse:

— Calma, Antônia. Tudo vai passar e você vai melhorar.

— Eu estava iludida. Perdão. Ajudem meu filho, ele não tem culpa de nada.

Marta estremeceu e parou de chorar, enquanto Milena continuou:

— No momento ela não poderá continuar. Foi medicada e agora está descansando. Desejo agradecer a todos pela ajuda que nos deram. Eu também tenho minha parcela de culpa em tudo isso. Quando meu marido morreu, não me conformei. Eu estava grávida de Antônia e o amava muito. Sem entender o que a vida pretendia me ensinar com esse fato, entreguei-me à depressão. Mesmo depois que minha filha nasceu, muitas vezes eu chorava a ausência dele, sem entender que os relacionamentos obedecem às nossas necessidades de progresso. Eu ainda não sabia que um dia nos veríamos de novo. Cultivando a tristeza, a falta de motivação, acabei desenvolvendo a doença que me vitimou. Cheguei aqui como suicida, embora houvesse feito isso indiretamente. Ainda não me encontrei com Ernesto, como esperava, mas logo descobri o quanto estava errada abandonando minha filha em plena adolescência. Meu irmão cuidou dela com carinho, mas minha cunhada a odiou desde o primeiro dia. Hoje sei que elas viveram situações mal resolvidas em outras vidas. E eu que havia, antes de nascer, prometido ajudá-las a resolver esses assuntos nesta existência, não fiz a minha parte e acabei deixando-as entregues a si mesmas.

Lágrimas corriam pelas faces de Milena, que fez ligeira pausa, pouco depois continuou:

— Eu sabia que Antônia e o primo iriam se apaixonar, encontrar barreiras, mas também que havia possibilidade de se entenderem e tudo com o tempo se regularizar. Mas não. Minha filha iludiu-se, julgou-se menos, veio a gravidez e ela preferiu afastar-se. Depois que seu filho nasceu, pensei que esse menino a motivaria a enfrentar a situação, e que um dia ainda seriam felizes. Mas então meu irmão, desejando suprir o papel que o pai do menino não pudera fazer, assumiu tudo, levou a criança. Ela cedeu, mas morreu um pouco nesse dia. Nunca mais foi feliz e acabou fazendo o que fez. Foi preciso que eu lhes contasse tudo, porque há algumas pessoas presentes que precisavam saber, e desta vez eu espero que o que estamos fazendo não seja em vão. Obrigada por tudo. Temos um longo caminho de regeneração pela frente. Rezem por nós. Apesar de tudo, hoje foi um dia feliz, porquanto conseguimos ajudar minha filha. Ela precisa de um longo tratamento, mas estou certa de que um dia tudo estará bem. Antônia queria ficar. Nós lhe prometemos que, quando estiver melhor, a traremos novamente para ter notícias do filho. Devo esclarecer que, com essa promessa e a presença de alguém a quem ela ama muito e confia que vai ajudar o menino, finalmente ela aceitou o afastamento para se tratar. Um abraço agradecido da Bernardete.

Milena calou-se e fez-se um silêncio emocionado. Nina olhava de vez em quando para Antero, cujo rosto lavado em lágrimas, tanto quanto o dela, a fizera colocar a mão no braço dele como que para dar-lhe forças.

Através de uma senhora presente, um amigo espiritual fez uma preleção sobre o amor, a alegria, a harmonia e o perdão. Quando ela terminou, Dantas fez uma prece de agradecimento e encerrou a sessão.

As luzes foram acesas e as pessoas tomaram um pouco da água que estava sobre a mesa e foram saindo discretamente. André, visivelmente emocionado, não tirava os olhos de Nina e Antero, acanhado, mantinha os olhos baixos.

Milena aproximou-se de André dizendo:

— Vamos embora. Eles precisam conversar.

— Quem é esse moço? Por que está com Nina?

— Trata-se de um caso que estamos tentando ajudar. No caminho lhe contarei tudo.

— Eu quero conversar com Nina. Noto que ela está emocionada. As palavras que ouvimos nos tocaram muito. Talvez ela esteja mais acessível.

— Este não é o momento. Vamos deixá-la refletir. É preciso confiar e deixar as coisas acontecerem.

— É difícil esperar. Preciso agir, fazer alguma coisa.

— Contenha sua ansiedade. Mentalize luz, peça a ajuda espiritual e fique atento. A sabedoria da vida tem seus próprios caminhos. É bom aguardar que ela sinalize, então saberá o que e como fazer.

Milena pegou André pela mão e saíram. Embora contrariado, ele foi. Na sala ficaram apenas Nina e Antero. Marta aproximou-se:

— Meus pais estão se despedindo dos amigos e já virão. Como está se sentindo?

Antero respirou fundo e considerou:

— É difícil dizer. Ainda não me recuperei do choque. Esta noite tive a prova definitiva de que a vida continua depois da morte. Penso que, se todos tivessem essa certeza, a vida no mundo seria diferente.

— Um dia isso acontecerá. No momento nem todos estão preparados para receber esse conhecimento. É por esse motivo que a revelação é relativa e individual.

Os donos da casa voltaram e sentaram-se ao lado deles.

— Esta noite fomos abençoados com um trabalho maravilhoso, que comoveu a todos — tornou Mercedes.

— Diante do que Nina me havia contado, eu vim acreditando em vida após a morte, mas o que aconteceu aqui me impressionou demais. O sofrimento de Antônia, o amor de minha tia Bernardete, cujo sofrimento preocupou a família quando meu tio Ernesto morreu. Ela nunca aceitou a separação. Meu pai se preocupava muito com a tristeza dela, era sua única irmã. Nunca esquecerei esta noite.

— Eu também — murmurou Nina. — Vocês falavam de fatos que ocorriam durante as sessões, mas eu jamais pensei que fosse assim.

— Esta noite nós fomos muito felizes. Conseguimos um ambiente propício para que os espíritos de luz pudessem trabalhar. Nem sempre isso acontece.

— Há pessoas mal-intencionadas, que não fazem bom uso da mediunidade — disse Nina.

— Isso é verdade. Mas mesmo quando as pessoas são sinceras, de boa-fé, desejam o bem, há outras variáveis que podem dificultar a que as manifestações aconteçam com a clareza desta noite — esclareceu Antônio.

— Como assim? — indagou Nina.

— As energias de um ambiente sofrem várias influências. Das pessoas que residem no local, das que moram nas vizinhanças e até do ambiente social da cidade ou do planeta — respondeu Antônio.

— Pessoas vivas? — indagou Antero.

— Você quer dizer reencarnadas. Os que morreram continuam vivos. Mas os pensamentos, hábitos, atitudes, crenças das pessoas, encarnadas ou não, criam energias que circulam à nossa volta. Se prestar atenção, notará que há momentos em que o ambiente fica eletrizado, provoca inquietação. Pensamentos negativos nos invadem a contragosto, como que vindos do nada. Quando o ambiente está pesado, fica mais difícil aos espíritos iluminados aproximarem-se de nós — explicou Antônio.

— Cultivando o pensamento positivo, a prece, conseguimos melhorar o ambiente onde estamos, abrindo um espaço para que eles possam se manifestar, mas nem sempre o suficiente para que as comunicações dos espíritos sejam tão lúcidas como as de hoje — interveio Mercedes.

— Além do que — lembrou Antônio —, a maioria dos médiuns é consciente. Enquanto os espíritos comunicantes estão falando por meio deles, ficam com medo de errar. Muitas vezes, por causa disso, omitem nomes, datas, coisas que poderiam levá-los a se enganar.

— Eu pensei que os médiuns não tivessem consciência de nada — tornou Antero.

— Há médiuns inconscientes, mas são menos numerosos. A grande maioria é consciente, mas entre eles há vários níveis de consciência — disse Antônio.

— Nesse caso seria melhor que todos fossem inconscientes — disse Nina.

— Isso não é verdade. O médium inconsciente, ainda que tenha fé, confie nos espíritos, fica inseguro, porquanto teme ser usado por entidades perturbadoras. Já quando é consciente, pode bloquear se sentir que é alguma coisa ruim. Eu algumas vezes, conforme o momento, fico inconsciente, mas me permito trabalhar assim desde que esteja ao lado de meus pais — opinou Marta.

— Você pode controlar a mediunidade? — indagou Nina.

— Com o tempo vamos aprendendo quando segurar ou deixar ser. É um processo que não dá para explicar. Eu sinto, eu sei — respondeu Marta.

— Com relação aos fenômenos espirituais, ainda temos muito o que aprender. Cada pessoa tem seu próprio processo de evolução, de aprendizagem, níveis de sensibilidade e de consciência. O que posso dizer é que, quando despertamos para a necessidade de estudarmos a vida, a espiritualidade e, principalmente, quando adquirimos a certeza de que somos eternos, passamos a enxergar o mundo à nossa volta de maneira diferente. Tornamo-nos mais compreensivos, mais corajosos e confiantes na fonte da vida — esclareceu Antônio, cujo tom de sinceridade comoveu Antero.

— De fato — concordou ele. — Depois do que se passou aqui, não serei mais o mesmo. Estou ansioso para assumir a paternidade de Eriberto, mas não sei como fazer isso sem magoar minha esposa, meu pai e principalmente confundir a cabeça do meu filho. Mas sinto que não poderei deixar de fazer o que é de minha responsabilidade. Tia Bernardete frisou que Antônia confia em mim.

— O assunto é delicado. Você precisa refletir antes de tomar qualquer iniciativa. Não se apresse. Pense no amor que sente por esse filho e na vontade que tem de protegê-lo, amá-lo, ajudá-lo a conquistar a própria felicidade — sugeriu Mercedes.

— Se fizer isso, vai notar que surgirão em sua mente as primeiras providências que deve tomar — disse Marta.

— Talvez eles possam dizer a você o que eu devo fazer.

— Eles nunca farão isso, porque a tarefa é sua. Você é quem deve decidir o que fazer. Eles vão inspirá-lo, sugerir algumas alternativas.

— Mas eu não tenho a sua sensibilidade.

— Certo, mas possui a sua própria. Todas as pessoas têm a possibilidade de serem inspiradas pelos espíritos. Ninguém está só. Todos temos à nossa volta muitos amigos espirituais dispostos a nos inspirar bons pensamentos.

— Não corro o risco de ser enganado por espíritos menos evoluídos?

— Aí é que entra seu bom senso, seu discernimento, sua postura ética. Quem está no bem nunca aceitará uma ideia ruim que possa prejudicar alguém. Acredite que qualquer atitude que venha a tomar, neste ou em outros casos, a responsabilidade diante da vida será só sua. É por esse motivo que os bons espíritos nunca interferem diretamente em nossas decisões. Sugerem bons pensamentos e esperam que façamos nossas escolhas — finalizou Marta.

— O que não é nada fácil — comentou Nina, pensando em seus próprios problemas.

— Engana-se — respondeu Marta. — Por mais que esteja perdido nas ilusões do mundo, nosso espírito sente quando faz algo bom ou quando preferiu o mal. As energias são muito distintas, como que respondendo a nossa atitude. Acontece que quem está muito envolvido no negativo sente, mas não quer ver e acaba pagando um preço muito alto pela escolha ruim.

— Foi o que aconteceu a Antônia — disse Nina pensativa.

— Sim — interveio Antônio. — Ela se colocou na situação de vítima, alimentou um complexo de inferioridade, julgou-se fraca e acabou destruindo não só sua chance de felicidade como atentando contra o sagrado direito de viver. É triste reconhecer isso.

— Ela não era fraca, uma vez que não teve medo de se suicidar — lembrou Nina. — Além do que foi correspondida no amor. Meu caso foi muito pior, mas, se ela houvesse feito o que eu fiz, teria sido melhor.

— Certamente — aduziu Marta —, mas a força da vingança pode fazer alguém reagir, contudo não conduz à felicidade. Deixa sempre um vazio no peito, uma tristeza, indicando que é preciso perdoar. Só o perdão alivia e liberta o espírito.

Nina baixou a cabeça e não respondeu. Antero notou seu constrangimento e interferiu:

— Quer dizer que eu preciso refletir sobre tudo isso, pedir ajuda espiritual e esperar pela inspiração.

— Isso mesmo — disse Antônio.

Antero levantou-se dizendo:

— Vou tentar. Agora, penso que já abusamos demais da bondade de todos vocês. Temos que nos despedir.

— Foi um prazer conhecê-lo — tornou Mercedes. — Venha quando quiser.

— Posso vir na próxima sessão?

— Não apenas na sessão, mas sempre que quiser conversar um pouco. Teremos o maior prazer em recebê-lo — respondeu Antônio.

Eles se despediram e, uma vez no carro, Antero lembrou:

— Eu estou tão envolvido em meu drama pessoal e não pensei que você pode estar também precisando de um amigo. Suas palavras ainda há pouco deixaram transparecer isso.

— De fato. Também estou vivendo um dilema doloroso.

— Depois do que fez por mim, saiba que tem um amigo pelo resto da vida. Se eu puder ajudar de alguma forma, disponha.

— Obrigada. Talvez um dia eu lhe conte tudo. O que se passou esta noite mexeu muito comigo. Não tenho condições de falar no assunto.

— Entendo. Estarei à sua disposição quando desejar. Pretendo vir na próxima sessão. Se quiser, poderemos vir juntos.

— Ainda não sei se virei. Mas agradeço o convite de coração.

O carro parou na porta da casa de Nina; eles se despediram com um aperto de mão. Ela entrou e foi direto para o quarto. Preparou-se para dormir.

Uma vez deitada, lembrou-se de tudo quanto havia acontecido e se perguntou mais uma vez por que a vida a teria colocado ao lado de Antero, que estava vivendo um problema quase igual ao dela.

Diante de todos os antecedentes desse caso, ela percebia claramente haver uma força maior direcionando tudo. Seu conhecimento com Antônia, a presença inesperada de Antero naquela loja, ela sendo escolhida para contar-lhe a verdade e, agora, a decisão dele de assumir a paternidade do filho.

Ela sentia que tudo isso lhe fora mostrado para que ela repensasse seu próprio caso. Mas Nina não queria ceder. Não para André, que a trocara por outra quando ela mais precisava de seu apoio.

Atormentada por esses pensamentos, custou a dormir. Só muito tarde, cansada, finalmente conseguiu pegar no sono, um sono pesado, sem sonhos.

André deixou a casa de Dantas a contragosto. Assim que entraram no carro, ele não se conteve:

— Por que você me tirou de lá daquele jeito? Uma hora terei que conversar com Nina sobre nosso filho. O momento e o local seriam ideais. Depois, não gostei do sujeito que estava com ela.

— Acalme-se, André. O doutor Antero é um bom rapaz e está passando por um problema difícil. Aliás, muito parecido com o seu.

— Como assim?

— É uma longa história que vou lhe contar quando você estiver em condições de me ouvir.

— Você viu a intimidade de Nina com ele?

— Não vi nada de mais. Ela estava comovida e tentava confortar o moço. Depois, não gostei do tom de sua voz. Você fala como se ela lhe devesse explicações sobre suas relações de amizade. Nina é uma mulher livre, enquanto você é um homem casado. Noto que está com ciúmes.

André mordeu os lábios irritado.

— O que é isso? Você também está contra mim?

— Claro que não, e você sabe disso. Eu notei como você ficou quando viu os dois entrarem.

— Deu para notar? Eu não esperava vê-la com outro.

— Garanto a você que Nina não tem nada com Antero. Mas essa é uma realidade que terá de aceitar. Nina é uma mulher linda, fina, respeitada. Algum dia vai encontrar alguém e refazer sua vida.

— O que me preocupa é meu filho. A ideia de que ele pode vir a ter um padrasto me faz mal.

— Cuidado. Sinto que em seu coração ainda há uma chama do amor que nutriu por ela.

— É impressão sua. O que me interessa é meu filho. Apenas isso.

— Nesse caso, não preciso lhe falar sobre o caso de Antero.

— Você prometeu. Estou curioso.

Milena sorriu e disse:

— Está bem. Vou lhe contar. Quando Nina começou a trabalhar no escritório do doutor Dantas, tinha uma colega chamada Antônia, que um dia se trancou no banheiro e se suicidou. Nina era amiga dela e ficou muito abalada, principalmente porque ninguém sabia de sua família.

O carro parou em frente à casa e Milena pediu:

— Vamos entrar, depois eu lhe conto o resto.

Eles entraram e pretendiam ir direto ao quarto dela, mas os pais estavam na sala e vendo-os foram abraçá-los. Depois dos cumprimentos, Andréia perguntou:

— Afinal, aonde vocês foram?

— Visitar alguns amigos — respondeu prontamente Milena.

— Que amigos, posso saber?

Desta vez quem respondeu foi André:

— Um amigo meu, advogado. Eles têm uma filha da mesma idade que Milena e elas são muito amigas.

— Milena tem amigas? — estranhou Andréia.

Romeu interveio:

— Por que não as teria, Andréia? Peça à criada para nos trazer um café.

Quando Andréia deixou a sala um pouco contrariada, Romeu continuou:

— Sabem como sua mãe é curiosa. Quanto a mim, fico muito feliz quando os vejo juntos. Tenho notado que Milena está mais calma, mais alegre.

— É verdade, papai. André tem me auxiliado muito. Sou muito grata a ele — respondeu Milena, abraçando o irmão.

— Eu descobri que tenho uma irmã maravilhosa. Lamento não haver percebido isso há mais tempo. — E, voltando-se para ela, ele perguntou: — Você não ia me mostrar aquele livro em seu quarto? Deixe o café para depois.

— É verdade. Vamos subir.

Quando Andréia voltou, olhou em volta decepcionada:

— Onde eles estão?

— No quarto de Milena. Ela foi mostrar-lhe um livro.

— Não sei a causa de tantos mistérios. Todas as semanas no mesmo dia e horário, André sai com Milena. Nunca dizem aonde vão. Falei com Janete, mas ela também não sabe de nada. Quando estão em casa, ficam conversando no escritório a portas fechadas ou no quarto dela. Está acontecendo alguma coisa com eles e eu preciso descobrir o que é.

— Não está acontecendo nada. Milena tem estado bem nos últimos tempos, e eu acho que é graças a André, que a tem levado para passear, conhecer seus amigos.

— Por que então não convida Janete para essas visitas?

— Porque ela iria atrapalhar.

— Que horror, Romeu. Ela é a esposa dele.

— Mas Milena nunca se deu muito bem com ela. Aliás, não sei se você notou, mas ela ignora nossa filha. Para Janete, é como se ela não existisse. Mal a cumprimenta.

— Pudera. Depois de algumas tentativas, cansou. Já esqueceu o quanto nossa filha é desagradável quando quer? Vou subir e chamá-los para o café.

— Vamos esperar. Vão descer logo.

Andréia apanhou uma revista e sentou-se novamente, contrariada. Romeu, por sua vez, apanhou o livro que deixara sobre a mesinha e mergulhou na leitura.

Milena entrou no quarto com André, fechou a porta à chave e comentou:

— Mamãe não aguenta mais de curiosidade. Mas ainda não quero que ela saiba de nada. Quando descobrir aonde vamos, vai fazer uma cena e eu não estou disposta a perder minha paz. Sinto-me tão bem!

— Um dia teremos que contar. Acho que papai, pelo menos, poderia saber.

— É. Ele é diferente dela. Mas ainda é cedo. Vamos esperar um pouco mais.

— Como quiser. Mas estou ansioso para saber o resto da história.

Acomodaram-se e Milena contou tudo que sabia. À medida que ia falando, André se emocionava mais. Quando ela finalizou, ele não se conteve:

— Quer dizer que aconteceu com ele o mesmo que comigo. A situação é a mesma.

— Foi o que dissemos à Nina. Mas ela alega que não.

— Como não?

— Disse que Antero propôs casamento a Antônia. Foi ela quem recusou. Mas que você a enganou, traiu e desprezou.

— Ela não pode dizer isso. Eu não sabia que ela tinha tido esse filho.

— Mas sabia que ela estava grávida. Logo...

— Pensei que depois de tudo ela houvesse dado um jeito...

— Nem fale uma coisa dessas, que fica pior. Nina é uma moça valente que assumiu sozinha as consequências desse relacionamento.

— Está certo. Eu errei, mas quero corrigir o erro. Ela não pode me impedir de assumir meu filho. Às vezes penso que você está do lado dela, contra mim.

— Não é verdade. Desejo de todo coração que você consiga o perdão de Nina e o amor de seu filho. Mas é preciso reconhecer que você agiu mal, ela sofreu, lutou, e o que mais me preocupa é que ela disse ao filho que o pai morreu.

— Ela nunca deveria ter dito isso.

— Você preferia que ela houvesse contado que você os havia abandonado para casar-se com outra?

André passou a mão nos cabelos como para afastar os pensamentos desagradáveis.

— De fato, reconheço que o caso é delicado. Por essa razão é que ainda não o procurei para contar-lhe a verdade.

— Há que se pensar no bem-estar dele.

— Eu sei. Mas Nina não deseja nem ouvir falar nisso. Assim fica difícil. Já pensou se eu tiver que recorrer à Justiça para reclamar a paternidade?

— Você não vai fazer isso! Somos pessoas de fé. A vida tem sabedoria e amor para nos ajudar a resolver esse caso de uma forma melhor para todos.

— Não sei se posso esperar por isso. Quanto mais penso no passado, mais noto o quanto errei. Estou arrependido, mas não sei se mereço a ajuda espiritual.

— Você está sendo sincero. Vamos confiar.

— Se eu pudesse voltar atrás, teria me casado com Nina. Eu a amava muito. Não sei como pude agir daquela forma.

— Talvez já tenha aprendido a lição que precisava, porquanto acho que os espíritos já o estão ajudando.

— Acha mesmo?

— Claro. Por que Nina foi envolvida no caso de Antero? Não será esse o jeito de fazê-la olhar o que lhe aconteceu de uma maneira diferente? Ela ficou muito comovida. Tenho certeza de que deve estar pensando muito no assunto. Vamos rezar, confiar e esperar.

— Você tem o dom de me acalmar. Estou me sentindo melhor.

— Lembre-se de que nós não estamos sozinhos. A nosso lado há sempre um espírito de luz a nos inspirar.

André beijou-a na testa sorrindo:

— Ainda bem que você está me ajudando. Agora, vamos descer e tomar aquele café com mamãe. Ela deve estar inquieta à nossa espera.

Milena riu divertida. Os dois desceram as escadas de mãos dadas e Andréia olhou-os admirada.

— Ainda é tempo de tomarmos esse café? — indagou André sorrindo.

— Claro. Mandei servir na copa. Quero que experimentem um bolo delicioso que Maria fez.

Eles a acompanharam, e, depois que se acomodaram, Andréia os serviu com alegria e sentou-se por sua vez para conversar. André e Milena trocaram um olhar malicioso. Eles sabiam o que ela queria, mas não lhe deram chance de perguntar nada.

Enveredaram por assuntos triviais, sempre tão a gosto de Andréia, sem lhe dar tempo de fazer perguntas. Tomaram café, comeram uma fatia de bolo e André despediu-se, enquanto Milena, dizendo-se com sono, foi para o quarto.

Romeu havia se recolhido e, assim que se viu sozinha, Andréia apanhou o telefone e ligou para Janete.

— Estou ligando porque aconteceu novamente esta noite. André saiu com Milena e voltaram no mesmo horário. Ele não lhe disse aonde foram?

— Não. Nos últimos tempos ele mal conversa comigo. O que será que está acontecendo? Não estou suportando mais esta situação. Estou pensando em falar com papai para intervir. André está passando dos limites.

— Não acho uma boa opção. Você sabe como ele é. Quando se irrita fica pior.

— Não posso fazer de conta que está tudo bem. Qualquer dia destes posso ter alguma surpresa desagradável. Então poderá ser tarde demais para tomar providências.

— Você está me assustando! Eles podem não estar fazendo nada de mais. Afinal, ele está saindo com a própria irmã. Não há motivo para ficar tão nervosa.

— Se fosse só isso, não estaria do jeito que estou. O que me preocupa é que ele mudou comigo. Não conversa, não sai junto, está sempre triste, com ar de preocupação.

— Estará com alguma problema nos negócios?

— Meu pai garante que não, mas no escritório notaram que ele anda diferente, preocupado, nervoso. Eu sei que está acontecendo alguma coisa. Ninguém muda assim do nada.

— Talvez seja melhor colocar logo o detetive particular atrás dele para descobrir algo.

— Para dizer a verdade, eu já fiz isso durante três dias, mas não descobrimos nada. Achei que era perda de tempo...

— Então não sei o que dizer. Noto que Milena deve saber de tudo, mas não conta nada.

— Você podia conseguir que ela contasse o que sabe.

— Ela é uma pessoa difícil. E nos últimos tempos ficou mais evasiva. Não consigo arrancar nada dela.

— Tente, Andréia. Afinal é sua filha, deve saber um jeito de fazê-la se abrir.

— Acho difícil. Em todo caso, vou tentar e se souber de alguma coisa eu ligo.

— Estarei esperando. Estou ouvindo o barulho do carro. André deve estar chegando. Vou desligar. Obrigada pelo aviso.

Ela desligou, sentou-se na sala folheando uma revista. André entrou, cumprimentou e ia subir, mas Janete o deteve:

— André, preciso conversar com você.

— É tarde. Estou cansado. Amanhã tenho de levantar cedo.

— Fiquei esperando até agora e espero que me ouça.

— Aconteceu alguma coisa?

— Você é quem vai me dizer. Não estou suportando mais esta situação. Você mudou muito. Isolou-se de nossos amigos, não vamos mais a lugar nenhum. Quando está em casa não conversa, parece zangado, nervoso. O que está acontecendo?

— Nada.

— Não pode ser. Ninguém muda assim de uma hora para outra. Você parece outra pessoa.

— Eu sempre fui assim, não gosto muito de visitas formais, conversas frívolas, desinteressantes.

— Você nunca me disse isso e me acompanhava a todos os lugares.

— Mas eu cansei. Descobri que não gosto de ir a certos lugares nem da companhia de certas pessoas.

— Em sociedade não podemos agir assim. Você tem uma carreira para zelar. Precisa manter bons relacionamentos. Não pode viver como um bicho do mato. Se continuar assim, logo estará esquecido e pobre.

— Não se preocupe. Temos um bom patrimônio. Se isso acontecer, deixarei tudo para você.

— Não diga isso nem brincando.

— Vou subir, estou cansado, quero dormir. Boa noite.

— Ainda não terminei. Por que me trata assim?

— Não a estou tratando mal. Acontece que estou cansado, é tarde e quero dormir.

André deu meia-volta e antes que ela tivesse tempo de responder apressou-se em subir as escadas.

Desolada, Janete sentou-se em uma poltrona, pensativa. Lembrou-se dos tempos de namoro, quando ela, muito apaixonada e com a conivência de Andréia, envolvia-o de todas as maneiras, arranjando festas, compromissos, situações para mantê-lo a seu lado.

Isso não estava adiantando mais. André parecia ter voltado a ser como no início do namoro, quando Andréia fazia tudo para juntar os dois e ele sempre encontrava um jeito de escapar.

Houve uma época em que ela imaginou que nunca conseguiria conquistá-lo, mas com o tempo acabou conseguindo. Às vezes ela se irritava notando que André não era ambicioso. Não desejava conseguir fama, poder.

Janete pensava diferente. Gostava de ser importante, de gastar sem se importar com o montante, ser paparicada por joalheiros, colunistas sociais, aparecer nas revistas de moda e na televisão.

Várias vezes seu pai comentara a falta de interesse de André em cultivar amizades de pessoas importantes. Eles acreditavam que isso era fundamental para subir na vida.

Naquele momento, Janete começou a pensar em quanto seu amor por André a havia prejudicado. Se não estivesse tão apaixonada a ponto de esquecer suas prioridades, teria notado que ele se satisfazia com uma vida medíocre.

Mas ela não estava disposta a aceitar uma situação dessas. Faria tudo para que ele reagisse, mas, se ele continuasse agindo assim, seria preferível a separação.

Ao pensar nisso, estremeceu. Ela o amava. Não queria separar-se dele. Precisava encontrar um jeito de fazê-lo repensar e voltar atrás. Ela sempre fora uma mulher de sorte. Haveria de conseguir o que desejava. Precisava dormir, descansar.

Pensando assim, foi se deitar e, mais calma, logo conseguiu adormecer.

***

No dia seguinte, Antero se levantou e, quando desceu para o café, Glória o esperava. Ele a cumprimentou, sentou-se, serviu-se de café com leite, pão com manteiga, começou a comer e notou que ela, sentada em sua frente, não se serviu.

— Não está com fome?

— Estou enjoada. Preciso esperar passar. Agora não posso ficar sem comer.

Antero olhou-a preocupado.

— Acho melhor ir ao médico para uma consulta. Todas as manhãs você está enjoada. Isso não pode continuar.

— Não preciso de médico. Na gravidez é comum sentir enjoo pela manhã. Vai passar.

Antero colocou a xícara no pires, e com a mão sobre a dela disse:

— Você fez um exame na semana passada e deu negativo. Não está grávida.

— O médico está enganado. Esse exame não foi bem-feito e até pode ter sido trocado no laboratório. Eu sei que estou grávida. Tenho todos os sintomas. Esqueceu que já estive grávida duas vezes?

— Não. Mas deve se lembrar que o médico disse para não ficarmos preocupados excessivamente com a gravidez. Em nosso caso seria conveniente dar um tempo, esquecermos a ideia de termos filhos, porque a ansiedade atrapalha o processo.

— Você não entende! Eu sei que sou capaz de ter um filho, tanto que já estou grávida e desta vez vai dar tudo certo.

Antero olhou-a penalizado e resolveu contemporizar.

— Mesmo assim. Se você estiver certa, mais um motivo para relaxar, não ficar só pensando nisso. Tente distrair-se, pensar em outras coisas.

— Não consigo. Nove meses passam depressa e eu preciso estar com tudo pronto para quando ele chegar.

— Você já comprou enxoval, preparou o quarto, falta muito pouco. Em um mês compraremos tudo.

— O que me deixa nervosa é perceber que você não acredita que nosso filho vai chegar. Acha que estou mentindo?

— Não. Sei que está sentindo os sintomas. Só acho que precisamos esperar e, nesse meio-tempo, você precisa se distrair.

Antero levantou-se, despediu-se da esposa, foi para o escritório de sua empresa. Precisava pensar em Eriberto. O tempo resolveria o problema da esposa. Um dia, ela teria que se render à verdade. Iria sofrer, mas teria que se conformar.

Uma vez em seu escritório, recomendou à secretária que só o interrompesse em caso de urgência. Sentou-se em uma poltrona e rememorou todos os acontecimentos.

Ele mantinha um bom relacionamento com o pai, que sempre fora companheiro e cuja generosidade ele conhecia muito bem. Decidiu que o primeiro passo seria conversar com ele e dizer-lhe o que desejava fazer.

Ligou para o consultório e a secretária informou que ele só estaria livre a partir das quatro da tarde.

— Diga-lhe que passarei em seu consultório nesse horário. Tenho um assunto importante a tratar com ele.

— Darei o recado.

Antero desligou, chamou sua secretária e informou:

— Vou estar aqui até as três e meia. Pode me passar tudo que tenho para resolver hoje?

— Tem uma reunião com fornecedores marcada para esse horário.

— Transfira para a semana que vem. Não é urgente. Pode esperar.

Faltavam cinco minutos para as quatro quando Antero entrou no consultório do pai. Artur estava sentado atrás da mesa, escrevendo. Vendo-o entrar, levantou-se sorrindo:

— Que bom vê-lo! Está tudo bem com você?

— Está. Precisamos conversar sobre um assunto importante.

— Aconteceu alguma coisa?

— Quero falar com você sobre Eriberto. Sei que ele é meu filho e de Antônia.

Artur abriu a boca, fechou-a de novo, deixou-se cair na cadeira, olhando-o assustado:

— Quem lhe disse isso?

— Vou lhe contar toda a história, mas é verdade, não é? Eriberto é meu filho!

Artur levantou a cabeça olhando Antero nos olhos e respondeu:

— Sim. Ele é seu filho com Antônia. Mas como é que soube disso? Esse é um segredo meu e dela. Nunca contei a ninguém. Registrei-o em meu nome.

— Pai, o que vou contar-lhe me surpreendeu muito. Mudou minha forma de ver a vida. Você se lembra que fui assaltado há alguns dias?

— Sua mãe me contou.

— Pois bem, na loja em que o ladrão foi preso, estava uma moça comprando um presente de aniversário para uma amiga. Ela ficou presa entre o assaltante que estava armado e a polícia que o prendeu. Eu me apresentei a ela, agradeci seu interesse. Tratava-se de uma advogada, deu-me seu cartão, perguntou se eu era parente de Olívia Fontoura. Respondi que era minha mãe e ela contou-me que fora amiga de Antônia, trabalhavam no mesmo escritório, que foi onde ela se suicidou.

— Que coincidência!

— Já vai ver que foi mais do que uma simples coincidência. Convidei-a para tomar um café, ela aceitou. Eu estava viajando quando Antônia se matou e nunca soube por que isso aconteceu.

Artur ouvia com interesse e Antero narrou tudo quanto sabia e, à medida que falava, Artur não continha a emoção, lutando para impedir as lágrimas que teimavam em cair.

Antero finalizou:

— O que você fez pelo meu filho não tem preço, nunca me esquecerei. Mas ao mesmo tempo lamento que não houvesse me contado a verdade.

— Antônia o amou muito. Ela pensava que você e Glória se amavam muito. Namoravam desde crianças e que ela era uma intrusa que estava estragando sua felicidade. Renunciou a você, da mesma forma que renunciou ao filho quando pensou que eu tinha mais condições do que ela de torná-lo feliz.

— Só que ela não aguentou e acabou fazendo o que fez. Agora é tarde, não há nada que eu possa fazer com relação a ela, mas devo dizer-lhe que eu amo Antônia muito mais do que Glória. E hoje seria mais feliz se estivéssemos casados, criando nosso filho. Desde que soube de seu suicídio, tenho me culpado por não a ter procurado para saber o que estava acontecendo, por que havia ido embora de nossa casa. Mas eu não fiz nada. Pensei que ela não me amasse o bastante para enfrentar mamãe e assumir nossa vida.

— Eu fui testemunha do quanto ela sofreu. Nunca se queixou, mas eu notava o brilho de seus olhos quando falava em você, no filho que estava esperando. Que pena! Se eu soubesse que você a amava tanto, tudo teria sido diferente. Ela foi embora de casa para não ver você ao lado de Glória.

Antero não respondeu logo. As palavras do pai, confirmando tudo que ele já sabia, deixavam-no enternecido, num misto de alegria e tristeza. Finalmente disse:

— Eu quero assumir a paternidade de Eriberto.

Artur olhou-o em silêncio por alguns instantes. Depois respondeu:

— É um direito seu e dele. Já pensou nos problemas que vai encontrar? Glória pode não aceitar. Sua mãe, com certeza vai odiar, mas ela eu posso contornar.

— Estou disposto a enfrentar todas as consequências. A responsabilidade é minha e preciso assumi-la.

— Temos que pensar a melhor maneira de fazer isso. Eriberto sabe que eu o adotei, mas pensa que o pai morreu. Ele tem apenas seis anos. Precisamos ser cuidadosos.

— Eu sei. Preciso conversar com Glória, contar-lhe tudo e não sei se o momento é oportuno. Ela está com um problema psicológico. Sente todos os sintomas de gravidez, mas fizemos exames na semana passada e ela não está grávida. O médico disse que é gravidez psicológica. Ainda hoje cedo ela estava enjoada. Tentei conscientizá-la, mas foi inútil. Ela não me ouve.

— Talvez contando-lhe a verdade ela saia dessa ilusão.

— É, pode ser. Vou pensar um pouco mais. Meus novos amigos me aconselharam a pedir inspiração espiritual.

— Para isso é preciso ter um dom especial.

— Eles garantem que qualquer pessoa que deseje fazer o bem, que peça com sinceridade a ajuda espiritual, será auxiliada. Ideias surgirão em sua mente, frases inspiradoras serão lidas ou ouvidas, enfim, de uma forma ou de outra, ela encontrará o que precisa. Basta ficar atenta.

— É uma maneira original que pode funcionar. Eu mesmo, quando estou diante de algum caso complicado em que não tenho certeza do que fazer, procuro relaxar, ficar calmo, esperar e, de repente, alternativas começam a aparecer do nada. O engraçado é que nessa hora eu sei exatamente o que pode funcionar e o que não.

— Isso quer dizer que a ajuda para o caso chegou. E, pelo que ouvi meus amigos contar, algum espírito de luz, interessado em auxiliar o paciente, inspirou-o.

— Contudo, há alguns casos graves em que não consigo nada. Tenho que render-me à doença. É uma sensação de derrota muito triste, assistir ao sofrimento de uma pessoa e não poder aliviá-la. A cegueira é triste; quando acompanhada de dor é difícil conviver.

— Tudo isso para mim é novo. Não saberia explicar por que a ajuda funciona em alguns casos e em outros não. Meus amigos afirmam que a ajuda espiritual está presente em qualquer hipótese. Até para os criminosos.

— Antônia era uma moça boa. Mas cometeu suicídio. A igreja diz que esse crime não tem perdão, mas ela, apesar de estar em sofrimento, recebeu ajuda. Conseguiu proteger o filho até depois de morta.

— Ela estava arrependida, rezou, pediu ajuda, foi sincera e obteve. É o que vou fazer. Rezar e esperar para não tomar uma decisão precipitada.

— Gostaria de conhecer esses seus amigos.

— Irei à casa deles na próxima semana para a sessão.

— Depois do que me contou, gostaria de ir com você.

— As reuniões são reservadas. Apenas alguns familiares e amigos. Vou telefonar perguntando se você pode ir.

— Tenho ouvido falar muito em vida após a morte. Vários clientes obtiveram melhora significativa recebendo ajuda em um Centro Espírita. Houve alguns casos que de forma alguma poderiam ser explicados do ponto de vista médico e me impressionaram. Mas sabe como é, nós somos muito racionais, o que torna difícil aceitar o que é subjetivo.

— Eu também na faculdade tive um amigo que via os espíritos, fazia previsões, muitas das quais se realizavam, mas eu nunca o levei a sério. Ele estava certo e eu perdi muito tempo. Marta me disse que há livros científicos interessantes e eu vou estudá-los. A ideia de que a vida continua depois da morte muda nosso modo de ver, abre novos horizontes ao pensamento humano.

— Diante do sofrimento que assisto no hospital todos os dias e da nossa impotência, fui perdendo a alegria que trazia na juventude. Até o ideal de lutar contra a dor humana perdeu o significado. Tornei-me amargo, deprimido, mais frio com os pacientes para me proteger da dor. Parece uma luta sem remédio, a qual nós todos sempre perdemos.

— Não sabia que se sentia assim.

— Tenho me perguntado exaustivamente o porquê de tantas desigualdades sociais e físicas. Não encontrei resposta. Hoje, diante do que me contou, sinto que a vida deve ser muito mais do que imaginamos e que talvez um dia eu possa encontrar as respostas que procuro.

— Outras dimensões onde a vida continua... para onde foram as pessoas que morreram, deixando em nossas vidas a tristeza da perda. Mas, se elas continuam vivendo em outro lugar, um dia nos encontraremos de novo. Acabou a dor do "nunca mais". A separação é apenas temporária.

— Pensando assim, tudo muda. Talvez a morte não seja uma derrota, conforme eu pensava, mas apenas uma mudança, uma transformação. Já pensou no alcance disso em nossa sociedade?

— Pensei, sim, e muito. Hoje mesmo vou telefonar para o doutor Dantas e pedir que o receba.

Os dois continuaram conversando animadamente por mais algum tempo. Depois, como Artur já havia terminado seu trabalho, ambos saíram. Tendo combinado que diante de qualquer novidade Antero telefonaria, despediram-se e cada um foi para sua casa.

18

O telefone tocou várias vezes. Olívia procurou a criada, mas não a viu por perto. Aonde teria ido? Não gostava de atender sem saber quem estava do outro lado da linha. Além disso, não era de bom-tom a dona da casa atender. Como ele continuasse tocando, ela atendeu irritada.

— Alô.

— É Janete Cerqueira César. Como vai?

— Mais ou menos. Ainda bem que me ligou. Não estou nada bem. Mas cada um precisa carregar sua cruz — lamentou-se ela.

— É verdade. Aqui em casa as coisas estão cada dia pior. Estive conversando com a Maria Helena, lembra-se dela?

— A esposa do doutor Lacerda, que está se separando?

— Sim. Somos amigas desde criança, você sabe. Ela me contou que ele voltou para casa, pediu perdão e ela, claro, perdoou.

— Depois de encontrá-lo com outra?

— Foi. Ele estava de cabeça virada, largou tudo por causa dessa mulher. — Janete fez ligeira pausa, depois continuou em tom de mistério: — O que me interessou é que ela foi a uma cartomante, dessas que usam aquele baralho cheio de figuras.

— Tarô?

— Esse mesmo. Fez uma reza especial e a paixão esfriou, ele se arrependeu e voltou para casa. Vão viajar para a Europa em segunda lua de mel. Ela está feliz como nunca.

— Sempre foi louca por ele! Vamos ver se ele não apronta de novo.

— As coisas aqui em casa estão piorando a cada dia. Eu pensei em ir até lá fazer uma consulta. Na semana passada, quando nos encontramos no chá de Elisa, você me contou seu problema e eu pensei que talvez quisesse ir comigo. Assim poderia descobrir essa história mal explicada desse menino que o doutor Artur adotou e você foi forçada a engolir.

— Eu gostaria. Mas será que ela é boa mesmo?

— Maria Helena disse maravilhas. Ela falou tudo sobre sua vida.

— Quando você vai?

— Marquei para amanhã. Os horários dela estavam todos tomados, mas eu não queria esperar, insisti e finalmente consegui. Ela abriu uma exceção e vai me atender fora do horário.

— Eu gostaria de ir.

— Eu sabia que você ia querer. Marquei para nós duas, mas fiquei de ligar confirmando. Deveremos estar lá às seis. Passarei em sua casa às cinco e meia.

— Estarei esperando.

Na tarde do dia seguinte, Janete compareceu pontualmente na casa de Olívia, que a esperava, e se dirigiram ao local da consulta. O carro parou diante de um prédio de luxo nos Jardins.

Janete deu o nome na portaria e em seguida foram convidadas a subir. Uma vez no andar indicado, encontraram o número e tocaram a campainha. A porta abriu e um rapaz elegante as convidou a entrar.

Era uma sala muito bem decorada, e ele disse:

— Sentem-se, por favor. Desejam tomar uma água, um café?

— Não, obrigada — respondeu Janete.

— Madame Olga está se preparando para atendê-las. Quem irá primeiro?

Elas se entreolharam e Olívia decidiu:

— Vá você, Janete.

Ela concordou, ele curvou-se ligeiramente e deixou a sala.

Elas cochicharam, comentando o bom gosto da decoração. Pouco depois o rapaz voltou e pediu para Janete o acompanhar. Ela obedeceu.

Quando ele abriu a porta e Janete entrou, a sala estava em penumbra, iluminada apenas por uma luz violeta. Em um aparador, algumas velas acesas davam ao local um toque de mistério. Flores sobre uma mesa e nas paredes, alguns quadros com deuses chineses e egípcios.

Atrás de uma mesa coberta por uma toalha de veludo vermelho, com franjas de vidrilho, sobre a qual havia duas grandes pedras, uma de cristal e outra de ametista, um castiçal também de cristal com uma vela acesa cuja chama tremulava, estava uma mulher de meia-idade, olhos vivos, roupas elegantes, que indicou a cadeira à sua frente para que Janete se sentasse.

Um cheiro forte de incenso e um perfume que Janete conhecia, mas de pronto não conseguiu identificar, davam ao ambiente um toque oriental.

Madame Olga olhou fixamente para Janete por alguns segundos, depois abriu um saco de veludo vermelho e tirou um baralho. Suas mãos bem tratadas e cheias de anéis, que brilhavam aos reflexos das velas, impressionaram Janete, que aguardava suas palavras sustendo a respiração.

Colocou o maço de cartas a sua frente e pediu:

— Corte três vezes com a mão esquerda.

Depois, ela juntou novamente as cartas e começou a colocá-las sobre a mesa lentamente. Quando julgou conveniente, parou, colocou o maço de cartas ao lado e disse:

— Você está descontente com sua vida. As coisas não estão mais correndo como deseja. Seu relacionamento afetivo está comprometido.

— É verdade. Meu marido mudou muito nos últimos tempos.

— O pensamento dele está em outra mulher.

— Então é verdade! Bem que eu desconfiei. Quem é ela?

— Ele está preso ao passado. Tem sérios compromissos com ela de outras vidas.

— Você vai me ajudar a tirar essa mulher do caminho. Foi para isso que vim até aqui.

— Vamos ver o que podemos fazer.

Ela embaralhou as cartas, pediu que Janete as cortasse e as colocou novamente sobre a mesa. Olhou-as atentamente. Depois, fixando Janete, disse:

— Não se pode arrumar o que começou errado. Seus caminhos são diferentes. O destino dele não é com você.

— Não pode ser. Somos casados. Ele tem que ficar comigo.

Madame Olga olhou-a fixamente e respondeu:

— Ele estava destinado a outra pessoa. Você cortou o caminho dele. Isso nunca dá certo, porque a vida comanda o destino e, por mais que uma pessoa queira diferente, ela coloca tudo onde precisa estar.

— Sou amiga de Maria Helena, vim aqui porque ela me informou que você fez magia para ela e o marido voltou para casa. Quero que faça o mesmo para mim. Eu pago o que for preciso.

Pelos olhos de Madame Olga passou um brilho emotivo e ela permaneceu alguns segundos em silêncio. Depois respondeu:

— O caso a que se refere era muito diferente do seu. Ele estava enfeitiçado por uma mulher interesseira, mas o destino dele era ficar com a esposa. Eu apenas o auxiliei a perceber a verdade. Preciso esclarecer que estudei ocultismo, leio tarô, faço disso um meio de vida, mas trabalho com a luz e dentro da ética da espiritualidade.

— Então foi perda de tempo vir aqui. Você não é tão forte como eu pensava.

— Sou apenas uma mulher que desenvolveu o sexto sentido, conheço as leis cósmicas, procuro ajudar as pessoas que passam por aqui, mas toda a força vem de Deus. É Nele que precisamos confiar. E isso só funciona se estivermos ao lado dos objetivos da vida.

— Se soubesse disso antes, não teria vindo.

— Mas já que veio, pagou uma consulta, vai ouvir o que tenho para lhe dizer. Você nunca amou seu marido. Viu nele um bom partido, um homem bonito, rico, educado, gosta de desfilar com ele em sociedade. Embora suas famílias desejassem esse casamento, ele estava destinado a outra que ele amava e ainda ama, apesar de tudo. Você não o conquistou, buscou ajuda das entidades maldosas para desviá-lo do caminho. Mas, como eu disse, a vida é mais poderosa do que tudo e um dia essa influência acaba e as coisas voltam para onde deveriam estar.

— Não acredito em nada disso. Você é uma mentirosa. Um caso de polícia — disse Janete, levantando-se indignada.

Sem se alterar, Madame Olga respondeu:

— Vocês vão se separar. Aceite o inevitável e se poupará de maiores dissabores. É o conselho que lhe dou. Um dia você vai descobrir o quanto eu estou certa e que, apesar da sua atitude desagradável, eu desejo apenas lhe ajudar. Quanto à polícia, devo esclarecer que exerço estas atividades devidamente licenciada e estou em dia com todas as exigências legais. Pense no que eu lhe disse e pode ir.

Janete saiu da sala transtornada, aproximou-se de Olívia, que a olhava admirada:

— Vamos embora, Olívia. Não devíamos ter vindo.

— Por quê? Eu quero fazer a consulta.

— Ela não é como eu pensava. Não pode nos ajudar. Vamos embora, no caminho eu lhe conto tudo. Desculpe tê-la trazido comigo. Fui precipitada. Vamos embora.

Antes que Olívia tivesse tempo de dizer mais alguma coisa, Janete puxou-a pelo braço, fazendo-a levantar e saíram pelo corredor.

O rapaz observava-as atentamente, fechou a porta e foi ter com Madame Olga, que sorriu dizendo:

— Ela me procurou tentando dividir comigo uma responsabilidade que não costumo assumir.

— Ela saiu indignada e levou a outra, que já havia pago a consulta.

— Não se preocupe. Temos o endereço, amanhã devolveremos esse dinheiro. Ainda bem que foram embora. Das duas, não sei quem é pior. Elas vieram não para saber a verdade, mas para me usar. Vamos esquecer isso.

Uma vez no carro, Janete deu livre curso à sua raiva.

— Ela não tem a força que eu pensei. Disse que André tem outra mulher e, em vez de ficar do meu lado, ajudar-me a livrá-lo dela, veio com uma conversa estranha, garantiu que o destino dele não era comigo e ela não podia fazer nada.

— Mas ela não fez o marido de Maria Helena deixar a amante e voltar para casa?

— Foi o que eu lhe disse na hora. Então ela veio com a desculpa de que a amante dele era interesseira, tinha feito magia para ele, mas o destino dele era ao lado da esposa.

— Se isso é verdade, então ela não fez nada.

— Foi o que eu pensei. Sabe o que ela chegou a me dizer? Que André vai me deixar e, se eu não aceitar, será pior. E pensar que eu paguei essa farsante para me dizer essas coisas.

— Minha avó dizia que ninguém vence a força do destino.

— Você também? Pensei que fosse minha amiga, estivesse do meu lado.

— E estou. Eu disse isso porque sei que o destino está do seu lado. Você é a esposa.

— Tem razão. Ela é uma farsante mesmo. Mas disse que André tem outra. Isso pode ser verdade. Nesse caso, preciso tomar providências.

— O que pensa fazer?

— Procuramos a pessoa errada. Conheço alguém que já me ajudou uma vez e não se negará a fazê-lo de novo.

— Quem é?

— É um homem que tem muito poder. Garanto que ele vai me ajudar.

— Nesse caso também quero ir. Não posso deixar que esse impostor continue roubando nosso patrimônio.

Janete pensou um pouco, depois disse:

— Esse é um segredo que ninguém pode saber.

— Pode confiar. É do meu interesse que ninguém saiba nada. Se Artur descobrir, não sei do que será capaz.

— Está bem. Vou marcar e depois telefono.

— Você vai amanhã à festa da Eunice?

— Não sei. André não sai mais comigo. Não gosto de sair sozinha. Afinal, tenho marido.

— Se eu fosse pensar assim, nunca sairia de casa. Artur não sai do hospital, quando chega só pensa em dormir. Se ele quer levar a vida assim, não posso fazer nada, mas decidi que não é isso que quero para mim. Adoro a vida social, afinal de que nos serviria possuir tantas joias, roupas de classe, frequentar salões de beleza, se não pudéssemos exibi-las?

— Eu adoraria ir, mas as pessoas vão começar a falar.

— Falarão dele, não de você. É o que se passa comigo. Quando encontram Artur o recriminam, dizem que não sabe levar a vida etc. A festa da Eunice vai ser um sucesso. Se quiser, poderemos ir juntas.

Os olhos de Janete brilharam. Talvez assim André percebesse o que estava perdendo.

— Está bem. Irei. Vai mais alguém com você?

— Apenas o motorista. Combinado, irei buscá-la às nove.

Janete parou o carro em frente da casa de Olívia.

— Quer entrar?

— Não, obrigada. Vou para casa ver se André chegou.

Despediram-se e Olívia entrou. Eriberto estava na copa com a pajem e, vendo-a entrar, cumprimentou-a educadamente. Ela respondeu, mandou servir o jantar às oito como de costume e foi para a sala. Apanhou uma revista, sentou-se para ler.

Mas seu pensamento estava em Janete. A mãe dela fora sua colega de colégio, depois de casadas frequentavam o mesmo clube, Janete era alguns anos mais velha do que Antero e elas estreitaram a amizade quando os dois filhos eram pequenos.

Mas essa amizade era apenas social, porquanto Olívia não aprovava certas atitudes dela para com os empregados que considerava liberais demais. Dava-se melhor com Janete, cujas ideias eram semelhantes às suas.

Considerava que Janete tinha toda a razão em querer preservar o casamento. O marido é figura importante na vida social. Ninguém respeita uma mulher separada, pensava. Quando há um problema, é preciso contemporizar, fingir que aceita, mas procurar um meio de mudar os fatos.

Olívia suspirou resignada. Só ela sabia a força que precisava fazer para conviver com aquele enjeitado e fingir que aceitava aquela situação injusta imposta pelo marido. Seis anos era tempo demais. Estava na hora de encontrar um meio de livrar-se dele para sempre.

Pensamentos rancorosos passavam em sua mente e ela os alimentava, tentando encontrar a solução que buscava.

Olívia não viu que duas sombras escuras sussurravam palavras ao seu ouvido, enquanto energias densas e pesadas circulavam a seu redor. Mas sentiu sua revolta aumentar.

Lembrou-se de Antônia com raiva. Suportara sua presença durante muito tempo e, se não houvesse sido esperta, ela teria envolvido Antero. Não lhe passara despercebido o brilho no olhar dela quando o fixava, sua euforia quando ele estava por perto.

Não era justo passar duas vezes pela mesma situação. Pelo menos Antônia pertencia à família do marido, mas aquele menino ninguém sabia de onde viera.

Não sentia ciúmes de Artur. Ele era careta demais para trair e muito interessado na profissão. O mais provável é que alguma infeliz, não tendo como sustentar o filho, o entregara a ele, que com sua mania de salvar todo mundo aceitara essa responsabilidade.

Artur não tinha interesse nas questões financeiras. Era ela quem se preocupava em aumentar o patrimônio da família e certamente a pessoa indicada para impedir que seu filho fosse lesado.

Não acreditava nas forças ocultas ou que alguém tivesse algum poder para intervir nas questões das pessoas. Janete era ingênua, procurando cartomantes e um pai de santo. Ela preferia pagar alguém para sumir com o menino e acabar de vez com essa preocupação.

Mas precisava pensar muito bem, não deixar nenhuma prova do seu envolvimento. Seria ótimo que ele morresse, mas não pensava em matá-lo, porque seria muito perigoso, além do que teria no assassino um chantagista para o resto da vida.

Talvez fosse interessante procurar algum casal de nordestinos que desejasse voltar para o Nordeste e pagar muito bem para que levassem o menino. Se não desejassem criá-lo, que o dessem a outras pessoas.

O importante seria deixá-lo bem longe, onde não tivesse como voltar. Seria bom também providenciar documentos de identidade falsos, assim ninguém saberia de onde ele saíra.

Esse plano pareceu-lhe o melhor de todos, entretanto o difícil seria encontrar o casal certo. Conhecia uma pessoa que tinha como cuidar disso sem que fosse preciso ela aparecer.

Artur era apegado ao menino, mas com o tempo esqueceria. Então ela poderia viver em paz. Todo o patrimônio ficaria para Antero e os filhos que teria.

Ela não duvidava que Glória conseguiria ser mãe. Havia engravidado por duas vezes. Com um bom tratamento médico, tudo estaria resolvido.

A criada avisou que o jantar estava servido e Olívia olhou o relógio pensando:

— Vou comer sozinha mais uma vez. Artur não vem jantar mesmo.

Josefa levou Eriberto até Olívia dizendo:

— Dê boa-noite a dona Olívia.

O menino olhou-a sério e tornou:

— Boa noite, dona Olívia. Durma bem.

— Boa noite.

Josefa subiu com ele para o quarto e, enquanto o esperava vestir o pijama, escovar os dentes para se deitar, ela pensava: "Por que será que dona Olívia não gosta dele? Um menino tão bonito, tão doce".

Não conseguia entender. Sabia que ele havia sido adotado contra a vontade dela. Percebera sua má vontade com ele desde o início. Mas acreditava que com o tempo ele haveria de conquistar seu afeto.

Ela o amara desde o primeiro dia. Era com carinho que cuidava dele, tentando protegê-lo das maldades de Olívia. Momentos havia em que ela o olhava de tal jeito que Josefa sentia arrepios pelo corpo.

Notava que o menino tinha muito medo. Quando estava diante dela, comportava-se de maneira diferente do habitual. Ficava calado, falava baixinho, e assim que podia se afastava. Já a sós com o doutor Artur ele era muito diferente, carinhoso, alegre, comunicativo.

Eriberto deitou-se e Josefa aconchegou as cobertas. Ele, de repente, sentou-se na cama dizendo:

— Estamos esquecendo de rezar!

— É verdade. Eu estava distraída. Vamos lá.

Ele ajoelhou-se ao lado da cama, juntou as mãos, rezou um Pai-Nosso, e pediu:

— Jesus, protegei meu pai Artur, dona Olívia, Josefa e todos desta casa. Amém.

Deitou-se novamente, Josefa ajeitou as cobertas. Ele perguntou de repente:

— Você me disse que meus pais morreram quando eu era pequeno.

— Foi. Então o doutor Artur gostou muito de você e o trouxe para casa, colocou-o em meus braços e disse: "De hoje em diante eu sou o pai dele. Cuide bem desse menino". Você era lindo e eu o adorei desde o primeiro dia.

— Você já me contou isso, mas nunca falou nada de minha mãe.

— Eu não a conheci.

— Não tem um retrato dela? Eu queria tanto ver como ela era...

— Não tenho. Mas sei que era uma moça muito linda e muito boa, que o amava muito.

— Eu sinto saudades dela. Queria tanto que ela estivesse aqui, comigo. Sei que devia ser muito linda mesmo. Sinto que me amava muito. Por que será que Deus a levou?

— Talvez porque precisasse dela no Céu. Mas deixou a mim para cuidar de você. Não sou sua mãe, mas é como se fosse. Eu gosto muito de você.

Josefa beijou a testa do menino comovida, com o brilho de uma lágrima em seus olhos. Ele abraçou-a com força e pediu:

— Conta aquela história do menino que fugiu de casa por causa da madrasta?

— Conto. Mas por que essa? Sei de outras mais lindas.

— Eu gosto dessa. No fim, a fada leva o menino para a mãe e ele fica com ela.

Josefa esforçou-se para conter as lágrimas, sentou-se na beira da cama, alisando carinhosamente a testa do menino:

— Está bem. Vou contar. Era uma vez...

Enquanto ela contava, ele foi fechando os olhos, mas esforçou-se para não dormir até o fim. Então seus lábios se entreabriram em um sorriso feliz e ele adormeceu.

Josefa beijou-o na testa e saiu do quarto procurando não fazer ruído. Desceu e foi para a lavanderia passar a roupa de Eriberto.

Artur havia chegado e foi procurá-la:

— Passei no quarto de Eriberto para vê-lo, mas está dormindo. Ele está bem?

— Está.

— Eu queria vir mais cedo para ficar com ele, mas não deu. Amanhã não sairei sem vê-lo.

— É bom doutor. Ele sente muito a falta da mãe. Hoje me perguntou sobre ela, queria pelo menos um retrato. Fez-me repetir aquela história do menino que fugiu de casa por causa da madrasta. O senhor sabe qual é.

Um brilho de tristeza apareceu nos olhos de Artur.

— Eu sei. Ele é muito pequeno e é triste um menino ser criado sem mãe. Infelizmente, Olívia não tem muito jeito com crianças.

— Eu tenho procurado dar carinho, mas não é a mesma coisa. Desculpe perguntar, o senhor nunca disse nada, mas ela morreu mesmo?

— Sim, infelizmente. Vou ver se consigo um retrato dela.

— Ele ficaria muito contente. Quer saber como ela era, pensar nela, rezar pela alma dela.

— Vamos ver. Ele é muito pequeno, isso vai passar. Eu sinto que um dia Eriberto será muito feliz. Você é uma moça boa, Josefa. Sou muito grato pelo amor que dá a ele.

— Eu adoro ele, doutor. É como se fosse meu filho!

— Eu sei. Esta casa não é um lugar alegre para uma criança viver.

— Ele tem muitos amigos na escola... O tempo passa e logo estará crescido.

Artur ficou pensativo por alguns instantes, depois disse:

— A vida é cheia de surpresas. De repente tudo pode mudar. Vamos ser otimistas e esperar por dias melhores.

Josefa sorriu, concordando. Artur deixou a lavanderia e encontrou Olívia, que o procurava:

— Você chegou, nem me procurou. O que estava fazendo atrás de Josefa na lavanderia?

— Eu cheguei, não a vi, subi para ver Eriberto, mas ele estava dormindo. Fui falar com ela.

— Você se interessa mais por esse menino do que por mim. Ao chegar em casa procura primeiro por ele.

— Não seja implicante. Não pode se comparar a uma criança.

— Acho que eu mereço um pouco mais de atenção. Estou cansada de ficar sozinha. Tenho marido, mas é como se não tivesse. Ainda hoje estive com uma amiga que está passando pelo mesmo problema. Só que ela não tem a minha paciência e pensa até em separar-se dele.

— Você conhece meu trabalho. Aceitou ser esposa de médico, não pode reclamar agora.

— É, eu aceitei. Mas esperava que pelo menos você ficasse comigo quando não está trabalhando. Nem isso você faz.

— Estou sempre trabalhando. Fora do hospital, preciso estudar. Há muitas pesquisas, novas descobertas estão acontecendo, preciso atualizar-me.

Ele fez ligeira pausa, sorriu e disse:

— Você é uma mulher inteligente. Acho que precisa encontrar alguma coisa para fazer. Ocupar-se com algo que lhe dê prazer. Várias esposas de colegas meus participam de cursos, fazem trabalho voluntário, dedicam-se a alguma coisa. Por que não faz o mesmo?

— Estou achando que quer se ver livre de mim, isso sim. Imagine eu, na minha idade, estudar de novo como uma colegial. Essas mulheres a que se refere estão mais é perdendo a cabeça se comportando como adolescentes. Conheço algumas que vivem alardeando seus conhecimentos, querendo ensinar todo mundo como se fossem donas da verdade. Sou uma mulher de meia-idade, estudei o suficiente e não vou me tornar ridícula como elas.

Artur olhou-a sério e respondeu:

— Pois eu nunca parei de estudar e o faço com prazer. Penso que sempre é tempo de aprender. A sabedoria é a riqueza do espírito. Mas, se não deseja fazer isso, vá ao clube, tome chá com as amigas, mas faça o favor de parar de se queixar.

— Eu me sinto muito só, você não entende que desejo sua companhia?

— Estou em casa sempre que posso. Considero desagradável ficar aqui ao lado de uma pessoa que vive se queixando. Pense nisso. Tenho o direito de viver em paz.

— Agora você está me ofendendo. Eu noto mesmo que você não gosta de ficar a meu lado. Quando está em casa se ocupa de outras coisas e não me dá atenção.

— Faço o que posso. Vou tomar um banho e depois gostaria que mandasse servir o jantar.

Sem esperar resposta, Artur subiu e Olívia acompanhou-o com o olhar até que desaparecesse. Ele sempre fora distraído, dava excessiva importância a sua carreira, mas piorou depois que Eriberto nasceu.

Não tinha dúvida de que a culpa era daquele menino desagradável. Seu casamento estava em perigo. Precisava tomar providências e resolver o assunto de uma vez por todas.

Artur, enquanto tomava banho e se vestia, pensava na conversa que tivera com Antero. Sentiu vontade de falar com Olívia, contar-lhe a verdade sobre a origem de Eriberto.

Ela implicava com o menino, mas certamente, quando soubesse que era seu neto, filho de Antero, a quem ela tanto amava, passaria a amá-lo também.

Mas, por outro lado, havia Glória. Não sabia como ela reagiria. O caso dela era delicado. Talvez fosse melhor ele e Antero irem se aconselhar com Nelo. Era seu amigo e excelente psiquiatra.

A compulsão dela em engravidar evidenciava desequilíbrio emocional, dificuldade em aceitar a perda dos dois bebês. Como reagiria ao saber que Antero já tinha um filho com outra?

Artur decidiu que era cedo para falar a verdade a Olívia. Eles não deviam fazer nada antes de consultar Nelo. Era preciso esperar. Conversaria com Antero e o convenceria a não tomar nenhuma atitude antes de haverem planejado muito bem. Estava certo de que era o melhor a fazer.

Sentiu-se mais calmo e disposto a evitar discutir com Olívia, desceu, para jantar.

Olívia, por sua vez, tendo arquitetado um plano que começaria a executar no dia seguinte, decidiu mostrar-se mais amável com o marido e evitar qualquer reclamação.

Assim, o jantar naquela noite, decorreu agradável, com os dois se esforçando em conversar sobre banalidades.

Depois do jantar, ele foi ler no escritório e Olívia, tentando controlar a raiva, sentou-se na sala, folheando sem muito interesse uma revista de moda.

O telefone tocou e a criada avisou que Janete desejava falar com ela. Atendeu prontamente:

— Tudo bem com você?

— Tudo. Estou ligando para confirmar minha intenção de visitar aquela pessoa de que lhe falei. E já vou marcar uma consulta. Você quer ir também?

Olívia pensou um pouco, depois disse:

— Não sei. Eu havia planejado outra coisa para amanhã.

— Acho que não deveria perder a oportunidade. Garanto que não vai se arrepender. Ele já me ajudou muito.

Olívia hesitou um pouco, depois disse:

— Não, Janete. Não acredito nesse tipo de coisa. Decidi resolver por outros meios.

— Você é quem sabe. Irei o mais breve possível. Em todo caso, se mudar de ideia poderei levá-la a qualquer tempo.

— Obrigada. Você é amiga mesmo.

Elas se despediram e Olívia sentou-se pensativa. Ela queria tomar providências efetivas e não ficar esperando que um pai de santo qualquer conseguisse alguma coisa.

Não acreditava em nada disso e não iria gastar seu dinheiro naquilo. O melhor era resolver mesmo, para sempre.

De repente, ela sentiu um ligeiro enjoo e a cabeça atordoada. Certamente o jantar não lhe caíra bem. Foi ao banheiro procurar um remédio. Apanhou um sal de frutas, colocou-o na água e tomou.

Os dois vultos escuros que a estavam abraçando afastaram-se um pouco e um disse ao outro:

— É melhor irmos embora, ela já aceitou mesmo. Amanhã voltaremos.

— Não, vamos esperar para conversar com ela fora do corpo. Temos que reforçar. Pode acontecer alguma coisa e ela pode desistir.

— Está bem. Mas não faremos contato enquanto ela estiver acordada, para ela não se sentir mal.

Os dois afastaram-se, permanecendo em um canto do quarto. Olívia sentiu-se aliviada e pensou:

— Esse remédio é mesmo muito bom. Estou bem.

Satisfeita, preparou-se para dormir. Artur continuava no escritório. Quando ele se recolhia tarde da noite, costumava ir dormir no quarto de hóspedes para não incomodá-la.

Sem esperar por ele, Olívia deitou-se e logo adormeceu.

Nina deu por encerradas as atividades do dia, guardou alguns documentos e preparou-se para ir embora. Encontrou-se com Lúcia esperando o elevador.

— Ainda bem que você hoje está indo embora mais cedo — considerou ela.

— Estou um pouco cansada.

— Tenho notado que você tem estado pensativa, triste. Sinto que não está bem. Há alguma coisa que eu possa fazer para ajudar?

— Não. Pediram-me para ajudar uma pessoa e não está sendo fácil. O que eu podia fazer, já fiz. Agora só resta esperar para ver o que acontecerá.

O elevador chegou, elas entraram em silêncio. Quando ele parou, elas saíram e pararam na porta do prédio.

— Se precisar de alguma coisa, não se acanhe. Sabe que pode contar comigo. Você tem sido mais uma amiga do que chefe, tem me ajudado muito. Sentirei o maior prazer em poder retribuir de alguma forma.

Nina sorriu e respondeu:

— Há certas coisas que ninguém pode fazer nada. Mas sua amizade, seu apoio são muito importantes para mim. Obrigada.

Entretidas na conversa, não viram que Breno e André se aproximaram. Lúcia, vendo-os, olhou para Nina preocupada. Breno aproximou-se de Lúcia, beijando-a na face:

— Boa tarde — disse, estendendo a mão para Nina, que a apertou.

— Como vai, Nina? — disse André estendendo a mão.

Fingindo não ver a mão estendida, Nina respondeu:

— Bem, obrigada. Eu estava me despedindo, preciso ir. Até outro dia.

André segurou-a pelo braço:

— Hoje você não vai embora. Temos que conversar.

— Não há mais nada a dizer. Nosso assunto está encerrado.

— De forma alguma. Está apenas começando. Levando em consideração alguns aspectos delicados, tenho sido paciente, dando tempo a que você pense melhor. Mas, se você continuar irredutível, serei forçado a tomar algumas atitudes que você não vai gostar.

Nina olhou para Lúcia e Breno, que um tanto constrangidos ouviam calados, e resolveu contemporizar. Nos olhos de André havia um brilho decidido que a fez evitar uma discussão. Estavam na rua e num local onde ela era muito conhecida. Não queria dar motivo a mexericos.

— Está bem. Vamos a um lugar discreto.

Breno e Lúcia despediram-se imediatamente.

— Meu carro está no estacionamento. Vamos até lá — propôs André.

Foram andando em silêncio. Uma vez no carro, André perguntou:

— Quer ir a algum lugar, tomar alguma coisa, jantar?

— Obrigada, não quero nada. Podemos ficar no carro mesmo. Você fala logo o que deseja, porque não posso demorar.

— Conheço um lugar discreto, onde poderemos conversar sem ser interrompidos.

Ela concordou. Sentia-se inquieta, nervosa, cansada. André notou que ela estava tensa e reconheceu que ele estava nervoso. Para aliviar a tensão, procurou agir com naturalidade falando de outros assuntos:

— Eu nunca havia visto você nas sessões na casa do doutor Dantas. Vai continuar frequentando?

— Não. Fui apenas para acompanhar um amigo.

— Por que não? Milena melhorou muito depois que começou a ir. Eu lhe falei a respeito dela. Lembra-se?

— Não muito. O passado para mim morreu. Faço questão de não lembrar de nada.

— Pois eu nunca esqueci. Nos últimos tempos, então, ele tem estado presente em todos os minutos.

Ela não respondeu. Não queria que ele soubesse que ela também se recordava de tudo nos mínimos detalhes.

— Quando a vi na quarta-feira com aquele moço, pensei que fosse seu namorado.

— Ele é um rapaz bonito, culto, bom, e o acho muito atraente, mas é casado. Para mim, homem casado é como se estivesse morto.

Ele mordeu os lábios e não respondeu. Haviam chegado a um pequeno restaurante. Encostou o carro no estacionamento e entraram. André escolheu um canto discreto, protegido por um biombo, e sentaram-se.

Como ela disse que não queria jantar, ele pediu um vinho e alguns salgadinhos. O garçom trouxe em seguida. Depois de provar o vinho e este ser servido, eles ficaram a sós.

— Nina, não acredito que estamos aqui, juntos.

— Concordei em vir porque notei que você estava determinado e fiquei com medo de que fizesse um escândalo em frente ao meu escritório. Além disso, Lúcia e o doutor Breno estavam constrangidos.

— São meus amigos. Eles jogaram fora os preconceitos e resolveram muito bem seus problemas. Estão muito felizes juntos.

— As pessoas têm o direito de decidir como desejam viver. Eu não conseguiria conviver assim. Mas penso que não foi para falar deles que me trouxe aqui. Aliás, você me ameaçou e eu não gostei.

— Sua intransigência me tira do sério. Prefiro o diálogo, mas quando eu falo você não ouve. Colocou uma ideia em sua cabeça e não aceita mudar.

— Quando você nos abandonou, eu tive de lidar com essa situação como me foi possível. E resolvi tudo perfeitamente. Estou levando minha vida bem. Marcos é um menino educado, saudável, feliz. De repente você aparece e quer fazer parte da vida dele. Terei de dizer a ele que eu menti, que seu pai não morreu. Como pensa que ele vai reagir?

— Vai ficar feliz descobrindo que tem um pai que o ama e fará tudo para conquistar sua estima e apoiá-lo na vida.

— Um pai que apesar de saber que ele estava chegando, abandonou-nos e esqueceu durante dez anos?

André colocou a mão sobre a dela, apertando-a com força:

— Isso não é verdade! Desde o dia que voltei da viagem eu a procurei. Eu sempre a amei, Nina.

Ela retirou a mão, dizendo indignada:

— É mentira! Como ousa me dizer uma coisa dessas?

Levantou-se nervosa:

— Vou embora.

Ele segurou o braço dela:

— Sente-se, por favor. Não quis ofendê-la. Fique. Vamos continuar conversando.

Ela sentou-se novamente. Estava pálida e André deu o copo de vinho a ela e pediu:

— Beba, Nina, para se acalmar. Estamos ambos nervosos.

Ela segurou o copo e tomou alguns goles. Ele fez o mesmo. Depois disse:

— Eu não desejo fazer nada que a prejudique. Tenho consciência do meu erro e dos momentos de felicidade que perdi quando nos separamos. É difícil, Nina, carregar a culpa, saber que eu fui o único responsável pela situação infeliz de agora.

— Nesse caso, deixe tudo como está. Não queira nos penalizar ainda mais criando problemas em nossa vida.

— Apesar de tudo, Nina, é injusto negar a um pai o direito de conhecer o filho e a um menino o de conhecer seu pai. Já pensou que ele tem o direito de escolher como deseja lidar com isso?

— Marcos é uma criança, não teria discernimento para saber o que é melhor.

— As crianças possuem um senso profundo de suas necessidades básicas. Eu sempre tive vontade de ter um filho e agora eu sei que ele existe e não pretendo abrir mão dele. É uma força muito forte dentro de mim que me obriga a lutar para conquistá-lo. Será que ele também não teria sentido dentro dele a falta do pai?

— Ele nunca sentiu isso, tenho certeza. Eu fui pai e mãe dele todo o tempo.

— Você está prejulgando. Como pode saber o que se passa no íntimo dele? Como pode assumir essa responsabilidade e garantir que ele nunca lhe pedirá contas por tudo isso?

Ela não respondeu logo. Baixou a cabeça e ficou pensativa durante alguns instantes. Sentia-se fragilizada, desejava ir embora, esquecer esse assunto. André estava ali, na sua frente, cobrando, tentando dividir com ela uma culpa que era exclusivamente dele. Não podia aceitar isso.

Levantou a cabeça com altivez e respondeu:

— É covardia de sua parte querer me fazer sentir culpada quando foi você quem decidiu sair de nossa vida.

— É verdade. Era jovem demais, tomei uma atitude errada da qual me arrependi em seguida. Mas foi você quem quis me castigar ocultando o nascimento de Marcos e não contando a verdade a ele, fazendo-o acreditar que eu estava morto. Fez isso comigo e com ele durante todos estes anos e agora, quando eu os encontrei, reclamo nossos direitos, você ainda pretende continuar ignorando nossos sentimentos. Se analisar melhor perceberá que você é tão ou mais culpada do que eu.

Nina sentiu que as lágrimas estavam prestes a cair e baixou o rosto mais uma vez para que ele não as visse e ficou em silêncio. Ele continuou:

— Você me odeia tanto assim? Pretende continuar me punindo, usando uma criança que nem sabe que eu existo e que sinto por ele um amor de pai?

Havia tanta tristeza na voz de André que Nina não conseguiu conter as lágrimas que desceram pelo seu rosto. Foi um pranto dolorido que ela havia contido durante tantos anos e que emergiu sem que ela pudesse conter.

Os soluços brotaram em seu peito e ela chorou compulsivamente durante alguns minutos. André, emocionado, não disse nada e esperou que ela se acalmasse. Quando finalmente Nina se calou, segurou a mão dela dizendo com carinho:

— Sua mão está gelada.

— Eu quero ir embora.

— Vamos nos acalmar, esperar um pouco mais para podermos sair. Eu precisava dizer o que vai no meu coração. Não tem sido fácil para mim também. Eu gostaria de me abrir, falar da minha vida, dos meus sentimentos, mas no momento não há condições e temo ser mal interpretado. Quero que mude seus conceitos a meu respeito e entenda que eu, apesar de tudo, posso ser um bom pai para Marcos.

— Não estou em condições de pensar em mais nada.

Ele olhou-a sério, suspirou e respondeu:

— Tem razão. Vamos embora.

Ele recompôs a fisionomia, enquanto Nina retocava a maquiagem. Depois pagou a conta e saíram. Já havia escurecido e olhando o céu cheio de estrelas André comentou:

— A noite está linda.

Ela não disse nada. Durante o trajeto pediu que ele a deixasse no estacionamento para pegar o carro. André tentou conversar sobre outras coisas. Falou de Milena, das suas experiências na sessão espírita na casa de Dantas. Ouvindo-o, Nina lembrou-se de como gostava de ouvi-lo falar. André era um brilhante narrador e qualquer acontecimento ganhava brilho quando ele o contava.

Parando em frente ao estacionamento, André segurou a mão dela dizendo:

— Nina, hoje finalmente encontrei você. Prometa que vai pensar em tudo que conversamos. Tenho certeza de que juntos vamos encontrar uma boa maneira de resolver tudo.

— Não sei. Fico atordoada só de pensar nisso.

— Perdoe-me, Nina. Ninguém pode ser feliz carregando a raiva no coração.

— Preciso ir. Boa noite.

Ela abriu a porta do carro, desceu e entrou no estacionamento sem olhar para trás. Ele a seguiu com os olhos até ela desaparecer. Depois ligou o carro e partiu.

Durante o trajeto, recordou emocionado o que haviam conversado. Ele havia ignorado a postura dela, falara com sinceridade e conseguira quebrar o gelo.

Aquela era sua Nina, sensível, amorosa, humana, muito diferente da advogada dura, irredutível em que ela se transformara. Vendo-a chorando tão fragilizada, sentiu vontade de tomá-la nos braços, beijar sua boca, dizer-lhe o quanto sentia saudade dos momentos de amor que haviam desfrutado.

Conteve-se a custo. Não queria se aproveitar de um momento difícil para ela e, ao mesmo tempo, temia perder o espaço tão duramente reconquistado.

Ela o julgava um canalha, leviano, interesseiro. Ele pretendia provar-lhe que não era nada disso. Que sabia respeitar os valores fundamentais da vida.

Passava das dez quando ele entrou em casa. A criada o recebeu dizendo:

— Dona Janete saiu à tarde, foi visitar uma amiga e ainda não voltou. O senhor quer jantar agora?

— Não. Pode se recolher.

— Eu posso preparar um lanche para mais tarde.

— Não é preciso. Obrigado.

Ela se foi e André olhou em volta pensativo. Sua casa era bonita, impecavelmente arrumada, mas era triste, fria, sem calor humano. Instintivamente, seu pensamento foi para a pequena casa onde vivera com Nina.

Era pequena, mas bastante agradável. Lá sempre havia alegria, flores frescas nos vasos, um cheiro gostoso de comida na cozinha, e principalmente os braços de Nina, seu sorriso bonito, seus olhos brilhantes de amor.

Passou a mão nos cabelos, nervoso. Por que fora tão cego a ponto de deixar-se envolver por Janete e por sua mãe, que o atirava nos braços dela como se fosse a única chance de felicidade possível?

Agora, notava claramente que elas o haviam envolvido através da vaidade. Era prazeroso desfilar socialmente ao lado de Janete, sempre tão chique, cuja companhia era disputada por pessoas importantes, que a colocavam como um troféu difícil de ser conquistado.

Depois, havia a notoriedade profissional que alcançaria unindo-se à fortuna e à classe da família dela, sempre em evidência nas revistas de moda, participando ativamente dos eventos beneficentes, aparecendo na mídia regularmente.

Convivendo intimamente com Janete, André começou a perceber o quanto ela era mesquinha, maledicente, preconceituosa. A vaidade excessiva com o corpo, que não lhe permitia aceitar a maternidade, a conversa fútil, formal, falsa, tornavam-na distante e André notava claramente que ela estava sempre representando um papel, conforme as circunstâncias.

Ela era vazia e fazia tempo que ele não encontrava prazer em conversar com ela, em estar a seu lado.

Desfilar ao lado dela deixou de ser prazeroso para tornar-se penoso. Ele tomou consciência de que, para estar com ela nas rodas sociais, ele também precisava adotar o papel de marido solícito, educado, enamorado.

Era isso que ela gostava de exibir para as amigas, e ele odiava. Quando saíam juntos, o tempo todo ele notava os pontos fracos dela, o quanto era pretensiosa, arrogante, e ficava cada vez mais difícil fazer o que ela esperava dele.

Nunca ele se arrependeu tanto de haver se casado com ela como naquela noite. Havia perdido Nina, não tinha esperança de retomar seu romance com ela, que jamais esqueceria o passado. Todavia, sentia que não podia mais continuar vivendo ao lado de Janete.

Ela teria que entender e aceitar a separação, o que não seria nada fácil. Mas ele estava determinado. Iria morar sozinho e assim teria liberdade para conviver com o filho e conquistar seu afeto. Diante das circunstâncias, era só o que poderia esperar.

***

Nina entrou em casa abatida. Ofélia, vendo-a, disse:

— Você não costuma demorar e eu estava preocupada. Está se sentindo bem?

— Tive um dia penoso e estou cansada. Quero tomar um banho e me deitar. Marcos já foi dormir?

— Está vendo televisão no quarto. Enquanto você toma banho vou esquentar seu jantar.

— Não precisa, estou sem fome.

— Eu fiz uma sopa deliciosa. Se não quiser descer, vou esquentar e levar em seu quarto. Não pode ficar sem comer.

— Está bem. Obrigada.

Ela subiu, foi ver Marcos, conversou com ele, pedindo que desligasse a televisão, porque teria que se levantar cedo no dia seguinte para a escola.

— O filme está acabando, mãe. Assim que terminar eu desligo. Prometo.

Ela foi para o quarto, encheu a banheira, tirou a roupa e acomodou-se dentro dela. O calor da água e o perfume delicado dos sais que havia colocado a fizeram fechar os olhos com prazer.

Era bom ficar ali, sem pensar em nada, sentindo aquela sensação agradável do contato da água morna em seu corpo. Mas, apesar de desejar relaxar, não pensar em nada, o rosto emocionado de André reapareceu em sua memória, obrigando-a a pensar.

Ele a culpava por não haver lhe contado nada sobre Marcos. Não era assim que ela via os fatos. Achava justa essa atitude, uma vez que ele os deixara. Procurá-lo, falar-lhe do filho parecia-lhe uma demonstração de fraqueza, de incapacidade para cuidar de tudo sozinha.

Ele a julgara indigna de usar seu nome, por ser de origem simples menosprezara sua inteligência, seus valores morais, sua dignidade. Ela tinha o direito de provar o quanto ele estava enganado.

O reconhecimento tardio dessa verdade tornava maior seu erro e era isso que o incomodava. Se ela houvesse ido procurá-lo, tornando-se sua dependente, sua vaidade teria ficado satisfeita.

Mas esse prazer ela não lhe daria. Faria tudo para que André desistisse do filho. Reconhecia que ele tinha o direito legal de assumir a paternidade. Se ele reclamasse na Justiça esse direito, teria de aceitar.

A esse pensamento estremeceu. Como Marcos reagiria quando soubesse que mentira? Se isso acontecesse, procuraria fazê-lo compreender suas razões. Seu relacionamento com ele sempre fora amoroso, amigo. Ele sabia o quanto era amado e acabaria aceitando.

O que a preocupava era que teria de dividir seu afeto com André. Teria que aceitar calada a reação deles, porquanto nunca diria ao filho o quanto o julgava interesseiro e leviano. Essa fora uma das razões para ter-lhe dito que o pai havia morrido. Falar de um morto, exaltar suas qualidades, era mais fácil do que contar a verdade.

Lúcia lhe dissera que Breno estava preocupado com André que ele não era feliz e se arrependera de haver casado com Janete.

Não acreditava muito nessa versão, que poderia ser uma maneira de Lúcia e Breno tentarem convencê-la a aceitar sua proximidade. Fosse o que fosse, a culpa da sua infelicidade era apenas dele.

Não lhe passara despercebido o brilho de admiração nos olhos de André quando a fixava. Era exatamente isso que ela desejava obter. Para isso se esforçara no trabalho, procurando notoriedade profissional. Já que não tinha dinheiro, nome, posição social, teria sucesso na profissão.

Apesar disso, não se sentia feliz. Ao contrário do que imaginava, essa vitória não conseguira arrancar a tristeza que carregava no coração.

Fechou os olhos e imaginou como seria bom esquecer, libertar-se daquela sensação terrível de não ser boa o suficiente que sentia sempre que pensava no passado.

Ela precisava esquecer. Dali para a frente faria tudo para tirar André do seu pensamento. Ela sempre fora assediada por admiradores, mas nunca os levara a sério. Não confiava em ninguém.

As lembranças do seu romance com André reapareceram com intensidade e Nina recordou-se dos momentos felizes. De repente, se deu conta de que, depois de tantos anos decorridos, aquelas recordações faziam seu coração bater mais forte, que o amor ainda estava lá, num misto de prazer e dor, que nada pudera apagar.

Isso não podia ser verdade. Aquele encontro com André estava perturbando sua mente. Ela o desprezava, essa era a verdade. Decidida a reagir, Nina saiu da banheira, enxugou-se e preparou-se para dormir.

Ofélia havia colocado a bandeja com a sopa sobre a mesinha e Nina resolveu comer. Ela precisava se alimentar para ser forte e vencer essa batalha contra André.

Depois de tomar a sopa, Nina rezou, pedindo a Deus para afastar André do seu caminho e ajudá-la a esquecer. Deitou-se, disposta a não pensar mais nele.

Contudo, enquanto se remexia na cama tentando dormir, de vez em quando um momento daquele encontro reaparecia em sua mente reacendendo as lembranças.

Quando se dava conta, ela reagia. Assim, custou muito para adormecer.

Na manhã seguinte, ao chegar no escritório e encontrar Lúcia, Nina notou que havia acontecido alguma coisa.

— Você não está bem. O que foi?

Ela estremeceu e esforçou-se para segurar as lágrimas. Notando seu nervosismo, Nina fê-la sentar-se e comentou:

— Você está muito nervosa. Alguma coisa com Mirela?

— Não. Ela está bem... mas aconteceu uma coisa horrível...

— Acalme-se e conte tudo.

— Ontem Breno foi comigo até em casa. Estava com saudades de Mirela. Você sabe que ele nunca fica em minha casa até tarde. Ele respeita Anabela e não quer magoá-la. Ontem ele disse que ia ficar até tarde porque Anabela fora passar alguns dias na casa da mãe em Minas. Compramos algumas coisas, Rosa fez um jantar gostoso e estávamos felizes. Passava das dez quando a campainha tocou, Rosa foi abrir e, quando vimos, Anabela e o pai dela estavam em nossa sala.

— Que horror!

— Nós estávamos brincando com Mirela, que por causa de o pai estar em casa não quis dormir no horário de sempre. Anabela não fez cena nem nada. Olhou para o pai e disse:

— Você não acreditou. Veja essa pouca vergonha com seus próprios olhos!

O homem estava pálido de raiva. Pensei que fosse nos agredir. Eu tremia, minhas pernas bambearam e não consegui dizer nada. Breno, apesar de pálido, teve mais presença de espírito e me pediu que levasse Mirela para o quarto. Ela chorava assustada e eu tomei sua mão e saímos. Rosa estava ao meu lado inconformada, e disse nervosa:

— Se eu soubesse quem eram não os teria deixado entrar.

— Você não teve culpa de nada. Ela deve ter armado tudo.

— Você está tremendo. Vou buscar um copo d'água com açúcar.

Ela foi e eu fiquei tentando acalmar Mirela. Quando Rosa voltou eu lhe pedi que ficasse com ela e fui até o corredor tentar ouvir o que estavam conversando.

— Custa-me crer que você, que eu pensei que fosse um homem de bem, pudesse enganar minha filha dessa forma e tenha até uma criança. Que não sei se é ou não sua filha.

— É minha filha, sim — respondeu Breno com voz firme.

— Tem certeza?

— Tenho. Mirela é minha filha.

— Nunca o perdoarei. Não o quero mais em minha casa — interveio Anabela. — Vamos embora, papai.

— Não se precipite, filha. Isso aqui não passa de uma aventura. Breno já deve estar arrependido. Vamos embora, Breno, aqui não é lugar para conversarmos. Vamos a minha casa.

— Está bem. Irei. Podem ir, que irei em seguida.

Ouvi quando eles saíram batendo a porta e Breno me procurou. Eu não conseguia conter as lágrimas. Ele me disse:

— Tenho que ir. Mas quero dizer que eu amo vocês duas. Não tenha medo.

Ele se foi e eu fiquei muito preocupada. Depois do que houve, penso que tudo acabou. Eu perdi o Breno. Eu não sei viver sem ele.

As lágrimas desciam pelo seu rosto e Nina procurou acalmá-la.

— Ele disse que ama vocês duas. Logo virá procurá-la. Você vai ver.

— Eu aceitei essa situação porque o amo muito. Sei que ele me ama, mas tem muita consideração pela esposa. Desde o começo ele esclareceu que, apesar do amor que sente por mim, nunca a abandonaria.

Nina olhou-a admirada. Como é que Lúcia aceitara uma situação dessas? Mas não disse nada para não magoá-la ainda mais.

— É uma situação difícil, procure se acalmar.

— Eu sei que eles vão exigir que ele nos deixe. Estou desesperada. Tenho medo de fazer uma loucura.

— Não diga uma coisa dessas. O que aconteceu era de se esperar. Quando um homem está interessado em outra mulher, ele muda o comportamento e a esposa percebe. Você precisa esperar para ver o que eles decidem. Mas, seja o que for que aconteça, lembre-se de que Mirela precisa de você.

— Eu sei. Minha família brigou comigo quando soube que eu estava esperando um filho de um homem casado. Ela só tem a mim.

Nina procurava esconder a preocupação. Era provável que Lúcia estivesse certa: pressionado pela esposa, Breno as deixaria. E se ela fizesse o mesmo que Antônia?

Nina sentiu o peito oprimido e pensou que precisava ajudá-la de alguma forma. Se tivesse ido atrás de Antônia, talvez ela não houvesse se suicidado. Não queria que essa situação se repetisse.

— Você sabe o que aconteceu com Antônia.

— Sei.

— Ela está arrependida, sofrendo muito. Se pudesse voltar atrás, não teria se suicidado.

— Como é que você sabe?

— Sente-se que vou lhe contar tudo.

Lúcia acomodou-se e Nina contou o que sabia do caso e finalizou:

— Como mãe você pode avaliar a aflição dela por não poder proteger o filho. Ela pensava que morrendo tudo se apagaria, não teria mais sofrimento. Entretanto, a vida continua depois da morte. Esse gesto de rebeldia, além de não resolver os problemas, aumenta muito os sofrimentos.

— Acho que eu enlouqueceria.

— Reaja. Você ainda não sabe o que vai acontecer.

— É certo que ele vai nos abandonar.

— Você nunca pensou nessa possibilidade?

— Pensei algumas vezes, mas ele era tão carinhoso...

— Na verdade, Lúcia, ninguém se apaixona de uma hora para outra. Quando ele se mostrou interessado, você sabia que ele era casado?

— Sabia. Ele nunca me enganou.

— Nesse caso, não pode reclamar de nada. Principalmente porque ele deixou claro, desde o começo, que não pretendia abandonar a esposa. Ele tem filhos com ela?

— Dois meninos, um com dezesseis, outro com dezoito anos.

— Nesse caso, o melhor que tem a fazer é preparar-se para aceitar os acontecimentos.

— Do jeito que você colocou as coisas, Nina, sinto que me cabe a maior culpa de tudo. Você tem razão: quando ele começou a me procurar, eu não deveria tê-lo encorajado. Mas, sabe como é, ele é um homem atraente, bonito, bem na vida, eu me senti envaidecida. Nunca havia tido um namorado assim. Depois, ele gentil, fino, carinhoso, fui me apaixonando.

— Não procure culpados. Isso só piora a situação. Você foi ingênua, deixou-se envolver, ficou fascinada. Mas agora é o momento do bom senso. De tomar uma atitude mais lúcida. Você tem uma filha e ela precisa crescer em um lar alegre, harmonioso.

— Como posso ter alegria depois de tudo?

— É possível, sim. Se você reconhecer que escolheu mal seu caminho, mas que fará o possível para não repetir o mesmo erro. Você sabe tudo que eu passei, mas consegui dar a meu filho um lar alegre, um ambiente harmonioso, como toda criança merece ter. Se eu consegui, você também conseguirá.

As lágrimas desciam pelo rosto de Lúcia e Nina levantou-se, colocou as mãos em seus ombros dizendo:

— Esta tarde, se quiser, iremos à casa de Marta.

— A filha do doutor Dantas?

— Sim. Tenho certeza de que ela nos ajudará. Eu também preciso falar com ela. Vou ligar e iremos juntas.

— Não sei se devo...

— Deve, sim. Ela saberá confortá-la. Agora enxugue os olhos e vamos trabalhar.

Lúcia levantou-se e, abraçando-a, disse:

— Obrigada, Nina. Sinto-me mais calma.

Nina sorriu satisfeita e pediu alguns documentos, ela foi buscá-los. Lúcia parecia mais calma. Apesar disso, ela não deixaria de levá-la até Marta. Tinha certeza de que ela teria uma forma mais eficiente de ajudar.

A criada avisou que Janete estava ao telefone e Andréia atendeu:

— Como vai, Janete?

— Nada bem. André está cada dia pior. Mas estou ligando porque tenho novidades. Achei que gostaria de saber.

— É alguma coisa com André?

— Com ele e Milena. Descobri aonde vão todas as quartas-feiras.

— Verdade? Fale logo, porque estou ansiosa.

— Como estou desconfiada, contratei um detetive para segui-los nesse dia.

— E o que descobriu?

— Você não vai acreditar. É uma verdadeira bomba!

— Bem que eu desconfiava que boa coisa não era. Mas fale logo.

— Eles vão à casa do doutor Antônio Dantas.

— É um advogado concorrente do escritório de André. Mas o que eles vão fazer lá? Estarão com algum processo complicado? Milena está envolvida em algum caso grave?

— Não é nada disso. O detetive conseguiu descobrir que eles fazem sessões espíritas todas as quartas-feiras. É lá que eles vão todas as semanas. Você poderia imaginar uma coisa dessas?

A surpresa de Andréia foi tanta que ela não respondeu logo. Quando conseguiu se recuperar, disse:

— Não pode ser! Quanto a Milena, nada me espanta. O que me surpreende é o André prestar-se a uma coisa dessas! Ele é um homem culto, de classe, bem-educado. Como pode acompanhar a irmã a uma loucura dessas?

— Agora entendo por que ele mudou comigo. Pensei que houvesse outra mulher, mas o detetive nunca descobriu nada. Frequentando esses lugares, ele pode estar sendo envolvido pelo diabo.

— Que absurdo. Você deveria ficar contente de saber que ele não a está traindo.

— Mas ele está mudado. Mal fala comigo. Não saímos mais juntos. Está claro que ele está sob influência do mal.

— Não posso crer que você acredite mesmo nisso. O diabo é uma figura simbólica para explicar o mal. Hoje em dia nem os padres acreditam nisso.

— Não brinque com uma coisa dessas. O diabo existe, sim, e deve estar afastando André de mim. Mas estou decidida a procurar ajuda espiritual.

— Vai falar com o padre Humberto?

Ela hesitou um pouco e respondeu:

— Não sei. Vou pensar.

— Você ficou impressionada com esta história. Vá falar com o padre Humberto, mande rezar uma missa e pronto. Assim tudo fica resolvido. Quanto a mim, vou tomar providências para acabar com tudo isso.

— O que pensa fazer?

— Falar com Romeu e proibir Milena de sair com André.

— Ela é rebelde e não vai obedecer.

— Se ela recusar, sou capaz de interná-la. Sempre desejei que fizesse um tratamento psiquiátrico intensivo. Talvez agora seja o momento. Não se preocupe mais com isso. Vou cortar o mal pela raiz.

— Está bem. Mas, por favor, não diga a André que fui eu quem descobriu. Não quero que saiba sobre o detetive. Ele vai brigar comigo.

— Pode deixar. Vou pensar e inventar uma história qualquer. Deixe comigo. Não quero minha filha se metendo com esses charlatães.

— Está bem. Quando tiver qualquer novidade me ligue.

Andréia prometeu e desligou. Sentou-se na sala pensando como deveria fazer. Decidiu que não falaria nada com Milena antes de conversar com o marido. Talvez fosse melhor ela não perceber que eles sabiam. Assim, tomariam as providências cabíveis, não lhe dando tempo para reagir.

Janete desligou o telefone satisfeita. Tinha certeza de que Andréia acabaria com essa história. Mas ela sentia que não podia ficar apenas nisso. Seu casamento estava se desmantelando e precisava tomar outras providências.

Lembrou-se de pai Otero. Foi ele que anos atrás, quando ela já estava perdendo as esperanças de conquistar André, havia feito o trabalho. Ela conseguiu uma camisa dele usada, levou a ele e poucos dias depois tudo começou a mudar.

De repente, um arrepio de medo a acometeu. André estava indo a sessões espíritas. Teria descoberto o que ela havia feito? Isso explicaria sua mudança de atitude.

Não, isso não podia ser verdade. Se ele houvesse descoberto que havia se casado com ela através de magia, certamente não teria ficado calado.

Foi à escrivaninha, pegou uma agenda de telefones, procurou o número e ligou. Foi informada de que o telefone havia sido mudado e anotou o novo número. Depois discou e descobriu satisfeita que Otero continuava no mesmo endereço.

A agenda dele estava lotada. Só havia hora para dali a um mês. Ela insistiu tanto, disse ser uma antiga cliente e conseguiu para alguns dias depois.

Desligou o telefone satisfeita. Tinha certeza de que Otero resolveria todos os seus problemas. Era só uma questão de tempo. Não diria nada a ninguém, como da outra vez. Olívia e Andréia que resolvessem seus problemas. Ela não tinha nada com isso.

***

André chegou em casa passava das dez. Janete assistia a um filme pela televisão. Vendo-o entrar, levantou-se sorrindo:

— Tudo bem, André?

— Sim, obrigado.

— Se não jantou, posso mandar esquentar o jantar.

— Não precisa. Comi um lanche.

— O filme está muito bom. Sente-se aqui, venha assistir comigo.

— Estou cansado. Vou subir, tomar um banho e me deitar.

Janete não se conteve:

— Isso não pode continuar. Estou me esforçando para fingir que não percebo seu desinteresse, mas fica difícil.

Ele parou, olhou-a nos olhos e respondeu:

— Fica mesmo. Não estou suportando mais. Nosso casamento acabou, Janete. Ou melhor, nós nunca deveríamos ter casado. Somos muito diferentes.

Ela empalideceu e retrucou:

— Não sei por que você está dizendo isso. Sempre procurei ser uma boa esposa, sincera, dedicada. Cuido de tudo em nossa casa. Faço o melhor que posso. Sempre fomos tão felizes!

— Isso não é verdade. Você vive se queixando que não lhe dou a atenção que espera.

— De fato, você mudou muito nos últimos tempos.

— É que eu cansei de fazer as coisas do seu jeito, de manter uma vida social falsa, de desempenhar o papel de marido feliz. Há muitos anos que não sei o que é felicidade.

Ela olhou-o assustada. Havia alguma coisa no tom dele que a fez temer o pior. Tentou contemporizar:

— Talvez seja porque você nunca me fala o que sente, vive fechado no seu mundo. Para mim o casamento significa comunhão de ideias, companheirismo, dedicação. E, ultimamente, você não tem feito nada disso.

— Pode ser, mas entre nós nunca houve essa comunhão porque pensamos de forma diferente. Eu quero me separar de você. Preciso de um tempo para retomar minha vida, voltar a ser eu mesmo.

— Você não pode me abandonar depois de todos estes anos de dedicação e afeto que eu lhe dei. Está sendo ingrato.

— Chega um momento em que não dá mais para ignorar a verdade. Lamento o que está acontecendo conosco. Mas não estou conseguindo suportar a vida que estamos levando. Vou fazer as malas e ir para um hotel.

Janete aproximou-se dele colocando a mão em seu braço:

— Por favor, André. Não faça isso. Vamos pensar melhor.

— Tenho pensado tempo demais. Tanto que estou me sentindo sufocado. Preciso ficar só. Entendeu?

As lágrimas desciam pelo rosto dela, que segurou os dois braços dele dizendo:

— Não vou permitir que vá embora desse jeito. Você é meu marido. Casou comigo e jurou ficar até que a morte nos separe. Não o deixarei sair.

Ele segurou-a pelos pulsos afastando-a e gritou:

— Você não vai me impedir. Entenda, vou embora porque estou no limite de minhas forças. Não quero ser indelicado nem brigar com você. Mas acabou. Nosso casamento acabou.

Antes que ela tivesse tempo de responder, André subiu as escadas, foi ao quarto de vestir, apanhou uma mala e começou a colocar suas roupas.

Janete deixou-se cair em uma poltrona, assustada. Isso não podia estar acontecendo com ela. Era um pesadelo. Logo iria acordar e tudo voltaria ao normal.

Alguns minutos depois, André desceu com uma pasta e a mala. Parou diante dela dizendo:

— Estou indo embora. Depois eu ligo informando onde estou e mando buscar o resto de minhas coisas.

Ela não conseguiu dizer nada. Ouviu a porta bater, o barulho do carro e só então se deu conta de que ele havia mesmo ido embora.

Desesperada, subiu para o quarto. A raiva a sufocava. Ele a estava desprezando, abandonando-a como se ela fosse uma qualquer. Isso não ia ficar assim. Precisava dar o troco.

No dia seguinte iria falar com Otero, mesmo sem hora marcada. Ele teria que atendê-la. Faria o que fosse preciso para que André voltasse e, quando isso acontecesse, ela iria fazê-lo pagar por tudo que estava lhe fazendo.

***

André hospedou-se em um hotel e, quando se viu a sós no quarto, sentou-se em uma poltrona. Sua cabeça doía e ele se lembrou de que não havia comido nada. Ligou para o serviço de quarto e pediu um lanche e, enquanto esperava, foi ao banheiro, lavou as mãos, o rosto, tirou os sapatos, abriu a mala, calçou chinelos, vestiu um pijama.

O rapaz trouxe o lanche, e ele sentou-se para comer. Apesar do nervosismo e da dor de cabeça, sentiu-se aliviado. A pressão dos últimos dias havia desaparecido.

Enquanto comia, repensava sua vida. Dissera a Janete que queria um tempo, mas sabia que nunca voltaria para ela. Era um caso encerrado. Tinha certeza de que seus pais, principalmente sua mãe, fariam pressão para que ele reconsiderasse.

Mas nada o demoveria. Pela primeira vez achou que não ter tido filhos com ela havia sido providencial. Não gostaria de separar-se de

Janete deixando crianças fora de sua convivência. Quando um casal se separa, ainda que de forma amigável, os filhos sempre sofrem. Alguns amigos seus estavam tendo muitos problemas com os filhos por causa disso. Bastava o problema mal resolvido com Marcos.

André pretendia reprogramar sua vida. Depois que começara a frequentar a casa de Dantas, modificara radicalmente sua maneira de olhar a vida. O conhecimento da espiritualidade o fizera refletir sobre os verdadeiros valores que levam à conquista da felicidade e que vão muito além dos acanhados conceitos mundanos.

Foi assim que ele pôde perceber que estava levando uma vida baseada nas aparências, ignorando as verdadeiras necessidades de seu espírito. Naquele momento, ficou muito claro em sua mente como fora monopolizado primeiro por sua mãe, depois por Janete, através da vaidade.

Elas a incentivavam a todo momento, salientando como ele era bonito, inteligente, charmoso, indispensável onde quer que fosse.

André passou a mão na testa como se esse gesto pudesse afastar a lembrança de sua ingenuidade. Como não percebera que estava sendo manipulado? Por que se deixara levar como um imbecil por duas mulheres interessadas em que ele fizesse o que convinha a elas?

Diante dessa constatação, André nem pensou em culpá-las. Reconhecia que a culpa de sua infelicidade fora apenas dele. Elas estavam fazendo seu jogo.

Andréia acreditava que o filho seria feliz casando-se com uma mulher de classe, rica, cujo pai, homem de sucesso profissional, ajudaria o seu filho a subir na vida, a fazer uma carreira brilhante como advogado.

Vaidade, pura vaidade. Mas ela achava que isso era amor. Que estava cuidando do futuro dele. Que ilusão!

Janete, criada com luxo, por um pai que brilhava profissional e socialmente, também acreditava que a felicidade estava em parecer. Gostou dele porque fazia boa figura em toda parte, principalmente entre as mulheres, e achou que casar-se com ele a tornaria feliz. Nada a deixava mais alegre do que desfilar com ele em lugares requintados, em festas badaladas, exibindo-o como um troféu. Nunca se importou com o que ele sentia ou pensava.

Também vaidade, só vaidade. Até quando viveriam cultivando tantas ilusões?

Assistindo às sessões onde espíritos desencarnados se manifestavam falando que estavam sofrendo as consequências de seus enganos, ele havia notado que a vaidade era sempre o ponto fraco que os havia feito fracassar e pagar um preço muito caro.

A certeza da continuidade da vida após a morte calou fundo em seu espírito. A transformação de Milena, sua mediunidade, os livros que lera sobre os fenômenos espirituais, a reencarnação, a finalidade da vida voltada à evolução da consciência despertaram em seu coração a vontade de melhorar seu mundo interior.

Era uma emoção nova, mas profunda, que lhe proporcionava uma satisfação tão grande que o fazia sentir que estava no caminho certo. Desejava ser verdadeiro, manter dentro do peito esse sentimento de realização íntima que lhe dava paz.

Dali para a frente ia cuidar para que nada nem ninguém conseguisse induzi-lo a fazer o que não estivesse de acordo com o que sentia. Decidindo isso, sentiu-se forte e lúcido como nunca se lembrou de haver sido.

Uma gostosa sensação de maturidade, de crescimento o envolveu e ele sentiu sono. Deitou-se e logo adormeceu.

Na manhã seguinte, acordou cedo e foi para o escritório. Imaginava que a essa altura Janete já teria ido chorar as mágoas nos braços do pai, que sempre lhe fazia todas as vontades. Era provável até que, se ele insistisse em não voltar para casa, perdesse o lugar naquele escritório, que, apesar de ser de seu tio, tinha supervisão e assessoria do pai de Janete.

Durante o trajeto, foi pensando em conversar com Breno. Eles eram sócios e não gostaria que ele fosse prejudicado por sua culpa. Mas estava disposto a enfrentar todas as consequências.

Quando chegou ao escritório, Breno não havia chegado. Ele era sempre o primeiro a chegar. Aparentemente, tudo estava em paz, mas não demorou muito e a secretária o procurou:

— Telefone para o senhor. É o doutor Romeu.

Seu pai nunca lhe telefonava pela manhã e ele teve a certeza de que Janete já deveria ter ido contar-lhes a novidade. Atendeu em seguida.

— Como vai, pai?

— Você ainda pergunta? Desde a madrugada esta casa está em polvorosa. O que foi que você andou aprontando?

— Nada, pai. Está tudo bem.

— Como está tudo bem? Sua mãe está passando mal, arrasada, aflita, diz que você perdeu o juízo. Quer que venha aqui imediatamente.

— Infelizmente não poderei ir. Estou trabalhando. Mas diga a ela que nunca tive tanto juízo em minha vida. Você sabe como acalmá-la.

Faça isso e depois diga a ela que eu pensei muito antes de tomar essa atitude e que não vou voltar atrás. Meu casamento foi um erro e não dá mais para continuar. Acabou.

— Você não pode fazer isso! Uma moça tão fina como Janete. Espero que não esteja metido com alguma aventureira.

— Não, pai. Fique tranquilo. Não tenho outra mulher.

— Onde você está?

— Em um hotel. Por enquanto quero ficar sozinho.

— Você precisa vir aqui, explicar tudo para sua mãe, conversar com ela.

— Sinto, pai, mas não tenho vontade de fazer isso. Quando ela estiver mais calma e eu achar necessário, irei.

— Ela o está chamando! Não vai atender seu pedido? É sua mãe!

— Eu sei, pai. Eu a respeito e estimo, mas não quero ir falar com ela sobre minha vida. É um direito meu.

— Ela ama você. Não pode fazer isso.

— Se ela me ama mesmo, vai entender e esperar. Tenho muitas coisas para fazer. Garanto a você que não estou fazendo nada errado.

— Ela não vai gostar da sua atitude.

— Sinto muito, pai. Mas não sou mais uma criança. Posso tomar conta de minha vida.

— Você está sendo ingrato. Nunca esperamos isso de você, a quem criamos com tanto carinho.

— Não estou sendo ingrato. Mas decidi que vou assumir a completa responsabilidade pela minha vida. Quando as coisas não vão bem, sou eu quem arca com as consequências. Portanto, tenho todo o direito de escolher como desejo viver. Isso não tem nada a ver com a estima que sinto por vocês. Entendam isso.

Romeu ficou calado por alguns segundos. Depois disse:

— Vou ver o que posso fazer. Deixe ao menos o telefone do hotel, ou o endereço.

— Eu virei trabalhar todos os dias. Se quiserem falar comigo, podem ligar para cá. Por enquanto, não quero ninguém me procurando no hotel.

— Está certo. Mas pense bem, meu filho. Você pode se arrepender. Janete é uma boa esposa. Devia pensar no sofrimento dela, que o ama, e no de sua mãe.

— Eu penso, pai. Mas penso também em mim, na minha paz e felicidade.

Ele se despediu e desligou. André sentou-se pensativo. A guerra havia começado, mas ele se sentia preparado. Sabia o que queria e isso o deixava em paz.

Breno entrou, cumprimentou e tornou:

— Preciso falar com você.

André fixou-o e respondeu:

— O que aconteceu? Você está com uma cara...

— Ontem à noite eu estava na casa de Lúcia, brincando com Mirela, e de repente Anabela e o pai estavam lá, dentro da nossa sala.

André levantou-se assustado:

— Não diga! E aí?

— Foi um horror. Anabela desconfiou e armou tudo. Disse que ia passar alguns dias fora e eu caí direitinho.

— Ela deve ter feito uma cena.

— Ela me destratou, controlava a voz tentando falar friamente, mas seus olhos brilhavam de raiva.

— E seu sogro, Mirela e Lúcia?

— Bem, Mirela se assustou e chorava. Pedi a Lúcia que a tirasse dali. Ficamos os três. Anabela disse entre outras coisas que não queria mais saber de mim. Já *seu* Dionísio disse que eu estava sendo envolvido por uma aventureira e sugeriu que fôssemos conversar em sua casa. Anabela relutou, depois concordou.

— Essa conversa deve ter sido muito desagradável.

— Foi. Quando cheguei lá, ele levou-me a seu escritório e, apesar de eu notar que estava muito irritado, tentou amenizar os acontecimentos. Disse que ter um caso extraconjugal, uma aventura, era um acontecimento natural em nossos dias. Que a maioria de seus amigos tinha uma amante. Mas o que tornava nosso caso pior era que eu tinha uma filha. Ficou falando da nossa responsabilidade em colocar um filho no mundo e sobre hereditariedade. Eu ouvia tudo calado. Queria ver aonde ele queria chegar. Por fim ele me aconselhou a ir para um hotel por alguns dias, deixar Anabela se acalmar, depois voltar, pedir perdão. Estava certo de que ela perdoaria, mas eu teria que deixar Lúcia e Mirela definitivamente.

André balançou a cabeça pensativo, depois disse:

— Eu sabia que um dia isso iria acontecer. Vocês facilitavam muito. Vai fazer o que ele pediu?

Os olhos de Breno brilharam e ele tentou controlar a emoção:

— Não posso fazer isso. Está além de minhas forças.

— Ontem eu me separei de Janete.

Breno olhou-o surpreendido:

— O que aconteceu?

— Cheguei à conclusão de que nosso casamento foi um erro. Nunca fomos felizes.

— Isso ficou mais evidente depois que você reencontrou Nina e seu filho. Você ainda a ama.

— Pode ser. Mas não tenho ilusões, ela não me quer, nunca vai me perdoar. Não foi por causa de Nina que deixei Janete.

— Não?

— Não. Eu amadureci. Tenho aprendido muito sobre a vida desde que comecei a estudar a espiritualidade. Analisando nosso relacionamento, ficou muito claro que nunca nos amamos de verdade. Nossa vida tem sido apenas de aparência. Eu não quero mais mentir a mim mesmo, fingir uma alegria que não sinto.

— Você me surpreende. Nunca pensei que o ouviria dizer isso. Sempre pensei que se sentia feliz em brilhar na sociedade, em ostentar sua situação privilegiada. Não é uma crítica. Ao contrário, eu o admiro muito. Você nasceu rico e, para mim, era natural que usufruísse das vantagens que a vida lhe concedeu. Já eu, sempre tive de lutar muito para conseguir estudar, progredir. Eu me acostumei a uma vida mais modesta. Talvez seja por tudo isso que hoje, quando tenho meios para isso, eu não encontre nenhum prazer. Sou sempre cobrado por Anabela, que adora os lugares da moda.

— Claro que é agradável você estar em um lugar bonito, luxuoso, vestir-se bem, usufruir os prazeres que a vida pode oferecer a quem tem condições, eu gosto disso. Aprecio objetos de arte, o conforto que o progresso pode oferecer. Fico feliz em poder ter tudo isso. O que me incomoda é a forma como eu vinha fazendo isso. Primeiro minha mãe, depois Janete, fazem do relacionamento social uma competição permanente de poder, valorizando as aparências, diminuindo os que não tiveram as mesmas oportunidades.

— Sei o que quer dizer. Eu mesmo notei isso várias vezes quando acompanho Anabela. Agora que está dizendo, acho que é por esse motivo também que eu não gosto de ir a certos lugares.

— Eu mudei, Breno. Sinto vontade de ser verdadeiro. Fazer as coisas com prazer, seguir o que estou sentindo. Não ter que fazer as coisas por obrigação. Por tudo isso eu quis ser advogado e não assumir a empresa de meu pai. Eu abracei essa profissão porque o Direito me fascina.

— A mim também. Pena que nem sempre podemos fazer ganhar quem tem razão. Mas, ainda assim, continua valendo a pena. Fico imaginando o que sua mãe está pensando sobre isso.

— Como sempre, está querendo me convencer a fazer o que ela acha certo. É incrível como Janete se parece com ela. Meu pai ligou há pouco pedindo que eu fosse vê-los. Mas eu prefiro dar um tempo. Estou tentando refazer minhas ideias, encontrar a paz interior. Quando achar que estou pronto, irei conversar com eles.

— E Janete? O que vai fazer com ela?

— Já lhe disse tudo que precisava ouvir. Agora pretendo me separar legalmente.

— O divórcio está para sair.

— Espero que desta vez a Igreja não possa atrapalhar. Seja como for, eu não quero mais viver com Janete. Nossa separação é definitiva. Para mim é mais fácil, não temos filhos. O mesmo não acontece com você. O que pensa fazer?

— Eu pensava em levar o casamento até o fim por causa dos meninos. Estão na idade em que precisam de pulso. Lúcia sabe disso. Nunca a iludi. Mas Anabela é intransigente. Receio o que ela possa fazer para me punir.

— Vai se separar de Lúcia?

— Para ser sincero, se não tivesse os meninos, já teria me separado de Anabela. Eu amo Lúcia de verdade. Quando conheci Anabela, eu me entusiasmei. Conquistá-la era para mim o máximo. Bonita, rica, sempre gostou de pompa. Eu vibrava quando ela aparecia na porta da faculdade para me ver, muito chique, naquele carrão preto com motorista de uniforme. Eu sempre me julguei menos do que ela, e fazia tudo quanto ela queria. Nunca fui capaz de dizer não a um pedido seu. Nossos filhos nasceram e eu vibrei emocionado. Mas depois de alguns anos de casamento comecei a observar alguns pontos fracos que ela possui e meu amor esfriou. Lúcia é o oposto dela. Meiga, suave, delicada, romântica. Fiquei louco por ela. Seja o que for que aconteça com Anabela, não vou deixar Lúcia nem Mirela. Não saberia viver sem elas.

— Não gostaria de estar em seu lugar. E os meninos?

Os olhos de Breno encheram-se de lágrimas que ele procurou conter.

— Não sei o que fazer. Não quero que sofram por minha causa, não pretendo deixá-los.

André passou a mão nos cabelos como para afastar alguns pensamentos desagradáveis.

— Esta noite você foi dormir em casa?

— Não. Procurei um hotel. Depois de falar comigo, dizendo tudo quanto eu deveria fazer para recuperar meu casamento, *seu* Dionísio chamou Anabela. Ela entrou no escritório pálida, mas seus olhos me fitavam com rancor. Meu sogro falou o que queria, nem me recordo bem do que disse, mas, em resumo, que eu tivera uma aventura, estava arrependido e me comprometia a abandonar tudo e voltar para casa. Queria que ela me perdoasse.

— Você pediu perdão?

— Não. Ele fez tudo. Então ela disse que eu não era digno de voltar para casa e viver ao lado de nossos filhos. Que ela estava errada tendo se sujeitado a casar com um homem de classe inferior a sua e que eu fosse embora, levasse todas as minhas coisas, que o nosso casamento estava acabado. Eu pensei em tentar contornar, mas vi nos olhos dela o quanto estava decidida. Então, decidi não discutir. Disse que no dia seguinte passaria em casa para apanhar minhas coisas. Foi isso.

— E os meninos? O que ela vai dizer a eles?

— É isso que me preocupa. Ela está com tanta raiva que não vai se conter e contar-lhes tudo à sua maneira.

— Foi o que pensei.

— Eu queria poupá-los. Não tinha intenção de causar-lhes esse desgosto.

— Eu sei. Mas aconteceu. Agora é tentar remediar.

— É. Vamos ver como os fatos se desenrolam daqui para a frente. E você, o que pensa fazer?

— Ontem tive uma conversa com Nina. Acho que consegui tocar seu coração.

— Ela consentiu que você assuma o menino?

— Ainda não. Mas acho que dei o primeiro passo.

— Agora que se separou, tem esperança de reatar com ela?

— Não. Nina ainda está muito ferida. Acho que nunca vai me perdoar. Apesar de tudo, dou-lhe razão. Portei-me como um canalha. Estou pagando o preço. Mas, com relação a Marcos, penso que ela terá que se render à evidência. Eu sou o pai. Cedo ou tarde ela vai aceitar.

— Tem razão. Lúcia sempre diz que Nina é uma pessoa justa.

— E odeia ser pressionada. Por esse motivo estou sendo paciente. Desejo também mostrar-lhe que não sou o canalha que ela pensa e coloco em primeiro lugar o bem-estar de Marcos. Penso que ao descobrir que estou vivo, que o amo, ele ficará feliz. Nina inventou essa mentira para não ter que falar da minha traição.

— Anabela não terá a mesma delicadeza. Está com tanta raiva que não vai me poupar.

— Reconheça que ela tem seus motivos.

— Este assunto é entre mim e ela. Não precisaria pôr nossos filhos no meio.

— Você não sabe se ela vai fazer isso. É uma mulher educada, esclarecida.

— Mas rancorosa. Julga-se dona da verdade e gosta de dar a última palavra. Janete é igualzinha. Já pensou como ficará quando souber que você tem um filho com outra?

— Já. Tomei essa decisão para impedi-la de se envolver nesse assunto. Estamos separados e vou oficializar essa separação.

— Anabela quer a separação, mas Janete acredito que não. Ela sempre o amou.

André sorriu e meneou a cabeça negativamente.

— Não creio que me ame. Mas, seja como for, ela terá que aceitar. Cada hora que passa eu me sinto mais livre, melhor, com esse rompimento. Acabou. Nunca voltarei a viver com ela.

A secretária avisou que Milena estava ao telefone. André foi atendê-la.

— André, o que aconteceu? Mamãe está em polvorosa, papai nem foi trabalhar. Tenho pensado muito em você.

— Eu estou bem. Depois conversaremos.

— É verdade que se separou de Janete?

— É. Não vou aí hoje porque não quero ver mamãe.

— Sei. Estava esperando isso acontecer. Marta me avisou. Disse que seu ciclo ao lado dela terminou.

— Eu senti que era hora de fazer isso. Apesar de haver sido um momento desagradável, estou me sentindo aliviado. Ela lhe disse alguma coisa mais?

— Não. Amanhã é dia da nossa sessão. Você virá me buscar?

— Sim. Mas fique atenta, porque não vou entrar. Saia quando eu parar o carro no portão.

— Está bem.

Depois que André desligou, ele disse a Breno:

— Milena disse que Marta previu minha separação. Ela tem uma sensibilidade maravilhosa.

— Sempre tive vontade de ir a uma sessão espírita, principalmente depois que você me falou de Milena.

— Nessa fase que você está, seria bom mesmo procurar ajuda espiritual. Falarei com o doutor Dantas para ver se ele permite que você vá uma noite conosco.

— Eu adoraria.

Eles continuaram conversando, cada um procurando encontrar soluções para seus problemas, mas nenhum dos dois percebeu a presença de um espírito de mulher que os abraçava, sorrindo com satisfação.

Antes de bater no portão do terreiro, Janete olhou para os lados. Apesar de haver vestido uma roupa modesta, ter colocado peruca e óculos escuros, não queria se arriscar. Ninguém poderia vê-la entrar ali.

Uma mulher de meia-idade abriu e ela entrou.

— Pai Otero a está esperando — disse.

E a conduziu para os fundos, onde havia uma construção simples e quase sem acabamento. Janete sentiu o cheiro forte de velas e incenso que a fez lembrar-se da outra visita que fizera ao local anos atrás.

Levada a uma sala, ela esperou alguns minutos, depois a mesma mulher a fez entrar em uma outra sala. Otero a esperava atrás da mesa tosca, onde havia um castiçal grande com uma vela acesa e um terço enrolado nele.

Era um homem magro, pele fina e muito clara, olhos pequenos e vivos, que se fixaram nela atentamente. Vestia uma bata branca tendo um desenho colorido bordado sobre o peito e colares de contas no pescoço. Apesar de ser de meia-idade, por ser miúdo, à primeira vista tinha a aparência de um menino.

— Lembra-se de mim? Eu estive aqui há alguns anos.

— Sim. Por sinal, você conseguiu o que queria.

— Foi. Mas eu voltei porque acho que o encanto acabou. Ontem meu marido foi embora de casa.

Ele acendeu um cigarro, soltou fumaça no ar e ficou alguns instantes contemplando os movimentos dela. Depois disse:

— Sente-se e conte o que aconteceu.

Janete obedeceu e finalizou:

— Como ele não tem outra mulher, pensei que o encanto que você fez acabou. Acho que precisa ser renovado. Ouvi dizer que a magia tem tempo certo.

— Tem, mas depende das circunstâncias. O que eu fiz para vocês foi muito bem-feito. Era para sempre. Deve ter acontecido alguma coisa que atrapalhou. Dê-me sua mão, vamos ver o que aconteceu.

Ele segurou a mão de Janete sobre a mesa, fechou os olhos durante alguns minutos. Janete começou a sentir calafrios e remexeu-se na cadeira inquieta. Por fim ele a soltou, abriu os olhos e disse:

— Ele está indo a um lugar perigoso.

— Como assim?

— Uma sessão espírita na casa de alguns amigos. Eu os vi ao redor da mesa. Eles desfizeram o trabalho. Eu sabia que tinha feito tudo certo.

— De fato, eu soube que ele está indo a uma sessão com a irmã. Mas não pensei que isso pudesse atrapalhar. Não é em um Centro Espírita, é em uma casa de família.

— Eu sei. Mas eles têm força. Trabalham com os Missionários da Luz.

— Eu vim para você fazer tudo outra vez. Quero que ele volte para casa e desta vez para sempre. Eu trouxe aqui uma camisa dele usada, conforme me pediu da outra vez.

Ela colocou um pacote sobre a mesa, mas ele respondeu:

— Guarde isso, por favor. Não posso fazer o que me pede.

— Como não? Eu posso pagar o que me pedir.

— Guarde seu dinheiro. Não vou me meter com eles.

— Por quê? Você é poderoso.

— Sou, mas nem tanto. Não quero me meter nos negócios deles. Se fizer isso, logo estarei acabado. Aconselho-a a aceitar essa situação. Seu marido está bem protegido e a mulher também.

— Mulher? Não há nenhuma mulher.

— Há, sim. A mesma de antes. Eu não vou me envolver com eles. Vá para casa, aceite a separação, exija todo o dinheiro que puder. É o que pode fazer de melhor.

— Você se recusa a me atender. Nunca pensei que fosse me deixar na mão.

— Bem que eu gostaria de ajudá-la, mas não posso. Desta vez não dá para fazer nada.

Janete quis pagar a consulta, mas ele recusou:

— Não vou lhe cobrar nada. Pense no que eu disse.

Janete saiu irritada. Ele não era tão poderoso como havia pensado. Além do mais, era medroso. Aceitar a separação! Isso era o mesmo que desistir e deixar o caminho livre para a outra.

Lembrou-se da cartomante. Ela dissera que havia outra mulher. E pai Otero afirmara a mesma coisa. Precisava encontrar alguém que não tivesse medo e fizesse o que ela queria. Não conhecia ninguém. Decidiu ir para casa a fim de pensar em uma solução.

***

Naquela mesma tarde, Olívia pegou o carro e saiu. Não gostava de dirigir, mas não queria testemunhas no encontro que ia ter. Quando julgou oportuno, entrou em um estacionamento, deixou o carro. Saiu e tomou um táxi. Deu o endereço.

Vinte minutos depois, em um bairro de periferia, o táxi parou.

— A senhora quer que eu espere?

— Não. Pode ir.

Ele olhou em volta e considerou:

— Se não vai demorar é melhor eu esperar. Este lugar pode ser perigoso para uma senhora sozinha.

Olívia hesitou um pouco, depois respondeu:

— Está bem. Não pretendo demorar.

Ela olhou o número e tocou a campainha. Uma mulher de meia-idade abriu e, vendo-a, sorriu dizendo:

— Quanto tempo, dona Olívia. Como vai?

— Bem, obrigada. Quero falar com o Toninho. Ele está?

— Está. Sente-se, que vou chamá-lo.

A sala era mal mobiliada, abafada e cheirando a mofo.

— Não posso demorar. Vá depressa.

Pouco depois apareceu um homem moreno, magro, meio calvo, que vendo-a sorriu, mostrando os dentes amarelados.

— Dona Olívia, que honra vir a minha casa! Faz tempo que não me procura.

— Faz mesmo. Mas aconteceram algumas coisas e eu preciso que me ajude.

— Depois do que fez por nós, sempre poderá contar comigo para o que precisar.

— Você sabe que não costumo regatear e pago muito bem. Mas antes quero que prometa sigilo absoluto.

Ele fez um gesto largo e respondeu:

— A senhora sabe que pode confiar. Alguma vez eu não cumpri o que prometi?

— Por esse motivo estou aqui. Quero conversar em um lugar onde ninguém possa nos interromper nem ouvir nossa conversa.

— Vamos ao meu escritório.

Eles atravessaram a casa, foram para o quintal. O que ele chamava de escritório era um quartinho nos fundos, onde havia uma escrivaninha velha e algumas cadeiras.

Olívia sentou-se diante da mesa, ele acomodou-se do outro lado depois de fechar a porta.

— Pode falar.

— Meu marido trouxe um órfão para nossa casa. Não sabemos quem são seus pais. Sabe como Artur é, tomou-se de amores pelo garoto e registrou-o como nosso filho.

— Que absurdo!

— Pois foi. Fiz de tudo para que ele desistisse, mas não consegui nada. O garoto está lá, paparicado, e vai herdar metade da fortuna de Antero.

— Claro que a senhora não pode permitir isso.

— Bem, eu quero sumir com o garoto.

— Apagar?

— Não. Isso não. Mas levá-lo para bem longe, onde ninguém possa encontrá-lo. Pode arranjar isso?

— Quantos anos ele tem?

— Seis.

— Sequestro é perigoso. Se a polícia descobrir, seremos presos e a pena é alta.

— Isso se a polícia descobrir. Se fizer tudo direito, eles nunca descobrirão.

Toninho meneou a cabeça pensativo, depois respondeu:

— Mas há muito risco e isso fica caro.

— Não importa, estou disposta a pagar o que for para ver-me livre daquele pirralho.

— Nesse caso, verei o que posso fazer. Vou estudar o caso e me comunico com a senhora.

— Tome cuidado. Ninguém pode saber.

— O segredo é a alma do negócio — respondeu ele sorrindo. — Fique sossegada, é do meu interesse.

Olívia despediu-se e deixou a casa respirando aliviada. Não aguentava mais o cheiro do lugar. O táxi a estava esperando. Ela entrou, acomodou-se:

— O senhor vai me deixar no mesmo lugar em que me apanhou.

— Está certo. Desculpe dizer, mas a senhora, tão distinta, não deveria arriscar-se em vir aqui sozinha. Sei o que estou dizendo.

— Obrigada pelo seu interesse. É que há anos eu e meu marido ajudamos essa família. O dono da casa está muito mal, sofre de uma doença incurável. Teve uma recaída, acho que não passa de hoje. Estou penalizada. Vim sem pensar em nada.

— A senhora é muito boa, mas precisa ter cuidado.

Uma vez de volta ao estacionamento, Olívia apanhou o carro e foi para casa. Estava satisfeita. Toninho nascera na fazenda de seu avô no Paraná. Aos vinte anos foi surpreendido desviando parte do leite que era vendido para o mercado e foi mandado embora.

Olívia o perdeu de vista durante algum tempo. Ela o conhecia desde criança. Ele a ajudava nas brincadeiras, encobrindo suas traquinagens. Quando o encontrou por acaso, ele tinha mulher, dois filhos e não tinha emprego fixo.

Toninho contou uma história triste e se ofereceu para trabalhar em sua casa, cuidando dos jardins. Ficou lá dois anos, mas Artur nunca confiou nele. Um dia o apanhou roubando dinheiro de sua carteira. Mandou-o embora e Olívia não teve como impedir. Artur não deu queixa à polícia porque Olívia pediu, evocando seus tempos de criança e ele chorou implorando que não o mandasse prender, jurando se emendar.

Desde esse tempo, tudo que ela queria fazer sem que o marido soubesse, ele fazia. Ela confiava nele. Por tudo isso foi procurá-lo para levar Eriberto embora. Sabia que ele tinha conhecimento. Queria que ele arranjasse identidade falsa para que ele nunca viesse a reclamar a herança que em má hora Artur lhe dera, registrando-o em seu nome.

Quando levassem o menino, Artur iria sofrer, mas ela não se importava. O que estava fazendo era para o bem de seu filho e até do seu casamento. Desde que ele trouxera o menino, havia se distanciado muito mais dela.

Quando ela chegou em casa, Eriberto havia voltado da escola, tomado banho e estava na copa para jantar. Vendo-o, Olívia pensou com satisfação:

— Logo você não estará mais aqui para me incomodar. Vou ficar sozinha e estarei livre de você. De hoje em diante, tenho que tratá-lo muito bem para que ninguém desconfie de mim quando você sumir.

Aproximou-se dele sorrindo, beijou-o levemente na face dizendo:

— Como você está cheiroso, bonito. Está de roupa nova?

— Não, senhora — respondeu Eriberto.

Voltando-se para Josefa, que a olhava surpreendida, Olívia continuou:

— Cuide que ele se alimente bem para ficar forte.

Quando ela se voltou para sair, sentiu uma tontura e quase caiu. Amparou-se na mesa, assustada.

— O que foi, dona Olívia, ficou pálida, está se sentindo mal?

— Estou tonta, parece que vou desmaiar.

— Sente-se, vou buscar um copo d'água.

Voltou em seguida e a fez tomar alguns goles.

— Estou com falta de ar, não consigo respirar.

— É melhor ligar para o doutor Artur.

— Estou melhorando. Acho que foi uma queda de pressão. Vou me deitar. Ajude-me, por favor.

Amparada por Josefa, Olívia foi para o quarto, tirou os sapatos e deitou-se. Sentia-se inquieta, irritada, uma sensação de medo a incomodava.

— É melhor ligar para Artur. Não estou me sentindo bem.

Meia hora depois, Artur entrou no quarto, preocupado.

— O que foi, Olívia, o que está sentindo?

— Mal-estar. Foi de repente, pensei que fosse desmaiar. Tontura, parece que vai acontecer alguma coisa ruim.

— Vamos ver.

Ele a examinou, mediu a pressão e disse:

— Aparentemente está tudo bem. Você teve alguma contrariedade, aborreceu-se?

— Não. Pelo contrário. Está tudo bem. O que acha que eu tenho?

— Não encontrei nada. Tem certeza de que não passou nenhum aborrecimento?

— Tenho. Por quê?

— Os sintomas são de um desequilíbrio nervoso. Mas, se não aconteceu nada, foi um mal-estar passageiro.

— Deve ser isso. Fiquei melhor depois que você chegou. Aliás, há anos tenho estado muito só. Você nunca está em casa e quando está não conversa comigo. Eu sou um ser humano, necessito de companhia, de afeto.

— Está bem. Acalme-se. Vou me esforçar para ficar mais em casa. Você precisa descansar. Tome este comprimido e logo se sentirá melhor.

Ela obedeceu e acomodou-se novamente, pensando que poderia tirar partido daquele acontecimento. Já que ele gostava de curar as pessoas, se ela fingisse estar mal, ele não a deixaria tão só.

Artur, notando que o calmante começou a fazer efeito e Olívia estava sonolenta, afastou-se. Exatamente naquela noite ele havia pensado em contar-lhe toda a verdade sobre Eriberto. Teria que deixar para outra ocasião.

Antero havia lhe dito que precisava de certo tempo para conversar com Glória, pedir-lhe que o perdoasse e aceitasse Eriberto como filho. Como ela desejava muito ser mãe, passado o primeiro momento, talvez concordasse com o reconhecimento da paternidade.

Isso seria o ideal, uma vez que ele estava decidido a regularizar a situação do menino e não queria separar-se dela. Antônia estava morta e Glória, apesar de estar obcecada pelo desejo de ser mãe, era boa esposa. Ele a respeitava e amava.

Assim sendo, tudo ficaria como tinha que ser. A esse pensamento, Artur lembrou-se de Antônia e das promessas que lhe fizera. Parecia vê-la chorosa, aflita, hesitando em se separar do filho.

Uma onda de tristeza o acometeu. Muitas vezes se perguntou se o fato de a haver separado do filho teria contribuído para que ela se matasse. Querendo ajudar, talvez ele houvesse causado um mal maior.

Com a criança nos braços, ela talvez houvesse encontrado forças para reagir e continuar vivendo. Momentos havia em que ele se arrependia de haver feito isso.

O que ele não viu e não podia saber é que o espírito de Antônia estava ali, querendo que ele evitasse que Olívia realizasse seu plano.

Ela havia sido levada para um hospital em uma dimensão próxima à Terra, recebeu tratamento e foi melhorando. Estava mais calma, sentia-se mais forte, porém a preocupação com Eriberto a incomodava.

Conforme lhe fora prometido, de vez em quando os atendentes davam-lhe notícias dele. Ela, porém, pensava em Olívia e temia que ela fizesse alguma coisa contra ele.

Naquele dia, quando estava pensando em Olívia, sentiu seus pensamentos e descobriu o que ela tencionava fazer. Procurou a enfermeira que lhe dava assistência e contou o que descobrira. Ela falou com seu superior e ele foi procurá-la dizendo que tivesse confiança, que a situação estava sob controle e nada aconteceria ao menino.

Mas Antônia não se acalmou. Decidiu ir pessoalmente verificar o que estava acontecendo. Aproveitando-se de um momento propício, fugiu. Pensou em Eriberto com tanta força que imediatamente viu-se ao lado dele, que se preparava para ir ao colégio.

Olhos cheios de lágrimas, beijou seu rosto querido, dizendo-lhe ao ouvido:

— Não vou deixar que nada de mau lhe aconteça. Deus há de me ajudar.

Eriberto estremeceu, mas não ouviu nada. Josefa o levou à escola enquanto Antônia ficou vigiando Olívia. Leu seus pensamentos e ficou horrorizada.

Na hora em que ela saiu para procurar Toninho, Antônia a acompanhou. Quando Olívia entrou na casa, ela ficou esperando do lado de fora. Havia notado que ali era um covil de espíritos maldosos, e teve medo de que a vissem.

Sabia por experiência própria o que esses espíritos podem fazer, submetendo os mais fracos a todas as humilhações, usando-os para servir seus interesses.

Apesar de ficar do lado de fora, Antônia sintonizou Olívia e conseguiu ouvir tudo que ela conversava com Toninho. Quando ela voltou para casa, pensando em seus projetos com satisfação, Antônia estava ao lado.

Uma raiva surda a envolvia e ela em vão buscava encontrar uma forma de atrapalhar seus planos. Quando a viu aproximar-se de Eriberto, fingindo que o amava, não conseguiu dominar-se.

Atirou-se sobre ela, segurando seu pescoço, tentando enforcá-la, dizendo:

— Sua víbora. Você não vai fazer mal a meu filho. Chega o que fez comigo. Vou acabar com você! Deixe meu filho em paz.

Olívia não a viu nem ouviu, mas sentiu-se muito mal. Antônia não a largava, acusando-a e dizendo que estava ali para proteger seu filho. Quando viu seu tio Artur chegar, afastou-se e ficou em um canto do quarto, observando-os.

Confiava nele e desejava que ele soubesse o que Olívia estava planejando. Por esse motivo, quando ele foi para o escritório, ela o acompanhou para tentar alertá-lo.

Aproximou-se falando em seu ouvido a verdade, porém ele não a ouviu. Apenas lembrou-se dela, sentiu-se culpado, triste. Antônia resolveu que precisava permanecer ali, acompanhar os fatos e fazer o que pudesse para evitar o pior.

***

A noite já havia caído quando Lúcia entrou em casa. Breno não tinha dado notícias e ela, abatida, triste, receava que ele não a procurasse mais.

Vendo-a, Mirela correu para ela com um papel na mão dizendo:

— Mamãe, olha a casa que a Rosa fez para mim.

Lúcia abraçou-a, beijou-a e respondeu:

— Deixe-me ver... que linda!

— Eu fiz ela colocar dentro nós todos. Este é o papai, esta é você, e esta sou eu.

Lúcia sentiu um nó na garganta e procurou reagir. Não queria que Mirela sofresse. Ela era muito apegada ao pai. Tentou disfarçar, perguntou se ela já havia jantado. Depois disse:

— Vou tomar um banho e já volto. O desenho está muito lindo.

— Eu ajudei. Olha, esse sol fui eu que fiz. Essa margarida também.

— Que beleza! Continue desenhando que eu já volto.

Lúcia subiu, tomou banho e enquanto se vestia revivia todo o seu relacionamento com Breno. Ela não podia exigir nada dele. Nunca fora enganada. Ele sempre lhe dizia que não queria deixar Anabela.

Depois do que aconteceu, ele não voltaria a vê-la. Estava acabado. Breno nunca deixaria a esposa para ficar com ela. Havia os dois filhos e ele não os abandonaria.

As lágrimas desciam pelo seu rosto sem que pensasse em impedir. Breno a ajudava nas despesas da casa, pagava a empregada, o aluguel e a escola de Mirela. Mas não era com isso que Lúcia se preocupava. Sabia que ele amava a filha e, acontecesse o que acontecesse, nunca deixaria de cuidar do seu bem-estar.

O que a deixava desesperada era a separação. Ela o amava muito. Era esse amor que a fizera aceitar o que ele podia lhe oferecer, sentindo-se feliz com as sobras de tempo que ele conseguia lhe dar.

O que seria dela se ele nunca mais a procurasse? Como esquecer os momentos de amor que haviam vivido juntos?

Acabou de se vestir, mas não sentiu vontade de descer para o jantar. Rosa bateu na porta:

— Dona Lúcia, o jantar está pronto. Posso servir?

Lúcia procurou controlar-se e respondeu:

— Não, Rosa. Estou sem fome e muito cansada. Quero dormir. Cuide de Mirela para mim.

— Está bem.

Lúcia estendeu-se na cama. Estava claro que Breno não voltaria mais. Ele tivera o dia todo para dar notícias, para contar o que estava acontecendo, mas não telefonara.

Lúcia deu livre curso às lágrimas, chorou muito. Depois, exausta, adormeceu. Algum tempo depois acordou sobressaltada. Abriu os olhos e Breno estava sentado ao lado da cama, fitando-a.

Coração batendo forte, sentou-se dizendo:

— Por que não me acordou? Faz tempo que você está aí?

— Alguns minutos.

Breno curvou-se e beijou-a na face e continuou:

— Desculpe não ter vindo antes. Tive um dia difícil.

— Posso imaginar. Sinto muito o que aconteceu. Não queria prejudicar sua vida familiar.

— Você não tem culpa de nada. Aconteceu. Nós fomos ingênuos, um dia isso teria que acontecer.

— E você veio até aqui para me dizer que precisamos acabar com nosso relacionamento.

Ele abraçou-a com carinho, beijou seu rosto, seus lábios, com paixão. Depois considerou:

— Sinceramente, estou sem saber como agir. Sinto que não poderia viver longe de vocês duas.

— Mas sua mulher vai exigir nossa separação.

— Meu sogro tentou acomodar as coisas, propondo isso. Mas ela não aceitou de maneira alguma. Quer a separação. Fui para um hotel, mas não consegui dormir pensando.

— Talvez seja melhor nos separarmos. Com o tempo, quando ela souber que não estamos mais juntos, vai acabar perdoando e tudo estará resolvido.

Breno levou a mão dela aos lábios e respondeu:

— Você é uma mulher maravilhosa. Outra em seu lugar tentaria tirar proveito da situação.

— Eu desejo sua felicidade. Não quero ser a causa da desunião de sua família.

— Não carregue uma culpa que você não tem. Se alguém aqui agiu errado, fui eu. Gostei de você desde que a conheci. Fiz tudo para seduzi-la, passando por cima da minha responsabilidade familiar. O que eu não imaginava era que, conhecendo-a intimamente, descobriria qualidades de alma, o que fez com que minha atração inicial se transformasse em amor, um amor verdadeiro, do qual não quero abrir mão.

Lúcia ouvia trêmula de emoção e não conseguiu responder. Breno continuou:

— Ontem estive conversando com André, que também está passando por um momento difícil. Ele está se separando.

— Também? Ela descobriu que ele tem um filho?

— Ainda não. Ele tomou essa decisão porque reconheceu que seu casamento havia sido um erro.

— Quer reatar com Nina?

— Não, porque ele pensa que ela nunca vai perdoá-lo. Reconheceu que não amava Janete e deixou-se envolver por vaidade. Decidiu ser verdadeiro, viver a vida de acordo com seus sentimentos. Quer viver sozinho, procurar encontrar a paz interior, ter tempo para relacionar-se com o filho.

— Ele está sendo corajoso.

— Está. Nossa conversa me abriu os olhos. Eu também me casei com Anabela fascinado pelo luxo em que ela vivia. Vim de uma família simples, fiquei envaidecido por haver despertado seu interesse. Senti-me valorizado. Até esta noite eu não tinha consciência disso. Mas confesso que nunca senti por Anabela o que sinto por você. Quando somos jovens nos impressionamos muito com as aparências.

— O que pensa fazer?

— Aceitar a separação. Ontem ela fez questão de mencionar nossas diferenças de classe social. Ela está certa. Eu não tenho vontade de continuar levando uma vida de mentiras. Eu não a amo, se é que algum dia eu a amei.

— E os meninos?

— Esse é o ponto mais delicado e difícil. Sinto que ela vai tentar impedir que eu me relacione com eles como sempre fiz.

— Mas você é o pai. Ela não poderá fazer isso.

— Legalmente não. Mas vai tentar destruir a admiração e o afeto que eles sentem por mim, fazendo do nosso caso um motivo para que eles me desprezem. Isso não vou poder evitar.

— O caso é entre vocês dois. Seus filhos devem ser poupados ao máximo. É inevitável que sofram com a separação, mas é preciso que eles entendam que, embora vocês não desejem mais viver juntos, isso não tem nada a ver com o amor que sentem por eles. Anabela é uma mulher instruída, não vai envolver os filhos na briga de vocês.

— Aí é que você se engana. Tenho certeza de que ela vai usá-los, sim, tentando afastá-los de mim. Talvez esse seja o preço que terei de pagar por haver errado tanto. Quanto a nós, por enquanto continuaremos como sempre. Ficarei morando no hotel. Não me mudo para cá para não acirrar ainda mais a raiva de Anabela. Faço isso pensando em poupar os meninos.

Lúcia abraçou-o com carinho:

— Eu pensei que houvesse perdido você.

— Quando cheguei, apesar de estar dormindo, notei logo que havia chorado. Saiba que eu nunca as deixarei. Aconteça o que acontecer, estaremos juntos. Quando tudo passar, planejaremos nossa vida.

Os dois permaneceram abraçados, sentindo a força do amor que os unia, o coração batendo forte, uma comunhão de almas que nunca haviam sentido antes.

***

Na mesma noite, Antero chegou em casa pensando em conversar com Glória. Encontrou-a na sala, folheando uma revista. Vendo-o, levantou-se alegre dizendo:

— Veja, Antero, que lindo esse quarto de bebê.

Ele olhou, sorriu e respondeu:

— É bonito, mas nós já temos um.

— Mas eu quero reformar. Aquele quarto não nos deu sorte. Desta vez tenho certeza de que vai dar certo. Quero fazer um quarto novo.

Antero segurou as mãos dela, dizendo sério:

— Sente-se aqui, Glória, a meu lado. Quero conversar com você.

Ela obedeceu. Ele continuou:

— Eu sei que você tem tido sintomas de gravidez, mas precisamos ir com calma porque você pode estar enganada. Não é bom esperar muito e de repente saber que estava errada. Seu exame deu negativo.

— Por enquanto. Mas daqui a alguns dias farei outro e você verá que tenho razão.

— Mas você ficou menstruada a semana passada.

— Isso não importa. Há casos em que a gestante menstrua, principalmente no início.

— O médico disse que esses casos são raros. É bom não se iludir.

— Não estou iludida. Tenho certeza. Até parece que você não deseja que eu tenha esse filho.

— Não se trata disso. O que eu quero é poupar você. Vou procurar outro médico.

— Está bem. Mas eu tenho certeza. Quero ver sua cara quando minha barriga começar a crescer. Minha cintura já aumentou.

Antero não disse mais nada. Como contar seu relacionamento com Antônia e a existência de um filho? Talvez fosse melhor ele procurar um bom psiquiatra e aconselhar-se, conforme seu pai queria. Não sabia como lidar com ela e não desejava complicar seu estado ainda mais.

Durante o jantar, ela só falou sobre o bebê, como ele seria, o que faria quando ele nascesse, que providências tomaria. Antero ficou ainda mais preocupado com a euforia dela. Tentou conversar sobre outros assuntos, mas ela não lhe dava atenção. Ele teve a impressão de que ela não entendia o que ele dizia e voltava sempre ao mesmo tema.

O caso dela parecia mais grave do que pensara. Lembrou-se de que na noite seguinte deveria ir à sessão espírita na casa de Dantas. Conversaria com ele, pedindo conselhos a respeito.

22

Nina chegou em casa no fim da tarde, pensando em descansar. Não dormira bem na noite anterior e sentia-se indisposta. Foi ver Marcos, conversou um pouco e depois foi tomar um banho. Queria jantar e dormir.

Logo depois do jantar, o telefone tocou e Nina atendeu. Reconheceu a voz de Antero.

— Desculpe incomodá-la em casa, mas amanhã é dia de nossa reunião na casa do doutor Dantas. Você vai?

— Não. Desejo ficar um pouco mais com meu filho. Quase não tenho tido tempo para ficar com ele.

— Eu me sentiria mais seguro se você fosse. Acontece que, além do que você sabe, estou atravessando um outro problema grave, não sei que atitude tomar. O doutor Dantas pareceu-me um homem experiente, gostaria de falar com ele, aconselhar-me.

— Escolheu a pessoa certa. Além de ser um homem bom, é bastante confiável.

— Eu fico acanhado de incomodá-lo com meus problemas. Nosso relacionamento é muito recente. Se você fosse comigo e conversa se com ele, seria mais fácil. Vamos, eu posso buscá-la em sua casa se desejar.

— Não será preciso.

— Diga que irá.

— Vamos ver. Talvez eu possa conversar com o doutor Dantas amanhã no escritório e dizer-lhe que deseja conversar.

— Eu preferia que você fosse. Estou ainda inseguro com relação a essa reunião.

— Você ainda tem dúvidas?

— Ao contrário. Estou certo de que tudo foi verdadeiro. Fico inseguro porque não sei como me comportar. Você me deu apoio e me ajudou muito. Sei que estou abusando de sua bondade, mas vá comigo, nem que seja apenas desta vez.

— Está bem. Irei. Passe em minha casa às sete e meia.

— Combinado. Obrigado por me acompanhar.

Nina desligou o telefone pensativa. Ela não queria ir por causa de André. Depois do último encontro, sentia-se frágil. Esforçava-se para recordar-se de como fora traída, do que sofrera sabendo que ele se casara com outra.

Queria alimentar a raiva que desde aqueles dias sentira, porém a lembrança do rosto dele triste, arrependido, insistindo, lutando pelo direito de reconhecer o filho, de amá-lo, perturbava-a, apagando do seu coração o rancor que teimava em manter.

Depois daquele encontro, parecia-lhe haver se tornado vulnerável às suas rogativas. Ela não queria fraquejar. Jurara a si mesma que ele pagaria por tudo que lhes havia feito e não podia esquecer só porque ele se mostrava arrependido.

Isso não era justo com ela nem com Marcos. Entretanto, as palavras de André ainda soavam em seus ouvidos: "Já pensou que ele tem o direito de escolher como deseja lidar com isso?... Como pode saber o que se passa no íntimo dele?... Como pode assumir essa responsabilidade e garantir que ele nunca lhe pedirá contas por tudo isso?".

André estava determinado. Não desistiria até conseguir o que queria. Seria prudente continuar negando a verdade? O que aconteceria quando Marcos descobrisse que ela impedira seu relacionamento com o pai?

Talvez fosse melhor deixar o orgulho de lado e tentar contemporizar. Continuar brigando com André poderia piorar as coisas. Ele era persistente, principalmente quando achava que tinha razão, mas tornava-se acessível através de uma argumentação razoável.

Mas para isso teria que conversar com ele, tentar convencê-lo. Nina temia essa proximidade. Pensava que as lembranças do passado ainda estavam muito vivas em sua mente e poderia acabar cedendo ao que ele queria. Então, tudo o que ela havia feito até aquele momento estaria perdido.

Temia que, conseguindo o que queria, ele tripudiasse sobre ela, voltando a considerá-la uma mulher insignificante, ingênua, que ele podia manejar como queria.

Marcos aproximou-se chamando-a para jantar. Nina sentia a cabeça doer, estava sem fome, mas acompanhou o filho. Tinha vontade de ficar mais com ele e durante o jantar procurou mostrar-se alegre, conversando sobre os assuntos de que ele gostava, inteirando-se de suas atividades diárias.

Depois ele foi assistir a televisão no quarto e Nina preparou-se para dormir. Esforçou-se para não pensar mais no assunto. Queria dormir, descansar. Marta insistira com ela para não esquecer de fazer suas preces antes de dormir. Sentou-se na cama, pensou em Deus e pediu proteção e ajuda para ela e sua família. Depois deitou-se e logo adormeceu.

Sonhou que estava em um jardim muito bonito, cheio de flores perfumadas, ao lado de uma moça que lhe pareceu conhecida, mas não se lembrava de onde a conhecia. Encantada com o jardim, Nina sentia uma sensação de leveza muito agradável e uma alegria que havia muito não tinha.

Ela lhe dizia:

— Nina, você precisa ajudar Antônia. Ela deixou o tratamento e está desesperada. As pessoas que cuidavam dela não conseguiram segurá-la. Ela fugiu e é provável que a procure.

— Tenho medo. O que eu podia fazer por ela, fiz. Não tenho mais como ajudá-la.

— Tem, sim. Aproxima-se um momento difícil para ela. Quando a vir, procure convencê-la a voltar para o tratamento. Ela estava indo bem, mas, diante de certos fatos, seu estado pode piorar.

— O que devo fazer?

— Conversar com ela. Acalmá-la. Dizer-lhe que tomará providências para impedir que aconteça com Eriberto o que ela teme.

— E não vai acontecer?

— Não sabemos ainda. Vai depender de alguns fatos em que não podemos intervir. Mas faremos o que pudermos para proteger o menino.

— O que ela teme? Qual é o perigo?

— Confie e nos ajude orando e cultivando a fé.

Nesse momento Nina acordou preocupada. Aquele sonho havia sido diferente. Tinha sensação de haver estado com alguém amigo que tentava ajudar Antônia. Um pressentimento de que alguma coisa ruim estava para acontecer a inquietou.

Lembrou-se de Olívia. Precisava contar esse sonho a Marta e pedir-lhe que a auxiliasse. Talvez Olívia estivesse maltratando o menino, Antônia descobriu, revoltou-se e fugiu. Olhou no relógio, eram quatro horas da manhã. Precisava confiar. Fosse o que fosse, os espíritos de luz estavam cuidando.

Acomodou-se, procurando dormir, conseguiu, mas seu sono não foi tranquilo. Acordou várias vezes sobressaltada. Levantou-se cedo, tomou café e foi para o escritório. A todo momento lembrava-se do sonho e queria que o dia passasse depressa para ir à reunião.

Assim que chegou ao escritório, Nina notou logo a euforia de Lúcia. Rosto distendido, sorridente, irradiava alegria.

— Pela sua fisionomia, penso que Breno voltou a procurá-la.

— Sim. Disse coisas tão bonitas que eu de vez em quando me belisco para saber se estou acordada.

Em poucas palavras Lúcia contou-lhe tudo e finalizou:

— Apesar do que ele disse, ainda sinto medo de que Anabela volte atrás e ele termine comigo.

— Ele deve ter sido sincero.

— Eu senti isso. Mas as ligações de família são muito fortes. Se ela quiser reatar, não sei se ele vai resistir. Há os filhos. Mas não quero pensar no futuro. Prefiro ficar no presente, aproveitar esses momentos em que estamos juntos. Se um dia acabar, guardarei para sempre essas lembranças.

— Sua forma de amar me surpreende. Eu não saberia amar assim.

— Eu amo Breno, mas tenho consciência de que ele não me pertence.

— Mas ele também a ama. Amor correspondido é maravilhoso.

— É. Ele me ama, ontem tive a prova. Mas eu desejo que ele seja feliz. Por mais que nosso amor seja verdadeiro, sei que um dia a vida vai nos separar de uma forma ou de outra. Neste mundo, cada pessoa tem seu destino e não sei para onde a vida nos levará. Um dia ele pode preferir outros caminhos, ter outras aspirações e eu não vou impedir. É por isso que prefiro viver o presente, ser feliz enquanto puder.

— Minha mãe costuma dizer que as pessoas se unem e se afastam conforme os ciclos naturais da vida. Que quando o tempo de ficar juntos acaba, nada nem ninguém conseguirá impedir a separação. A causa não importa. Tanto faz que seja por morte ou não.

— Concordo com ela. Por mais que amemos uma pessoa, é preciso saber reconhecer o momento de deixar ir, de se desapegar.

— Isso é difícil.

— Mas necessário. O amor verdadeiro deixa a pessoa livre para seguir o próprio caminho. Ontem eu senti que estava certa não tentando manter Breno a meu lado. Seria horrível pensar que ele ficou comigo a contragosto por causa de Mirela. Descobri também que, quanto mais livre você deixar a pessoa que ama, mais ela sentirá prazer de ficar a seu lado.

— Faço votos de que vocês consigam o que pretendem. A ligação de Breno com a esposa era de conveniência, não de amor. Ele percebeu isso.

Depois que Lúcia saiu da sala, Nina ficou pensando em seu caso com André. Naquele tempo ela nunca duvidou que ele a amasse e que ficariam juntos para sempre. Não admitia que ele pudesse mudar e procurar outro caminho.

Ela sentia que precisava aprender a lidar com o apego. Marcos um dia se tornaria um homem, escolheria seu próprio caminho, se casaria, teria outros interesses, uma família.

Ao pensar nisso, sentiu medo. Ela se apegara a André; quando ele se foi, agarrou-se ao filho. O que faria quando Marcos também a deixasse?

Lúcia aceitava essa ideia com certa naturalidade. Sabia que seria assim. Não se revoltava; ao contrário, procurava aproveitar os momentos de convivência que a vida lhe proporcionava e seguia sem medo do futuro.

Ela precisava começar a pensar nisso e procurar transformar seu apego com Marcos em carinho, amizade, preparando-se para deixá-lo ir quando chegasse o momento. Não ia ser fácil, mas essa era uma verdade que deveria aceitar.

Passava das dez quando Dantas chegou e Nina o procurou, contando-lhe seu sonho. Ele aconselhou-a a se acalmar e esperar a noite, quando procurariam obter auxílio e esclarecimento dos amigos espirituais.

Durante toda a tarde, Nina sentiu saudades de Marcos. Lúcia tinha razão. Em vez de ficar com medo do futuro, ela deveria usufruir do presente, passando todo o tempo livre que tivesse ao lado do filho, não querendo que ele fizesse as coisas do jeito dela, mas procurando descobrir o que ele pensava, sentia, desejava e gostaria de alcançar na vida.

Naquele momento pensou nas palavras de André, e sentiu que, apesar de haver feito o que fez, ele tinha razão em um ponto: ela não podia decidir por Marcos. Já havia feito isso quando lhe disse que o pai havia morrido. Foi um erro.

Teria sido melhor ter dito a verdade. Assim, agora, ele não seria surpreendido, com a agravante de descobrir que ela havia mentido. A esse pensamento sentiu um aperto no peito.

Precisava ter coragem e enfrentar os acontecimentos. Se André continuasse insistindo, seria melhor que ela mesma conversasse com Marcos, explicando-lhe seus motivos. Reconhecer o erro e colocar as coisas nos devidos lugares talvez o fizesse continuar acreditando nela, mantendo a confiança que sempre teve. À noite, na reunião, pediria ajuda não só para Antônia, mas para si mesma.

Tendo decidido isso, Nina mergulhou no trabalho. Não podia deixar que seus problemas pessoais interferissem. Precisava manter a lucidez para poder encontrar as soluções que seus clientes esperavam dela.

***

Andréia, em sua casa, sentada na sala, esperava com certa impaciência. Era quarta-feira e André deveria passar para buscar Milena. Então, ela lhes diria que sabia de tudo e não permitiria que eles fossem.

Não queria seus filhos metidos com pessoas supersticiosas e ignorantes. Além do mais, ele lhe devia explicações sobre sua separação de Janete. Era uma falta de respeito e de gratidão terem feito isso com ela, que sempre fora mãe extremosa e dedicada.

O que diriam seus amigos quando soubessem de tudo isso? Certamente teriam seus nomes na boca dos maldizentes, o que ela não poderia tolerar. Sempre haviam primado pela ética, cumprindo todas as regras sociais, bem como os princípios da religião católica.

Faltavam alguns minutos para as sete quando Milena desceu pronta para sair. Andréia olhou-a e perguntou:

— Aonde você vai?

— Sair com André.

— Aonde vão?

— Visitar alguns amigos.

Andréia olhou-a e não respondeu. Queria esperar André para dizer o que pretendia. Vendo que a filha foi à janela e olhou para fora, perguntou:

— Tem certeza de que ele virá?

— Tenho. Nós combinamos.

— Antes de vocês saírem temos que conversar, esclarecer algumas coisas.

— Se é sobre a separação, é melhor esperar. André me disse que só vai vir aqui falar com vocês quando achar que é o momento.

Andréia levantou-se irritada:

— Ele age como se não fosse nosso filho. Pois não vou permitir. Hoje ele não sai daqui sem antes me explicar os motivos que o levaram a tomar essa tresloucada decisão.

— Faça como quiser.

Milena sabia que seria inútil discutir. Não desejava se aborrecer. Olhou para fora e viu que o carro de André estava parado no portão. Sem dizer nada, foi até a copa e rapidamente saiu pela porta de serviço. Entrou rapidamente no carro dizendo:

— Vamos embora logo, antes que mamãe veja que você chegou.

Ele ligou o carro e obedeceu. Não tinha tempo nem vontade de ter uma discussão com a mãe.

Andréia esperou um pouco e, vendo que Milena não voltava, foi à copa, perguntando à criada:

— Você viu Milena?

— Ela saiu pela porta dos fundos.

Andréia corou de raiva. Aquela menina precisava de uma lição. Quando voltasse a faria arrepender-se. Voltou à sala. Romeu acabava de entrar e ela manifestou toda a sua indignação:

— Ainda bem que chegou. Temos que tomar sérias providências antes que seja tarde!

— O que aconteceu? — indagou assustado.

— Nossos filhos. Primeiro o André, que se recusa a nos dar explicações sobre seu rompimento com Janete. Segundo, aonde eles estão indo todas as quartas-feiras. Vamos ter que dar um basta nisso.

Ele sentou-se pensativo e Andréia acomodou-se a seu lado no sofá. Romeu tinha horror a discussões, principalmente com a esposa, cuja intransigência lhe era desagradável.

— Com relação a André, precisamos ter paciência. Um rompimento depois de dez anos de casamento é difícil. Nosso filho sempre foi equilibrado. Nunca nos deu aborrecimento. Sempre cumpriu com suas responsabilidades. Vamos com calma. Se ele decidiu separar-se, deve ter seus motivos.

— Que motivos? Vai ver que arranjou alguma amante, isso sim. Janete estava desconfiada faz tempo.

— As mulheres estão sempre desconfiadas. Ela o encontrou com outra?

— Não... mas o que poderia ser, senão isso?

— Vamos respeitar a decisão dele e esperar que venha conversar a respeito. Então, se ele pedir, daremos nossas opiniões.

— Como você é conformado! Ele é nosso filho! Precisamos aconselhá-lo.

— Ele é um homem, maior, responsável e com certeza deve saber o que está fazendo.

— Você o está protegendo. E Janete? O que ela está sofrendo não o comove?

— Andréia, você fala como se nós fôssemos culpados pelo desentendimento deles. Isso não é verdade. Eles têm todo o direito de fazer o que desejam de suas vidas. Nós não vamos interferir.

— Ela me pediu ajuda. Quer que conversemos com ele e o façamos voltar atrás.

— Por que ela mesma não faz isso? O problema é do casal e nós não vamos nos meter. Eu espero que você não atenda a um pedido desses. Essa atitude é bem dela. Quer ficar na pose de mulher ofendida e nos jogar na fogueira. Janete quer nos usar e nós não vamos nos prestar a isso.

— Que horror, Romeu. Como pode pensar uma coisa dessas? É nossa nora, temos que defendê-la.

— Não vejo por quê. Ela sempre soube se defender muito bem. Portanto, acalme-se e espere André nos visitar. Estou certo de que ele nos dirá seus motivos. Mas, ainda que não o faça, nosso filho é um homem digno. Não vou ficar contra ele.

— Eu também não estou contra ele, pelo contrário. Quero muito ajudá-lo.

— Ele não precisa dessa ajuda. Deixe-o em paz. Vamos mudar de assunto. Chega de falar sobre isso.

— Então vamos falar sobre Milena. Eu descobri que André a está levando a uma sessão espírita. É lá que vão todas as quartas-feiras.

Romeu olhou-a surpreendido e respondeu:

— Então é isso!

— É isso, sim. Ainda hoje ela viu que eu estava esperando André e saiu como uma ladra pela porta dos fundos. Mas quando ela voltar terá que se ver comigo.

— Então eles estão indo a um Centro Espírita.

— Segundo sei, é uma sessão na casa de amigos. Nós temos que impedir que continuem.

Romeu ficou pensativo por alguns instantes, depois disse:

— Não sei, não estou certo disso.

— Como não? Esses lugares são perigosos. Frequentados por pessoas ignorantes.

— Você está enganada. Há muita gente culta estudando o espiritismo. Eu poderia citar alguns dos nossos melhores amigos. Depois, notei que Milena mudou muito. Tem estado alegre, calma, solícita, educada. Nunca mais teve aqueles repentes desagradáveis, eu estava me perguntando por quê.

— Não acredito no que estou ouvindo. Você parece estar de acordo com o que eles estão fazendo.

— Se André está levando Milena a algum lugar, só pode ser bom. Ele nunca faria nada que pudesse prejudicá-la. Confio plenamente nele. Quando chegar, vou pedir-lhe que me conte como é isso.

— Eu queria que me ajudasse a colocar as coisas em ordem, mas estou percebendo que você prefere contemporizar. Você sempre foi assim. Não gosta de confrontar as coisas. Não tem coragem.

Ele olhou-a sério e disse com voz firme:

— Querer manipular a vida dos outros não é um ato de coragem, mas de pretensão. Nesse caso a modéstia seria mais adequada.

— Está me chamando de pretensiosa?

— Quem fala mal de um assunto que ignora pretende demonstrar um conhecimento que não possui.

— Está dizendo que sou ignorante?

— Não. Estou dizendo que, para emitir um julgamento de alguma coisa, primeiro é preciso conhecê-la a fundo. Nós não temos nenhum conhecimento sobre espiritismo.

— Nem é preciso. Todas as pessoas instruídas sabem que é uma crença de pessoas ignorantes, muito perigosa, que pode levar à loucura.

— Como pode saber que as pessoas que pensam assim estão certas? Que provas você tem de que os que acreditam no espiritismo estão errados e o que dizem é mentira? Você nunca foi pesquisar esse assunto. A verdade pode estar do outro lado ou até dividida entre os dois.

— Você está me irritando ainda mais com essa conversa. Por que está contra mim? Eu esperava seu apoio.

— Eu apóio você em tudo que for justo. Vou conversar com André, saber o que está acontecendo e só depois disso voltaremos ao assunto.

Por enquanto não quero que diga nada a Milena. Ela tem estado bem e não desejo que volte a ser como antes.

— Quer dizer que vamos ficar calados? Nossos filhos podem nos ignorar, esconder coisas, sem que tomemos nenhuma providência?

— Andréia, eles não são mais crianças. André está com trinta e dois anos e Milena com vinte e sete. Vamos conversar com eles, saber a verdade. Se eu notar que há alguma coisa errada, procurarei mostrar-lhes, mas como amigo, sem imposições.

— Não me conformo com isso.

— Terá que se conformar. Eles são adultos. E isso é só o que podemos fazer.

— Pois eu não farei. Ao chegarem terão de nos dar explicações.

— Se fizer isso, André vai desaparecer daqui e Milena pensará em fazer o mesmo. É isso o que quer?

— Acha que seriam capazes?

— Acho. Quando você mostra seu lado intransigente, eu mesmo não sinto vontade de vir para casa.

Andréia olhou-o surpreendida. Romeu nunca lhe falara de maneira tão firme. Pelo seu tom, ela percebeu que estava pondo em risco seu próprio casamento. André deixara Janete. Teria sido por isso? Elas pensavam do mesmo jeito. Resolveu ceder.

— Está bem. Não direi nada. Mas você será o responsável se alguma coisa ruim lhes acontecer.

— Pode deixar comigo. Estou com fome. Mande servir o jantar.

Andréia foi para a copa providenciar e Romeu foi lavar as mãos. Sentia-se satisfeito. Aquela conversa lhe fizera bem. Havia muito se sentia incomodado com a maneira com que Andréia se expressava. Ele era um otimista, estava sempre de bem com a vida. Em quaisquer circunstâncias procurava sempre o lado melhor.

Já Andréia via problemas em tudo, imaginava o pior, pretendia consertar o mundo, era preconceituosa, valorizava as pessoas pela classe social. Ele não sabia se ela havia piorado nos últimos anos ou se ele é que estava cansado de ouvi-la durante tanto tempo fazendo a mesma coisa, o fato é que não suportava mais.

Ela era uma boa esposa, ele não desejava separar-se. Mas sentia que precisava fazer alguma coisa antes que a amizade que ainda sentia por ela acabasse.

Romeu era cordato, não gostava de brigar. Diante daquela conversa, se colocou firme e percebeu satisfeito que Andréia, pela primeira vez, cedeu a seus argumentos. Decidiu que dali para a frente agiria sempre assim. Sentiu-se aliviado quando pouco depois sentou-se à mesa para jantar.

Procurou conversar sobre amenidades e Andréia não voltou mais a falar sobre os filhos.

***

Conforme o combinado, Antero tocou a campainha da casa de Nina às sete e meia. Ela estava acabando de se vestir e Ofélia o fez entrar e esperar na sala. Marcos foi cumprimentá-lo, enquanto Ofélia subia para avisar Nina que ele estava esperando.

— Eu sou Marcos, como vai o senhor?

Antero apertou a mão que ele lhe estendeu e respondeu:

— Bem, obrigado.

— Minha mãe não vai demorar, mas antes que ela desça quero lhe pedir um favor.

— Fale.

— Eu gostaria de ir também a essa reunião. Mas mamãe acha que ainda sou muito pequeno.

— Se ela pensa assim...

— Meu amigo Renato está indo e tem minha idade. Ele tem mediunidade e melhorou muito depois que está indo lá. Eu também tenho e Marta me disse que seria bom eu ir.

— Eu sou novato no assunto, não entendo nada. Estou tentando aprender.

— Eu vejo espíritos de vez em quando, eles falam comigo.

— Sua mãe sabe disso?

— Sabe, mas tem medo. É que quando eu sentia ou via alguma coisa, ficava empolgado, falando nisso e ela achava que eu exagerava. Mas não é verdade. Eu vejo mesmo. Tanto é que agora, quando acontece, não conto nem falo mais no assunto. Mas, por favor, peça a ela para me levar junto.

Nina entrou na sala, cumprimentou Antero e disse:

— Podemos ir, estou pronta.

— Marcos me disse que gostaria de ir conosco.

Ela olhou o menino e perguntou:

— Por que não me pediu?

— Porque você não gosta que eu vá às sessões.

— Ele me contou que vê e fala com espíritos. Não seria bom ele ir também?

Nina olhou-os indecisa e respondeu:

— Estamos em cima da hora, não dá para esperar você se arrumar.

— Eu queria muito ir.

— Na próxima semana, prometo que o levarei.

Uma vez no carro, Antero comentou:

— Marcos estava muito interessado em ir. Ficou decepcionado.

— Hoje vou lá para conversar sobre um assunto que ele não pode saber.

— Ele comentou que você tem medo que ele vá.

— Antes eu tinha, mas hoje não tenho mais. Acho até bom que ele vá para aprender. Ele também tem mediunidade.

Nina ficou silenciosa por alguns instantes, depois continuou:

— Estou vivendo um momento difícil. Tenho que tomar uma decisão importante e não sei como fazer isso.

— Comigo acontece o mesmo. Ontem estava disposto a conversar com minha esposa sobre Eriberto, mas mudei de ideia. No momento, Glória está muito perturbada por causa dos dois abortos que teve. Deseja tanto ter um filho que imagina estar grávida, o que não é verdade. O médico disse que é psicológico.

— É um problema delicado.

— Eu sei. Por isso decidi esperar que ela se recupere para falar sobre Eriberto. Ela está obcecada. Só fala nisso. Quando menciono outras coisas, nem ouve.

— Terá que procurar ajuda especializada.

— É o que pretendo fazer. Mas antes vou pedir ajuda espiritual.

— Esta noite tive um sonho diferente. Sonhei com uma mulher muito bonita, em um lugar lindo, e ela me disse que preciso ajudar Antônia. Parece que ela descobriu que alguma coisa ruim vai acontecer com Eriberto e fugiu para tentar impedir.

— Você estava pensando em nosso caso e sonhou isso. Os sonhos refletem nossas preocupações.

— Mas esse foi muito forte. Parecia verdade mesmo. Tenho certeza de que estive nesse lugar, eu até conhecia a mulher. Vou conversar com Marta a respeito.

Quando eles chegaram, faltavam apenas alguns minutos para começar. Entraram logo e foram se acomodando onde Mercedes indicou. A sala estava em penumbra, iluminada apenas por pequena luz azul.

Mercedes fez ligeira prece e as luzes se acenderam para a leitura do texto da noite. André estava sentado do outro lado da sala, de frente para eles, e os observava discretamente.

Nina sentia o olhar dele sobre ela e não conseguia prestar atenção ao texto que estava sendo estudado. Embora estivesse olhando para a pessoa que estava falando, seu pensamento estava em André.

Depois dos comentários sobre o assunto, as luzes foram apagadas e Mercedes solicitou que todos orassem, pedindo orientação para suas vidas.

O silêncio se fez. De repente, um rapaz começou a falar:

— Não adianta agora vir pedir. Eu não vou ceder. Ela vai pagar tudo o que me fez.

Mercedes aproximou-se dele. Colocando a mão sobre sua testa, disse:

— A vingança é faca de dois gumes, prejudica mais a quem a pratica.

— Estou disposto a pagar o preço. Agora ela dá uma de boa, todos ficam com pena, mas eu sei como ela é má. Estou assim por culpa dela.

— Você está precisando de ajuda. Com esses pensamentos, fica difícil. Deixe-a em paz e receberá toda a ajuda de que precisa.

— Por causa dela fui assassinado. Antes que ela nascesse nos encontramos, eu perdoei e ela jurou que me receberia como filho e me ajudaria a ter de volta tudo quanto eu havia perdido. Tive esperança, preparei-me, ela nasceu, mas, quando chegou a hora, não cumpriu o que me prometeu. Quando dormia, saía do corpo e brigava comigo, dizendo que não me queria como filho. Eu estava atordoado com o processo de reencarnação e não pude cobrar-lhe a promessa. Por duas vezes expulsou-me do corpo. Rejeitou-me. Foi horrível o que sofri. Agora que estou lúcido, sinto que fui logrado e não vou deixar passar.

Uma mulher que estava do outro lado da mesa interveio:

— Eu posso ajudá-lo. Várias vezes me aproximei de você tentando conversar, mas sempre que me via, você fugia, não queria ouvir nada.

— Eu conheço você. A pretexto de ajudar, quer me levar para longe, mas eu não vou. Desta vez ninguém vai me enganar.

— Há uma coisa que preciso contar-lhe. Você se recorda que naquele tempo Marina levava uma vida devassa. Foi naquela casa de prostituição que você encontrou a morte.

— Eu não frequentava aquela casa. Fui lá tomar satisfação porque ela me delatou para o marido da mulher que eu amava. Ele tinha um caso com ela e estava lá e acabou comigo.

— Preciso lhe dizer que Marina não cumpriu a promessa que lhe fez porque não pôde. Ela ainda quer fazer isso. Quer muito ter esse filho. Mas acontece que naquele tempo ela provocou muitos abortos, o que lesou seus órgãos de reprodução no corpo astral. Assim, quando seu atual corpo foi gerado, ficou deficiente nesse campo. Não sei se ela poderá ter filhos nesta encarnação. Talvez você tenha de esperar pela próxima.

— Eu não sabia. Estou sofrendo muito. Vai ser difícil esperar tanto tempo. Eu preciso esquecer, sair deste inferno, recomeçar.

— Nesse caso, venha comigo. Deixe-a viver sua vida. Esteja certo de que ela já está colhendo os resultados de suas escolhas naqueles tempos. Se vier comigo, vamos ajudá-lo a se renovar, tenho certeza de que conseguirá o que pretende mais rápido do que imagina. Sei de uma pessoa que está encarnada e o ama muito. Tenho certeza de que ela o receberá com alegria e amor.

— Quem é?

— Olhe.

— É ela! A mulher que eu sempre amei!

— Ela também o ama e foi a causadora involuntária da sua morte. Estará feliz em recebê-lo como filho. Venha. Vamos embora.

— Eu vou.

O rapaz deu um suspiro e se calou. A mulher que conversava com ele também. Mercedes tornou comovida:

— Hoje tivemos mais uma vez a manifestação da bondade divina. Vamos agradecer e vibrar luz para todos os envolvidos. Que Deus nos abençoe.

Milena começou a falar discorrendo sobre julgamento e perdão, comovendo os presentes com suas palavras.

Enquanto os dois espíritos dialogavam, Antero remexia-se na cadeira inquieto e Nina o observava preocupada. As palavras de Milena a fizeram chorar, enquanto André, comovido, observava-a atento.

Com uma prece de agradecimento, a sessão foi encerrada e as luzes se acenderam. Alguns comentários e depois de beber a água as pessoas foram saindo e Antero comentou com Nina:

— Eles falavam de Glória, tenho certeza. Vim aqui hoje pensando em pedir ajuda para ela.

— Vamos esperar e conversar com Marta.

Mercedes aproximou-se e Antero levantou-se e foi a seu encontro:

— Estou precisando de orientação. Poderíamos conversar?

— Eu ia pedir-lhe que ficasse para conversarmos. Vamos esperar as pessoas saírem.

Ele sentou-se novamente ao lado de Nina, que se levantou para abraçar Mercedes.

— Você também deve ficar. Marta quer lhe falar.

Nina concordou e sentou-se novamente, enquanto Mercedes foi despedir-se dos amigos e comentou:

— Com eles nós nem precisamos falar. Você viu?

Antero sorriu e pediu:

— Posso fazer-lhe uma pergunta?

— Sim.

— Desde a outra vez que viemos aqui, o irmão de Milena nos observa o tempo todo. Não tira os olhos de nós e tenho impressão de que não gostou de nos ver juntos. Tenho impressão de estar atrapalhando. Vocês têm algum tipo de interesse?

— Há muitos anos tivemos um caso. Mas acabou. Ele olha por curiosidade.

— Há mais do que curiosidade. Você já fez muito por mim. Se deseja que eu me afaste, não se acanhe.

— Entre mim e ele não há nada nem nenhuma possibilidade de haver. Portanto, não se preocupe. Mais tarde lhe contarei tudo.

André aproximou-se deles e estendeu a mão a ela:

— Como vai, Nina?

— Bem — respondeu ela, apertando a mão que ele lhe estendia.

Depois apresentou-lhe Antero e eles trocaram algumas palavras formais. André tornou:

— Precisamos conversar, resolver aquele assunto. Amanhã vou ligar para marcarmos.

— Não vejo necessidade. Amanhã estarei muito ocupada.

— Ligarei assim mesmo. Se não atender, irei a seu escritório.

Milena aproximou-se, cumprimentou-os e depois disse a André:

— Vamos embora, André. Não posso chegar tarde.

Eles se despediram, saíram e Antero comentou:

— Ele está muito nervoso e quase perdeu o controle.

— Estamos vivendo um momento bastante complicado. Depois eu lhe conto.

— Sinto que entre vocês há alguma coisa muito forte. Pelo muito que fez por Antônia e por mim, sou-lhe grato e espero que seja minha amiga, mas isso não torna necessário me contar nada sobre seu passado.

— Agradeço sua discrição, mas talvez desabafar com um amigo seja bom. Eu nunca pude fazer isso antes. Sempre carreguei sozinha o peso dos meus problemas.

As pessoas saíram e Mercedes os convidou para irem ao escritório, onde Marta e Dantas os esperavam.

Nina e Antero acomodaram-se e ele esclareceu:

— Eu vim pedir orientação espiritual sobre o problema de Glória, minha mulher, mas aquele espírito que se comunicou durante a sessão contou uma história que me pareceu bem familiar. Acho que tem a ver com nós dois.

— Tem sim, Antero — respondeu Marta. — Os problemas de Glória com a maternidade são consequência de suas atitudes em uma vida passada quando ela se chamava Marina.

— Eu tive essa impressão, mas ela é muito diferente dessa que ele descreveu. Glória é uma mulher discreta, fiel, devotada ao lar, nunca seria uma prostituta.

— Naquele tempo ela foi, sofreu, amadureceu, hoje ela não o faria. Se você prestar atenção notará que, apesar da vida recatada que leva desta vez, há momentos em que ela demonstra no trato afetivo, tanto no campo sexual como no familiar, um conhecimento surpreendente para uma jovem ingênua e inexperiente.

— Isso é verdade. Quando fala sobre prostitutas nunca critica, mas ressalta os problemas que elas devem estar enfrentando. Acaba sempre dizendo que nunca suportaria viver dessa forma.

— É que os sofrimentos daqueles tempos ficaram gravados no seu inconsciente, influenciando suas atitudes atuais.

— O que me impressionou foi o que aquele espírito disse. Por duas vezes foi impedido de nascer. Glória teve dois abortos involuntários. Sofreu muito, correu até risco de morte, tanto que eu decidi não pensar em ter filhos para poupá-la. Mas ela ficou desequilibrada e de tanto querer esse filho está com gravidez psicológica. Era sobre isso que eu queria pedir orientação. Não sei como ajudá-la. Ela não me ouve. Garante que está grávida, embora os exames médicos atestem que não. O tempo todo fala do nosso bebê, do quarto dele, do nome, das roupas. Eu tento mostrar-lhe a verdade, mas é inútil.

— O espírito que estava ao lado dela, cobrando sua promessa a estava influenciando. Agora que ele entendeu e aceitou afastar-se para tratamento, penso que ela vai sair desse processo. Quanto a você, não se culpe por não ter se casado com Antônia. Infelizmente, ela não teve paciência de esperar. Você tinha se comprometido com Marina, não por amor, mas por sentir-se culpado. Aconteceu quando vocês eram muito jovens. Depois de conquistá-la, provocou sua primeira gravidez, mas não assumiu. Abandonada, ela provocou o primeiro aborto. Mais tarde, depois de ambos desencarnarem, quando se encontraram no astral, ela estava em estado deplorável, infeliz, vampirizada por entidades maldosas. Penalizado, você sentiu culpa e prometeu ampará-la nesta encarnação, oferecendo-lhe um nome para que ela pudesse resgatar sua dignidade ferida de mulher.

— Mas, se Antônia houvesse esperado, era com ela que eu teria me casado. Eu a amava de verdade.

— Antônia se afastou de você porque sentiu que não podia separá-lo de Glória. Se ela houvesse esperado, seu compromisso com Glória acabaria e vocês poderiam se unir.

— Eu abandonaria Glória por causa de Antônia?

— Não. A vida une as pessoas por certo tempo para atingir seus objetivos. Quando consegue o que quer, provoca naturalmente as mudanças. Os relacionamentos são temporários. Quando acabam, dói, mas apesar disso é melhor aceitar, perceber que é hora de deixar ir. Antônia não suportou perder você e o filho. Se ela houvesse esperado, vocês teriam um tempo para se relacionar.

— Se ela houvesse ficado com o menino, talvez não tivesse feito o que fez.

— É difícil saber. Mas ela não confiava em si mesma. Teve medo de não conseguir cuidar dele sozinha. As palavras de seu pai a convenceram e ela se sacrificou, pensando no bem do filho.

— Essa atitude era bem dela. Antônia gostava de sacrificar-se pelos outros. Minha mãe é o oposto dela. Tem um temperamento autoritário, ríspido, mas Antônia suportou bem essa convivência. Nunca se queixou, fazia tudo para não a desagradar.

— A mãe a mimava muito. Quando a perdeu, ficou sem chão. O mimo enfraquece e torna a pessoa dependente. Ela acreditava que, sendo boazinha, conseguiria ser aceita, amada. Mas estava errada. Quem violenta seus verdadeiros sentimentos para agradar os outros sente insatisfação, um vazio no peito, provocados pela sua alma, que está sufocada e deseja agir de acordo com o que sente. É um conflito doloroso.

— Por isso ela chegou ao suicídio.

— Não. Antônia chegou a isso por ser fraca. Quando o problema apareceu, em vez de usar sua força para enfrentá-lo, assumir sua vida, levar para a frente, preferiu colocar-se na posição de vítima, como se não tivesse nenhuma responsabilidade pelos problemas que estava enfrentando.

— Ela não teve culpa de haver sido mimada pela mãe — defendeu Antero.

— A história de Antônia se perde no tempo. Começou quando ela pertenceu a uma família nobre e habituou-se a ver todos os seus desejos satisfeitos. Gostou de manipular os outros, de viver na indolência, sendo carregada de um lado a outro pelos vassalos, sentada em cadeirinhas luxuosas ou nos macios coxins de seus cavalos. Depois de algumas vidas assim ela acabou ficando paralítica. Nem no astral conseguia movimentar-se.

Todos ouviam atentamente. Marta falava com uma voz diferente, andando de um lado a outro, olhos perdidos em um ponto indefinido. Eles sabiam que era outra pessoa quem falava por meio dela.

— Foi castigo? — indagou Antero.

— De forma alguma. Deus não castiga ninguém. Foi escolha dela. A natureza tem suas leis e todos temos de respeitá-las. Tudo no Universo se movimenta, cumprindo a sua tarefa. Ela preferiu ser servida, permanecer na preguiça, na indolência, e acabou lesando os centros motores do corpo astral, então as consequências apareceram. Sofreu muito porque sem poder se mexer foi obrigada, mesmo tendo posição e dinheiro, a suportar os maus-tratos de pessoas assalariadas que abusavam porque ela dependia fisicamente deles.

— Quanto sofrimento! — comentou Antero.

— Foi mesmo. Quando chegou ao astral, conhecendo a causa disso, ela decidiu reagir. Pediu para nascer pobre. Queria trabalhar, vencer esse estado. Preparou-se durante algum tempo, recebeu auxílio e nasceu em um lar pobre, mas foi recebida com carinho pelos pais. Contudo, não tinha saúde. Suas pernas eram fracas, ela não conseguia manter-se sobre elas. Então começaram os mimos. Seus pais a tratavam como incapaz. Assim, ela, que gostava de acomodar-se, encontrou jeito para isso. Bem, com o tempo, ela se curou do antigo problema e, desta vez, nasceu fisicamente saudável, mas intimamente acreditando que era fraca, incapaz, que precisava do apoio dos outros para sobreviver. Não confiava na própria força. Eis, em resumo, a história de Antônia.

— E agora, o que será dela? O suicídio foi um erro.

— Ela agiu contra a vida. Isso é grave. Mas a bondade divina não abandona ninguém. O problema é que ela fugiu do tratamento. Enquanto não se conscientizar de que possui força suficiente para cuidar de si mesma, acreditar na vida, não conseguirá equilibrar-se.

— Então é verdade — interveio Nina. — Eu sonhei esta noite com uma pessoa que me contou.

— Fui eu.

— Você? Pediu-me para ajudá-la, mas não sei o que fazer.

— Saberá no momento oportuno. Preciso ir. Peço que orem por ela, para que se acalme e volte ao tratamento.

— Penso que não estou em condições de ajudar ninguém. Não consigo sequer resolver os meus problemas — respondeu Nina.

— As situações que a vida cria trazem oportunidades de resolvermos velhos assuntos que ficaram para trás. E o faz quando estamos preparados para vencê-los. Pense nisso e não perca nenhuma delas.

Nina baixou a cabeça, pensativa. Antero perguntou:

— Como posso ajudar Glória?

— Compreendendo o momento que passa. Confie e espere. Fique atento também para aproveitar as oportunidades que virão. Lembrem-se todos que em qualquer situação o importante é agir dentro dos valores eternos do espírito. Que Deus os abençoe.

Marta sentou-se, passou a mão na testa, depois disse:

— Mamãe, pode arranjar-me um copo d'água?

Mercedes levantou-se e foi buscar. Dantas considerou:

— Vamos orar em silêncio e agradecer a Deus por havermos recebido tanto nesta noite.

Enquanto Marta tomava água eles permaneceram silenciosos, cada um pensando nos acontecimentos da noite. Depois, despediram-se.

Uma vez no carro, Antero não se conteve:

— Estou impressionado. Nunca pensei que a vida fosse assim. Sinto como se estivesse descobrindo um mundo novo, mais coerente, mais justo. Depois do que ouvimos fico me perguntando: como foi que cheguei onde estou? Como me envolvi com Antônia e Glória?

— A julgar pelo que Marta nos disse, o acaso não existe. Os relacionamentos obedecem a uma causa anterior. Gostaria de saber se é assim em todos os casos ou se há outros motivos.

— Deve haver, senão estaríamos sempre com as mesmas pessoas.

— Marta me disse certa vez que durante nossa vida vamos adotando crenças falsas, que nos parecem verdadeiras, sem ir a fundo e verificar se elas são o que parecem. Fazemos delas regras que adotamos no dia a dia, brigamos por elas sem perceber que estão nos levando a atrair a infelicidade. Se alguém tenta provar que são falsas, ficamos irritados, não queremos ver.

— Isso é verdade. Às vezes sinto isso quando converso com minha mãe. Ela tem algumas crenças que a fazem agir de uma forma desagradável, que acaba sempre lhe criando problemas. Mas ela se nega a ver.

— Marta afirma que nesse caso a vida coloca em nossa frente situações, pessoas, que com suas atitudes possam nos fazer perceber nossos próprios enganos. Quando nos irritamos com as pessoas porque elas têm determinadas atitudes que nos incomodam, é porque somos iguais.

Antero sorriu e considerou:

— Isso acontece mesmo. Na casa de minha mãe, os empregados não ficam durante muito tempo. Ela implica e os despede, porque são prepotentes, não aceitam reprimendas, são exigentes. Várias vezes notei que eles são muito parecidos com ela.

— Se ainda assim a pessoa não conseguir ver, então começam a aparecer situações mais graves, problemas maiores, até que, pressionada pelo sofrimento, ela enxergue o que precisava ver.

— Nesse caso, nem todos os relacionamentos têm origem em ligações de outras vidas.

— É verdade. Marta garante que tanto o amor como o ódio unem as pessoas. Gostaria de saber mais a respeito.

— A vida é mais complexa do que pensávamos. Temos muito o que aprender.

— Concordo. Eu fiquei de lhe falar sobre meu relacionamento com André.

— Não desejo ser indiscreto.

— Estou precisando conversar. Nossos problemas tem um ponto em comum e eu tenho me perguntado por que Antônia apareceu em minha vida.

— Nesse caso, fale.

O carro parou em frente à casa de Nina. Em poucas palavras ela contou tudo. Quando se calou, ele tornou:

— Estou certo de que o acaso não existe mesmo. Nosso encontro foi programado. Eu descobri, além do meu filho, um mundo novo. Você, me fazendo saber que era pai, percebeu que não vai mais poder impedir que André assuma a paternidade. Estou emocionado.

— Até então, eu estava segura do que queria. Mas, depois que o conheci, tudo mudou. André tem se revelado diferente do que eu imaginava que fosse. Está obcecado pela ideia de assumir o filho. Mas não posso chegar para Marcos e confessar que menti. Vou ficar desacreditada.

— Cedo ou tarde terá que fazê-lo. Melhor que ele saiba por você. Ele é um menino inteligente. Pareceu-me maduro para a idade. Converse, explique sua razões, diga a verdade. Tenho certeza de que ele vai entender. É o que pretendo fazer com Glória. Só não o fiz porque tive medo de agravar seu estado emocional. Assim que ela melhorar, vou contar-lhe tudo.

Nina suspirou pensativa, depois respondeu:

— Sinto que você está certo. Vou pensar em uma forma de fazer isso. Obrigada.

— Coragem. Vai dar tudo certo.

Despediram-se e Nina entrou em casa. Foi direto para o quarto ver Marcos, que estava dormindo. Beijou sua testa com amor e foi preparar-se para dormir.

Antero chegou em casa e Glória o esperava lendo.

— Você demorou!

— Eu não lhe disse que essa reunião na casa de amigos era para uma sessão espírita. Hoje demorou mais do que na semana passada.

— O que você foi fazer em uma sessão espírita?

— Estudar a vida. O doutor Dantas me convidou e eu gostei muito.

— Você não teve medo? Quando eu era criança, via vultos, ouvia vozes, minha mãe disse que era perigoso. Eu ficava apavorada.

— As pessoas costumam exagerar a morte, cobrindo de luto, panos pretos, misticismo. Mas é coisa do homem. Depois da morte, o espírito vai viver em outra dimensão e continua vivo. A morte é como uma viagem na qual você se veste de acordo com o lugar aonde vai viver.

— Sempre pensei que, quando alguém morre, a alma vai mesmo viver em outro lugar. Quando meu tio José morreu, no velório eu olhava seu corpo e sabia que ele não estava mais ali. Era um homem vibrante, cheio de vida, alegre, forte, não tinha nada a ver com aquele corpo apagado, petrificado, que estava na minha frente. Eu me perguntava: para onde será que ele foi?

— Você pressentiu a verdade. Na próxima semana vai comigo.

— Acha mesmo? Eu não fui convidada.

— Eu falarei com ele que você deseja ir.

— Não sei...

— Não tenha medo. O ambiente é muito agradável e o resultado é maravilhoso.

— Está bem. Quer tomar um lanche?

Ele concordou e acompanhou-a à copa. Glória pareceu-lhe melhor. Enquanto preparou a mesa e o serviu, não falou na gravidez. Quis que ele falasse sobre a sessão espírita.

Antero descreveu detalhes, omitindo seu caso pessoal. Glória ouviu atentamente e ele notou que seu olhar estava diferente. Os olhos mais brilhantes, o sorriso mais natural. Sentiu-se calmo e confiante.

Foram para o quarto e, enquanto se preparavam para dormir, Antero foi relatando o que aprendera em contato com os espíritos.

***

Na manhã seguinte, pouco depois de Nina chegar ao escritório, André telefonou:

— Nina, quero conversar com você.

Ela não respondeu logo, pensando no que conversara com Antero na noite anterior. Não obtendo resposta, ele continuou:

— Por favor, Nina, temos que encontrar uma solução. Vamos almoçar juntos e conversaremos.

— Almoçar hoje é impossível. Tenho uma audiência no começo da tarde.

— Nesse caso, passarei aí no fim do expediente.

Nina pensou um pouco e respondeu:

— Quero estar em casa para cuidar de Marcos. Terei mais tempo à noite. Você sabe onde moro. Passe às nove horas e sairemos para conversar.

— Está certo. Estarei lá.

Nina desligou o telefone e sentou-se pensativa. Lúcia bateu levemente e entrou:

— Trouxe estes documentos para você assinar.

— Deixe-os sobre a mesa.

Lúcia hesitou um pouco, depois disse:

— Preciso contar-lhe uma coisa sobre André.

Nina interessou-se:

— O que é?

— Breno me disse que ele se separou de Janete. Está morando temporariamente em um hotel. Pensei que ela tivesse descoberto a existência de Marcos, mas Breno garantiu que não. Disse que André chegou à conclusão de que seu casamento com ela foi um erro e decidiu separar-se. Terá sido por sua causa?

Nina pensou um pouco e respondeu:

— Não creio. Nós não temos nada um com outro. Terá sido por outro motivo.

— André garantiu que, depois de haver estudado a espiritualidade, percebeu que se casara com Janete por vaidade e que nunca a amou. Agora, deseja aprender mais sobre os valores da vida e ser mais verdadeiro, isto é, agir de acordo com seus sentimentos.

— Será que ele não está mentindo? Um homem que fez o que ele fez comigo não pode ter uma atitude dessas.

— Breno garante que ele está sendo sincero.

— Bem, isso é problema dele. Ontem, estivemos na sessão espírita na casa do doutor Dantas. Lá aconteceram alguns fatos que me fizeram rever algumas atitudes. André continua me pressionando e talvez seja melhor eu preparar Marcos para saber a verdade, antes que ele o faça.

— Que bom, Nina! Breno me contou que um dos motivos de ele se separar foi a possibilidade de ficar mais livre para assumir o filho, sem ter de se preocupar com os problemas de Janete.

— Eu ainda não sei como fazer o que ele quer. Marcamos um encontro hoje à noite para conversar e decidir.

Lúcia sorriu contente.

— Eu gostaria muito que vocês se reconciliassem e fossem felizes como nós.

— Isso jamais acontecerá. Como vão as coisas com Anabela?

— Ela está irredutível. Breno estava nervoso, preocupado, mas depois que conversou com os filhos, falou de seus sentimentos, garantiu que nunca vai deixar de amá-los e fazer tudo para que sejam felizes, ficou mais calmo.

— Como os meninos reagiram?

— Estavam tristes, assustados, mas depois dessa conversa também se acalmaram. Rubens é o mais velho, tem dezoito anos, mas mostrou-se compreensivo. Disse que adora a mãe, mas acha que é uma mulher muito fechada, intransigente e orgulhosa, que nunca foi carinhosa com eles. Breno ficou emocionado, não esperava que ele pudesse ser tão amadurecido.

— As crianças às vezes nos surpreendem. Marcos de vez em quando diz coisas muito sensatas e maduras para sua idade.

— Nesse caso não tem que se preocupar com a reação dele quando souber de tudo.

— Quando penso nisso sinto um frio no estômago... Vai ser um momento difícil, mas terei de enfrentar.

— Você é uma mulher corajosa. Sempre a admirei e gostaria de ser assim.

— Mas você também é. Fez coisas que não tive coragem de fazer. Quando André me deixou, aceitei sem reagir. Às vezes penso que, se eu tivesse deixado o orgulho de lado, o tivesse procurado antes de ele se casar, chamando-o à responsabilidade, tudo poderia ter sido diferente. Mas, quando soube do noivado dele, fiquei ofendida, fechei-me na própria dor e deixei que ele se casasse com outra.

— O orgulho sempre atrapalha. Apesar de ter feito o que eu fiz, sempre me senti digna, aceitando o amor que Breno podia me oferecer, porque eu o amo com pureza. Trocamos amor, mas eu nunca procurei atrapalhar sua vida em família. Fiquei na obscuridade, me contentando em amá-lo muito e torná-lo feliz. Os momentos que Breno passou a meu lado foram bons, alegres, agradáveis.

— Talvez por tudo isso a vida a esteja recompensando. Ultimamente venho questionando minhas atitudes passadas. Durante todos estes anos, tudo o que fiz foi para conseguir me vingar de André. Consegui apenas me machucar ainda mais. A mágoa nunca me deixou, não fui feliz e a tão esperada vingança não me deu a alegria que eu esperava. Não quero mais viver assim. Preciso esquecer, refazer minha vida.

— Faz bem, Nina. Faço votos de que você encontre a alegria de viver.

— Quando eu conseguir resolver este assunto com Marcos e André, poderei pensar em mim, o que fazer da minha vida. Retomar o que perdi, deixei para trás.

— Há o lado bom. Você conseguiu tornar-se uma boa profissional, criou seu filho bem e tem muitos anos pela frente. Sinto que está tomando a decisão certa.

— Devo muito ao doutor Dantas e sua família. São pessoas de fé, agem com sabedoria. Além do apoio profissional e espiritual, aceitaram minha amizade. Pensando bem, sou uma pessoa feliz. Agora vamos trabalhar. Trouxe todos os documentos que pedi?

— Sim. Pode examinar.

Nina entregou-se ao trabalho, procurando não pensar no encontro que teria com André logo mais à noite. No fim da tarde, foi para casa, tomou um banho e foi ter com Marcos, que estava assistindo à televisão.

Conversou com ele como sempre, procurando saber como havia passado o dia. Depois do jantar, como ele precisava estudar para a prova do dia seguinte, ela apanhou um livro e sentou-se a seu lado, disposta a ajudá-lo caso ele precisasse.

— Pronto, acabei.

— Tem certeza de que está pronto para a prova?

— Tenho. Você sabe que gosto muito de História. Sei tudo. Pode tomar.

— Vamos ver.

Ela pegou o livro e ele foi falando o que sabia. Nina deu-se por satisfeita e ele subiu para ver televisão. Nina foi para o quarto, arrumou-se e desceu. Faltavam quinze para as nove. Ela foi à janela e viu que o carro de André já estava parado em frente a sua casa.

Avisou Ofélia que ia sair e voltaria dentro de meia hora. Depois, foi ter com André, que, vendo-a, saiu do carro, estendendo a mão para cumprimentá-la.

— Faz tempo que chegou? — indagou ela, apertando a mão que ele lhe oferecia.

— Uns quinze minutos.

— Eu marquei às nove.

— Eu estava ansioso e o tempo não passava.

Ele abriu a porta do carro e ela entrou. Ele sentou-se a seu lado dizendo:

— Aonde quer ir?

— Um lugar discreto, não muito distante. Não posso demorar.

— Conheço um restaurante agradável e sossegado aqui perto. Você já jantou?

— Já.

— Nesse caso podemos ir a um bar que conheço. É pequeno e silencioso. Lá poderemos conversar tranquilamente. Está bem?

Nina concordou e dentro de vinte minutos estavam sentados em uma mesa do pequeno e aconchegante bar. Ele chamou o garçom e pediu uma garrafa de vinho branco e alguns salgadinhos.

Nina lembrou-se de que, quando eles saíam nos velhos tempos, ela pedia vinho branco, mas fez de conta que não percebeu.

Depois que o vinho foi servido e os salgadinhos colocados diante deles, André, fitando-a nos olhos, disse:

— Obrigado por ter vindo.

— O que você quer?

— Primeiro, dizer-lhe que não sou mais aquele rapaz leviano de outros tempos. Reconheço que me deixei levar pela vaidade e assumo toda a culpa que me cabe.

— Não vim aqui para falar do passado. Ele morreu e não há como fazê-lo voltar.

— Hoje posso avaliar o que perdi estes anos todos, mas sei que é impossível voltar atrás. O que eu quero é que você me veja como sou agora e não como eu fui naquele tempo. Eu mudei, Nina. Aprendi. Hoje eu não faria mais o que fiz. Vim lhe dizer que quero assumir a paternidade de Marcos para ser um bom pai. Um amigo em quem ele possa confiar.

Ele falava com voz firme e Nina sentiu que ele estava seguro do que afirmava. Baixou os olhos pensativa por alguns instantes, depois respondeu:

— Estive pensando no que você me disse. Eu não tenho o direito de decidir pelo Marcos. Vou conversar com ele, contar a verdade e perguntar-lhe o que quer fazer. O que ele decidir vou aceitar.

— Finalmente você ouviu a voz da razão. Mas, Nina, antes de Marcos decidir, eu quero que me conheça melhor. Receio que ele se sinta magoado pelo que fiz e não me dê oportunidade de provar que posso ser um bom pai.

— Não sei como fazer o que me pede.

— Só quero conviver um pouco com ele antes de você lhe contar. Aquele dia na casa do doutor Dantas, conversamos um pouco e ele foi encantador. Inteligente, amável, educado, é um menino muito especial. Tenho certeza de que se nos conhecermos melhor vamos nos entender muito bem.

Nina sentiu vontade de dizer-lhe que não queria que eles se entendessem bem. Que ele não tinha o direito de exigir nada agora. Que ela gostaria que Marcos o escorraçasse e lhe negasse o direito de pai.

Mas não disse nada. Não queria que ele descobrisse que, apesar de desejar esquecer, a mágoa ainda estava dentro dela igual ao primeiro dia.

— Ele pediu para ir à sessão na casa do doutor Dantas na próxima quarta-feira. Irei um pouco mais cedo e, se você também for, poderão conversar.

— Estarei lá. Não vou perder esta oportunidade.

— Mas antes quero que prometa não dizer nada a ele. Eu quero contar-lhe tudo e explicar por que menti que você havia morrido.

— Eu prometo. Só espero que, quando lhe contar, não deixe sua raiva por mim influenciá-lo.

Nina olhou-o nos olhos e disse séria:

— Você ainda não me conhece bem. Eu seria incapaz de usar meu filho para atingir você.

— Desculpe. Não se ofenda, por favor. Conquistar o amor de Marcos é muito importante para mim.

— Está certo. Na quarta-feira você terá sua oportunidade. Agora tenho que ir.

André colocou a mão sobre a dela dizendo:

— Nina, quando me perdoará? Você me olha com raiva, desprezo.

— Quero resolver esse assunto o quanto antes, e esquecer o passado para sempre.

— Eu gostaria muito que não me visse mais como eu era e pudéssemos ter uma relação cordial. Afinal, temos um filho que nos une. Não podemos continuar como inimigos.

Nina sentiu que as lágrimas estavam prestes a cair e tentou reagir:

— Vamos embora, por favor.

— É tão difícil para você suportar minha presença? Não vê que estou sendo bastante punido por haver escolhido errado e além do peso da culpa estou carregando desilusão e infelicidade? Eu também quero esquecer, recomeçar, refazer minha vida, encontrar paz. Eu estou tentando, Nina, conquistar uma vida melhor. Não me despreze, mas ajude-me com sua compreensão. Todos erramos, entenda isso.

Nina retirou a mão que ele segurava e as lágrimas desceram pelo seu rosto emocionado. Ela rompeu em soluços e André levantou-se, sentou-se ao lado dela, abraçou-a dizendo:

— Chore, Nina, jogue fora toda a mágoa que você guardou no coração todos estes anos.

Ele ofereceu-lhe um lenço que ela segurou, tentando enxugar os olhos, mas os soluços não paravam, enquanto ela tremia, rosto encostado no peito dele, querendo morrer por estar demonstrando fraqueza.

Ele ficou calado, esperando que ela se acalmasse. Não se aproveitou daquele momento de fragilidade e ela apreciou isso. Aos poucos, Nina foi serenando e afastou-se dele, enxugando os olhos envergonhada.

— Desculpe por esta cena desagradável. Estou tensa por ter sido muito pressionada nos últimos dias.

— Acha que a pressionei demais?

— Vários fatos aconteceram que mexeram com minha cabeça e deixaram-me insegura.

— Refere-se à imortalidade e suas consequências?

— Sim. Tive provas de que a vida continua. Preciso repensar muitas coisas.

— Estou passando pelo mesmo processo. Senti que precisava modificar minha vida, tomei algumas atitudes, mas agi com naturalidade, não me senti pressionado.

— Para mim tudo isso é muito novo. Tive uma colega que se suicidou e seu espírito me procura pedindo ajuda. É um caso delicado, fiz o que podia, mas parece que não foi suficiente, eles querem mais.

— Milena me falou sobre esse caso. Pelo que tenho notado, não é fácil ajudar alguém. É necessário confiar nos amigos espirituais e não desistir.

— Com todas estas coisas, estou fragilizada. Sou forte, não costumo me descontrolar como há pouco.

— Não tente se explicar. Graças a isso descobri que você não é aquela mulher dura, fria que parecia, mas continua sensível e verdadeira como sempre foi.

— Não vamos mais falar nisso. Eu quero ir embora.

— Está bem.

Enquanto ele acertava a conta, Nina foi ao toalete, olhou-se no espelho e retocou a maquiagem. Quando voltou à mesa, André a esperava para levá-la de volta.

No carro, durante o trajeto, Nina sentia-se aliviada. Teve de reconhecer que ele havia sido discreto e delicado. O medo que sentia de estar perto dele havia desaparecido.

André conversou sobre os fatos que presenciara nas sessões espíritas de Dantas que o haviam feito repensar os objetivos de sua vida e Nina sentiu que ele estava sendo sincero. A conversa fluiu com naturalidade e Nina colocou suas dúvidas e incertezas procurando respostas.

O assunto estava tão interessante que Nina se surpreendeu quando o carro parou diante de sua casa. Estendeu a mão em despedida.

— Boa noite. Estaremos lá na quarta-feira.

— Boa noite, Nina. Irei com certeza. Obrigado por ter me ouvido.

Ela saiu do carro e entrou em casa rapidamente. André ficou olhando até que ela desaparecesse, depois ligou o carro e foi para o hotel.

Nina não percebeu nem André viu que estavam sendo seguidos desde o começo por um carro escuro onde um homem os observava e só foi embora quando André entrou no hotel.

24

Na manhã seguinte, Janete recebeu um telefonema.

— Aqui é o Osvaldo. Preciso vê-la, tenho novidades.

— Irei ao seu escritório às dez.

— Estarei esperando.

Com o coração batendo forte, Janete arrumou-se e desceu para o café. Finalmente ia descobrir por que André havia saído de casa. Ela conhecia Osvaldo desde os tempos de colégio.

Formara-se advogado, mas mantinha um serviço de investigação particular que ela já utilizara algumas vezes. Foi ele quem descobriu que André frequentava as sessões na casa de Dantas. Mas, até então, não havia observado nada além disso.

Às dez em ponto, Janete entrou no escritório de Osvaldo, que a cumprimentou amável.

— Então, o que descobriu? — indagou ela ansiosa.

— As coisas começam a ficar claras. Ele está se encontrando com outra mulher.

Janete empalideceu, sentiu as pernas bambas e sentou-se.

— Quem é ela? — indagou assustada.

— Ainda não sei. Mas vou descobrir. Eis o relatório.

Com as mãos trêmulas, Janete segurou o papel, leu e colocou-o sobre a mesa.

— Ele saiu com ela, mas foram apenas conversar. O que o fez pensar que eles têm um caso?

— Escolheram uma mesa discreta, ela pareceu-me nervosa, ele preocupado. Seja o que for, não foi um primeiro encontro. Eu estava em uma mesa o mais perto que consegui, havia um biombo e eu os via por uma fresta, mas não deu para ouvir o que diziam. De repente ela começou a chorar, ele abraçou-a, confortando-a. Ele estava de frente para mim e notei como ele a fitava. Tenho certeza de que há alguma coisa entre eles.

— Nesse caso, continue investigando. Descubra quem ela é, o que faz.

— Está certo. Vou tirar algumas fotos.

— Faça isso. Se for preciso, coloque mais alguém. Eu pago. Preciso saber tudo com urgência.

Janete deixou o escritório de Osvaldo muito irritada. Pensou em pai Otero. Ele se recusara a prestar-lhe serviço. Ficou com medo. Ele lhe dissera que havia outra mulher. Ela não acreditara nisso. Lembrou-se de suas palavras: "Há, sim. A mesma de antes".

De repente, Janete estremeceu: a mesma de antes... Nina? Ele a teria encontrado?

Torceu as mãos nervosamente. À medida que pensava, tudo ia ficando mais claro em sua cabeça. Se o trabalho de pai Otero havia sido desfeito, nada mais natural que eles voltassem a se encontrar. Janete não tinha mais dúvida. A cena que Osvaldo descrevera só poderia ter acontecido entre os dois.

Não ia se conformar nem aceitar perder. André era seu marido. Era com ela que deveria ficar. Faria o que fosse preciso outra vez. Otero não quis fazer, mas encontraria outro. Com Nina é que André não ficaria.

Teria de esperar que Osvaldo completasse as investigações. Enquanto isso, cuidaria de encontrar outro pai de santo que concordasse em trabalhar para ela.

Chegou em casa angustiada, nervosa. Sentia enjoo e uma forte dor de cabeça a incomodava. Parecia ter uma cinta de metal ao redor da testa e da nuca, apertando-a.

"Foi o nervoso", pensou. "Mas eles vão pagar por tudo isso."

Procurou comprimidos para dor e ingeriu dois. Foi se deitar um pouco para descansar. Ela não viu que dois vultos escuros a abraçavam satisfeitos.

Um disse ao outro:

— Agora vamos poder nos vingar.

— Ela vai pagar por todo o mal que nos fez.

— De nada lhe valeu evitar engravidar.

— Ela teve medo. Mas não adiantou.

— Enquanto o marido estava com ela, não pudemos agir.

— Ele é protegido. Lembra-se?

— Lembro-me. Sempre aparecia aquela mulher que nos mandava embora, dizendo que ele não ia poder ser nosso pai.

— Foi melhor assim. Agora que ele foi embora, poderemos agir melhor. Ninguém mais vai atrapalhar nossos planos.

Janete remexeu-se na cama inquieta. Os remédios não a aliviaram e a dor continuava forte. Nervosa, ela ingeriu mais um comprimido.

Foi tomada de uma sonolência e pouco depois adormeceu. Mas foi um sono agitado. Estava na companhia de um casal de jovens de fisionomia perturbada que a puxavam de um lado a outro, rindo, dizendo frases jocosas, levando-a para lugares escuros, cheios de sombras sinistras.

Apavorada, Janete tentava desvencilhar-se deles, mas não conseguia. A custo conseguiu acordar e sentiu que a dor de cabeça continuava igual. Os comprimidos não haviam dado alívio. Ainda atordoada, pegou mais um e tomou. Desta vez mergulhou em um sono profundo.

Um dos espíritos que a observava comentou:

— Ela está dopada. Não vamos conseguir mais nada.

— Vamos embora. Voltaremos mais tarde.

Eles se foram e Janete continuou dormindo, um sono pesado e sem sonhos.

***

Dois dias depois, uma segunda-feira, logo cedo Olívia recebeu um telefonema de Toninho:

— Aquela encomenda que a senhora me fez chega hoje. Precisa me mandar o dinheiro para as despesas.

— Irei levá-lo pessoalmente e me certificar se está de acordo com o que pedi.

— Se quer retirar hoje, terá que se apressar.

— Irei imediatamente.

Ela desligou o telefone satisfeita. O motorista levou-a a uma loja onde costumava fazer compras e ela mandou-o embora a pretexto de que uma amiga a iria buscar para almoçarem juntas.

Quando ele se foi, Olívia saiu, tomou um táxi e foi à casa de Toninho.

— Pode esperar, que não vou demorar — disse ela ao motorista.

Uma vez com Toninho em sua sala, ela tirou da bolsa um volumoso envelope dizendo:

— Eis aqui a primeira parcela do que lhe prometi. Quando tudo estiver resolvido, receberá o restante.

Ele abriu, conferiu o dinheiro e respondeu:

— Está certo. Mas é bom saber que vai sair mais caro do que combinamos. Precisei contratar o casal, pagar os documentos ao especialista. E tem a minha parte. O risco é grande. Preciso estar prevenido.

— Como pensa fazer?

— Estive sondando. Vamos esperá-lo na saída do colégio.

— Tem certeza de que é o melhor lugar? Há muita gente por perto.

— Deixe comigo. Sei como fazer. Vai dar tudo certo. Pego o menino e o entrego com os documentos ao casal, que o levará imediatamente para outro Estado. Quando derem queixa, já estarão longe, fora do alcance da polícia.

— Tenha muito cuidado. Ninguém pode saber que fui eu quem o contratou.

— Se der azar, seu nome não será mencionado. Como eu disse, o risco é muito grande. Mas estou confiante. Sei como fazer. Não vai acontecer nada.

Olívia voltou para casa satisfeita. Dentro em pouco estaria livre daquele fedelho intrometido. Tudo voltaria ao normal em sua família.

***

À tarde, Antero chegou em casa disposto a conversar com Glória. Durante o fim de semana, notara com satisfação que ela estava muito melhor. Não mencionara a gravidez nem estivera no quarto do bebê, como sempre fazia.

Havia conversado sobre outros assuntos, participado das atividades normais da casa. No domingo à noite, Antero lhe perguntara se ela desejava fazer novos exames médicos para constatar a gravidez, uma vez que ela alegava que os últimos haviam sido malfeitos.

— Não — respondeu. — Eu sei que ainda não estou grávida. É melhor esperar.

Ele não comentou nada. Mas intimamente sentiu-se feliz em notar que Glória estava saindo daquela ilusão.

Assim que entrou em casa foi procurá-la, disposto a conversar. Encontrou-a na copa conversando com a empregada. Vendo-o chegar, foi ter com ele, abraçando-o com carinho. Ele beijou-a delicadamente na face e pediu:

— Vamos até o quarto. Quero conversar com você.

Uma vez lá, ele fechou a porta e sentou-se ao lado dela na cama, segurando sua mão.

— O que vou lhe contar é um segredo do meu passado que só descobri há poucos dias.

— Você me surpreende. Não sabia que tinha segredos.

— Nós nos conhecemos desde criança e você sabe quase tudo a meu respeito. Eu digo quase, porque antes do nosso casamento eu tive um caso com uma moça e nunca tive coragem de lhe contar.

Ela olhou-o séria e perguntou:

— Por que está me contando agora?

— Porque, como eu disse, esse caso teve consequências sérias e eu ignorava isso. Só tomei conhecimento, como eu disse, há poucos dias.

— Consequências sérias? O que quer dizer?

— É uma história triste e eu reconheço minha culpa, mas preciso que você me perdoe, apoie-me. Estamos juntos e eu preciso muito que me ajude.

— Você está me assustando. O que é?

— Antes quero pedir que me ouça até o fim antes de emitir um julgamento.

Segurando as mãos dela, que estavam trêmulas entre as suas, Antero começou a contar seu envolvimento com Antônia, não falando do imenso amor que sentira por ela para não ferir os sentimentos de Glória. Falando da amizade de primos que os levara a um relacionamento íntimo.

As lágrimas desciam pelo rosto de Glória, que procurava conter a emoção. Falou do suicídio e por fim como tomara conhecimento de que Eriberto era seu filho. Finalizou:

— Quando Nina me contou tudo, fiquei atordoado, sem saber o que fazer. Nina afirmava que o espírito de Antônia estava sofrendo por saber que mamãe não gostava dele e temia que o maltratasse.

— Eu percebi isso há muito tempo e ficava penalizada em notar como ela o tratava, principalmente quando o doutor Artur não estava presente. Ela sabe quem ele é?

— Não. Você sabe como ela é geniosa. Ele não quis que ela soubesse com medo de que nos contasse. Antônia o fez prometer que nunca contaria. Ela não queria atrapalhar nossa vida conjugal. Procurei meu pai para conversar. Ele confirmou tudo e me contou detalhes que eu ignorava. Fiquei emocionado. Nós choramos a perda de dois filhos sem saber que eu já tinha um. Fui ver Eriberto sem dizer nada a ninguém, e notei o quanto ele se parece com Antônia e com as pessoas da nossa família.

— O que pensa fazer?

— É meu dever assumir esse filho. Ele é órfão de mãe. Eu gostaria que você assumisse esse papel na vida dele. Juntos, poderemos fazer dele um homem de bem.

Ela não respondeu logo. Rompeu em soluços e ele a abraçou emocionado, apertando-a de encontro ao peito. Alisando seus cabelos com carinho, esperou que ela se acalmasse.

Quando ela serenou, ele considerou:

— Não precisa decidir agora. Pense o tempo que quiser. Mas saiba que eu preciso cumprir meu dever de pai.

— Eu sei. Estou chocada. Não esperava uma coisa dessas. Confesso que houve um tempo em que desconfiei que vocês se gostavam. Observei a maneira que se olhavam, e pouco antes de marcarmos a data do casamento você havia esfriado comigo. Cheguei a pensar que iria romper nosso compromisso. Agora sei por quê. Você não sabia mesmo que ela estava grávida?

— Não. Meu pai disse que, quando ela descobriu, deixou nossa casa para não atrapalhar nosso casamento.

— Ela foi capaz disso tendo um filho seu dentro de si?

— Foi. Ela renunciou a tudo e deu no que deu.

— Se ela foi capaz de fazer isso por nós, eu também serei capaz de perdoar a traição e receber o filho dela como meu. Ele não tem culpa de nada e precisa da nossa proteção. Pode cuidar de reconhecer a paternidade. Amanhã mesmo iremos buscá-lo para morar conosco.

Antero beijou a testa de Glória, dizendo feliz:

— Você é uma mulher maravilhosa que eu não mereço, mas, creia, nunca esquecerei o que está fazendo por mim e por ele.

— Vamos dar a ele um lar feliz. A situação de orfandade dele sempre me comoveu. Quando vamos à casa de sua mãe, várias vezes tentei brincar com ele, levar-lhe um pouco de alegria. Mas senti que ele se retraía, havia tristeza em seus olhos. Vamos arrumar um lindo quarto para recebê-lo, mas enquanto isso ele fica no quarto de hóspedes.

Os olhos dela brilhavam emocionados e Antero abraçou-a satisfeito. Ela continuou:

— Amanhã cedo faremos algumas compras. Vamos deixar aquele quarto mais alegre. Quero que ele se sinta em casa e saiba que é querido. Vou preparar tudo e à noite iremos buscá-lo.

— Eu irei falar com papai, informá-lo da nossa resolução.

Tudo combinado, eles foram jantar conversando com animação, fazendo projetos para o futuro com Eriberto. Depois do jantar, foram ao quarto de hóspedes, onde Glória planejou as modificações na decoração que o tornariam mais alegre e jovial, como convinha a uma criança. Antero aplaudia comovido e ajudava a fazer a lista das compras.

Não foi trabalhar na manhã seguinte. Acompanhou Glória às lojas com prazer, antegozando a alegria de Eriberto escolhendo brinquedos e enfeites coloridos.

Almoçaram em um restaurante agradável e Antero notou que Glória parecia outra pessoa. Descontraída, alegre, olhos vivos e brilhantes de prazer. Depois do almoço ela foi para casa preparar tudo e Antero foi ao consultório do pai para conversar.

Ele havia acabado de voltar do almoço. Antero abraçou-o dizendo:

— Podemos conversar?

— Claro. Sente-se.

— Ontem à noite contei tudo para Glória.

Artur olhou-o atento:

— E ela, como reagiu?

— Melhor do que eu esperava. Eu estava nervoso, expliquei tudo que aconteceu, ela se emocionou, chorou muito. Eu lhe disse que não ia abrir mão de meu filho e lhe pedi que tomasse o lugar de mãe que Antônia deixara vago. Ela concordou. Disse que, se Antônia havia se sacrificado para não atrapalhar nossa vida familiar, ela esqueceria a traição e cuidaria do nosso filho como se fosse dela.

Artur, tentando controlar a emoção que lhe embargava a voz, respondeu:

— Glória sempre me pareceu uma moça boa. Estou certo de que será uma excelente mãe para ele.

— Quero que converse com mamãe, peça-lhe para mandar arrumar as roupas dele e avise que iremos buscá-lo esta noite.

— Já? Sentirei falta dele. É um menino muito vivo e amoroso.

— Nós saberemos cuidar dele com carinho. Ele será feliz em nossa casa.

— De fato, ele precisa de um pai e de uma mãe. Eu, por causa da profissão, quase não tenho tempo de ficar com ele, e Olívia, você sabe, não gosta de crianças. Nunca se interessou muito por ele.

— Eu sei, papai. A que horas poderemos buscá-lo? Gostaria que estivesse em casa na hora.

— Hoje não tenho muita coisa. Irei para casa mais cedo. Estarei lá depois das sete.

— Iremos depois das oito. Assim terá tempo para conversar com mamãe, explicar-lhe tudo.

Despediram-se e Antero foi para o escritório trabalhar. Sentia-se aliviado e feliz.

No fim da tarde, Josefa foi à escola buscar Eriberto. Como não era muito longe, eles iam e voltavam a pé. Quando ele saiu, depois de beijá-lo com carinho, Josefa segurou a mão dele e foram andando.

Ele estava animado, contando uma das brincadeiras de que participara com os colegas. Quando viraram a esquina, de repente, um homem segurou o braço de Josefa, colocou um revólver embaixo de seu braço dizendo baixinho:

— Continue andando e não diga nada. Se gritar, eu atiro.

Josefa tremia e Eriberto olhava assustado para o desconhecido, que disse entre dentes:

— Não deixe esse menino dizer nada, senão você morre.

Ela esforçou-se para mostrar-se calma e disse:

— Está tudo bem, Eriberto. Vamos andando.

— Isso, vamos andando.

Quando chegaram a uma quadra de casa, um carro apareceu e parou perto deles e alguém abriu a porta de trás. O homem disse a Josefa:

— Se gritar ou fizer alguma coisa, eu atiro.

Rapidamente segurou o menino e o colocou dentro do carro, entrou, bateu a porta e arrancaram a toda velocidade. Josefa quis gritar, mas não conseguiu emitir som algum. Uma mulher virou a esquina e, vendo-a, perguntou:

— Aconteceu alguma coisa? O que foi?

Então Josefa conseguiu gritar:

— Um homem levou Eriberto. Chamem a polícia!

Logo algumas pessoas pararam e Josefa chorava desesperada:

— Levaram o menino! Chamem a polícia, por favor.

— Que menino? — perguntou um homem.

— Ele estava armado. Ameaçou me matar. Não pude fazer nada. Ele roubou o menino.

Alguém chamou a polícia e uma viatura apareceu. Dois policiais desceram e Josefa contou o que havia acontecido. Falaram com os presentes, mas ninguém havia presenciado o fato.

— Vamos à delegacia — disse um deles. — Você vai dar queixa, contar como foi e dar todos os dados do homem.

— Vocês precisam ir atrás deles. Podem matar o menino — disse Josefa chorando.

— Para que lado eles foram?

Ela apontou e ele continuou:

— Vou dar o alarme e mandar várias viaturas procurá-los.

Eles fizeram Josefa entrar na viatura e a caminho da delegacia eles notificaram o caso pelo rádio descrevendo a cor do carro, a aparência do homem, a idade do menino, o local.

Assim que chegou à delegacia, Josefa, inconsolável, pediu que avisassem seu patrão.

Artur estava no meio de uma consulta quando a secretária avisou que a polícia o estava procurando. Imediatamente, ele atendeu. Depois de perguntar seu nome e se era o responsável pelo menino, o policial informou:

— Esse menino foi raptado há pouco quando saía da escola. Josefa está aqui prestando declarações e pedimos que o senhor venha a esta delegacia formalizar a queixa.

Artur desligou o telefone assustado. Imediatamente despediu a cliente e foi até a delegacia. Assim que o viu, Josefa correu para ele dizendo aflita:

— Doutor Artur. Eu não pude fazer nada para impedir. Ele encostou o revólver em mim e disse que se eu gritasse ia me matar. Eles levaram nosso menino.

Artur sentia a boca seca e o peito oprimido. Foi conversar com o delegado, que indagou se ele tinha ideia de quem poderia ter feito isso. Ao que ele respondeu:

— Não tenho a menor ideia. Ele tem apenas seis anos.

— O senhor teria algum inimigo?

— Não. Sou médico e sempre me dei bem com as pessoas. Estou espantado. Não tenho a menor ideia de quem pode ter feito isso.

— Então é sequestro mesmo. Logo vai receber notícias pedindo resgate.

— A polícia precisa fazer alguma coisa. Não podemos deixar uma criança nas mãos desses bandidos — tornou Artur, nervoso.

— Já estamos fazendo. Contudo, temos muito pouco para uma busca melhor. A moça não viu a chapa do carro nem o modelo. Só sabe a cor. Quanto ao homem, temos poucos dados. Ela estava muito nervosa, com medo, e não reparou nos detalhes.

— Eu estava com medo de que machucassem Eriberto — justificou-se ela chorando.

— É natural — disse o delegado. — Ela olhou as fotos do arquivo e não reconheceu ninguém. Assim não temos muitos elementos para facilitar nosso trabalho. Apesar disso, estamos nos esforçando para encontrá-los. Todas as nossas viaturas estão percorrendo o bairro e toda a cidade está à procura deles. O senhor tem um retrato dele?

Felizmente Artur carregava um na carteira e deu-o ao delegado. Depois de formalizar a queixa, de prestar todos os esclarecimentos, o delegado disse:

— O senhor pode ir. Se alguém entrar em contato, avise-nos imediatamente.

— Eu gostaria de esperar aqui, ver se chega alguma notícia — respondeu Artur inquieto.

— Se tivermos alguma novidade o avisaremos. Não adianta ficar aqui. É melhor ir para casa. Pode ser que eles se comuniquem.

Artur deixou a delegacia com Josefa, que só fazia chorar. No carro, Artur pensava como iria contar isso a Antero e Glória. Essa era uma missão difícil que ele precisava cumprir o quanto antes.

Chegou em casa e Olívia, vendo-o chegar com Josefa, olhos inchados de chorar e sem Eriberto, fingiu preocupação e indagou:

— O que aconteceu? Estou preocupada. Vocês não voltaram da escola. Onde está o menino?

Josefa, soluçando muito, não conseguia falar e foi Artur quem respondeu:

— Aconteceu uma desgraça. Eriberto foi raptado na saída da escola.

— Raptado? Como foi isso?

— Um homem armado ameaçou Josefa e levou o menino.

Olívia fingiu consternação:

— Isso não pode ser. Que horror! Quem teria feito isso?

— A polícia vai descobrir. Por enquanto temos que esperar para ver se eles se comunicam para pedir resgate. O delegado acha que foi sequestro.

— Só pode ser. Eles vão ligar pedindo dinheiro.

— Não suporto a ideia de não saber onde ele está e o que estão fazendo com ele. Vou ligar para Antero.

— Para quê? Ele não tem nada com isso.

— Claro que tem. Ele é o pai de Eriberto.

Olívia empalideceu e sentou-se apavorada. Teria ouvido bem?

— O que você disse?

Artur, segurando o telefone, respondeu nervoso:

— O que ouviu. Eriberto é nosso neto, filho de Antero.

Olívia emudeceu. Seu pensamento estava tumultuado. Claro que não era filho de Glória. Quem seria a mãe desse menino?

Antero atendeu e Artur disse nervoso:

— Sou eu, filho. Aconteceu uma desgraça.

— Alguma coisa com mamãe? — indagou Antero assustado.

— Não. Ela está bem. Eriberto foi raptado na saída da escola.

Antero não respondeu logo. A surpresa, o medo, a angústia transpareciam em sua voz quando conseguiu dizer:

— E a polícia, tem alguma pista, sabe quem foi?

— Infelizmente, não. Acham que foi sequestro e precisamos esperar que eles vão se comunicar. Estou aflito, não sei o que fazer.

— Estou indo para aí imediatamente.

Artur desligou o telefone e deixou-se cair em uma poltrona. Tirou o lenço do bolso, enxugando o suor que molhava seu rosto.

Olívia precisava saber mais. Controlou o nervosismo e perguntou:

— Eriberto é mesmo filho de Antero?

— É.

— E a mãe, quem é?

— Antônia.

— O quê? Tem certeza disso?

— Tenho.

— Esta história está mal contada. Vai ver que ela teve esse filho e o enganou dizendo que era de Antero. Ele nunca falou nada sobre isso. Se fosse verdade, ele teria se apegado ao menino, mas nunca notei nada.

Artur preferiu não responder para não brigar. Inconformada, Olívia continuou:

— Claro. Ela mentiu. Queria que seu filho herdasse nossa fortuna.

Artur não conseguiu conter-se:

— Que espécie de mulher é você? Que maldade agasalha em seu coração? Hoje cheguei ao limite de minha tolerância. Não suporto mais sua mesquinhez, sua intransigência, sua implicância com tudo e com todos. Chega! Quando tudo isto acabar, vou me separar. Não aguento mais ouvir suas palavras sarcásticas, olhar para sua cara.

Ele estava pálido e Olívia sentiu que havia falado demais. Tentou se corrigir.

— Estou nervosa. Essa infeliz nos causa problemas até depois de morta.

— Limpe sua boca quando fala em Antônia. Ela foi uma moça digna, que veio para nossa casa em busca da proteção que não soubemos lhe dar e acabou grávida de nosso próprio filho, suicidando-se de desgosto. Nunca mais se refira a ela de modo pejorativo. Não vou tolerar.

— Você está nervoso, eu também. Pensa que não estou preocupada com o menino?

— Esse menino é nosso único neto, que foi roubado por bandidos e corre perigo de vida.

— Não vai acontecer nada. Você vai ver.

— Como sabe?

— O delegado disse que foi sequestro. Eles não vão fazer nada ao menino porque querem dinheiro. Nós pagaremos o que pedirem e o teremos de volta.

Artur não respondeu. Estava irritado demais para dizer alguma coisa. Josefa apareceu na sala, olhos vermelhos, carregando uma bandeja. Aproximou-se de Artur dizendo:

— Eu trouxe uma xícara de chá de cidreira. Tome, doutor, vai lhe fazer bem.

— Obrigado, Josefa. Tome também, você está muito nervosa.

— Eu já tomei, doutor. Mas continuo tremendo até agora. O que será que vai acontecer ao nosso menino?

Ela o serviu, perguntou se Olívia queria também, mas ela recusou, fulminou-a com os olhos, mas não interveio com medo de piorar ainda mais sua situação com o marido.

— Não sei, Josefa.

— Estou tentando rezar, pedindo proteção à Virgem Maria, mas não estou conseguindo. Será que mesmo assim ela vai me escutar?

— Espero que sim. Vamos tentar nos acalmar. Não podemos fazer nada a não ser esperar, e isso está me desesperando.

Antero entrou assustado e correu para o pai, que o abraçou muito agoniado.

— Pai, aconteceu mesmo? Não foi algum engano?

— Aconteceu.

— Eu não pude fazer nada! — disse Josefa, chorando novamente. — Ele apareceu do nada quando viramos a rua, segurou meu braço, encostou o revólver embaixo do meu braço que ele segurava e disse para continuarmos andando. Eriberto o olhava assustado e ele mandou que eu o acalmasse porque, se ele fizesse alguma coisa, ele me mataria.

Ela fez uma pausa tentando recuperar o fôlego. Antero aproveitou para perguntar.

— Como ele era? Você não o conhecia de algum lugar?

— Não. Ele era baixo, meio encorpado, pardo, cabelos lisos, suas mãos pareciam de ferro, ele apertou tanto meu braço que ficou roxo.

Antero olhou horrorizado e indagou:

— Havia mais gente na rua?

— Algumas pessoas que foram buscar as crianças também. Mas nem perceberam nada. Ele disfarçou e o revólver estava escondido embaixo do meu braço. Quando estávamos a um quarteirão de casa foi que o carro parou e ele pegou Eriberto, dizendo que se eu gritasse me mataria, jogou ele dentro do carro, entrou e se foram.

— Nessa hora, havia outras pessoas por perto que possam ter visto tudo?

— Para dizer a verdade, não sei. Fiquei em estado de choque. Só consegui gritar quando vi uma senhora perto de mim, olhando assustada e perguntando o que havia acontecido. Pedi para chamarem a polícia. Quando eles chegaram, era tarde. O carro havia desaparecido. Eles perguntaram, mas as pessoas disseram que não tinham visto nada.

Antero deixou-se cair em uma poltrona, passando a mão nos cabelos, desesperado. Algumas lágrimas desceram pelo seu rosto e ele deixou-as correr livremente.

Olívia olhava-os sem saber o que fazer. Conforme combinara com Toninho, a essa hora Eriberto já deveria estar longe, fora do alcance da polícia. Por esse lado estava sossegada.

Apesar de saber que Eriberto era seu neto, filho de Antero, a quem adorava, não se arrependia de o haver afastado de sua casa. A presença de um filho bastardo de Antero certamente iria prejudicar seu relacionamento com Glória. O que ela pensaria quando soubesse?

Sabendo a verdade, Olívia pensava que sua atitude livrara o filho de precisar assumir uma paternidade indesejada que poria em risco seu casamento. Eles nunca poderiam saber que fora ela quem havia planejado isso. Esse era seu único medo.

Mas por esse lado estava tranquila. Eles achavam que foi sequestro e ficariam esperando que os raptores se comunicassem. Como ninguém iria telefonar, Toninho teria tempo de resolver tudo conforme o planejado.

Qual não foi sua surpresa quando ouviu Antero dizer:

— Nós havíamos planejado tudo para esta noite. Combinamos de vir buscá-lo para morar conosco. Glória estava tão feliz. Arrumou o quarto para ele, compramos brinquedos, roupas, tudo. Como vou contar a ela o que aconteceu?

Olívia abriu a boca e fechou-a de novo, engolindo as perguntas que a estavam incomodando. O melhor agora era não dizer nada. Pelo jeito, todos sabiam que o menino era filho de Antero, menos ela. Por que não lhe contaram?

Artur sentou-se mais perto do filho e disse triste:

— Pela primeira vez em minha vida não sei o que fazer...

Ouvindo-o, Antero deu um pulo da cadeira e tornou:

— Pois eu sei.

Dirigiu-se ao telefone e ligou para Nina, que o atendeu prontamente:

— Nina, mais uma vez preciso de sua ajuda. Meu filho foi raptado e estamos desesperados. A polícia acha que foi sequestro e nós temos que ficar ao lado do telefone esperando que os bandidos se comuniquem. Por favor, fale com Marta, peça ajuda. Vou dar-lhe o telefone da casa de meu pai. Ligue e me conte o que ela disser.

— Está bem. Fique calmo, não se desespere. Tenho certeza de que nossos amigos espirituais vão nos ajudar.

Ele deu o número do telefone, despediu-se e desligou. Artur o olhava sem entender. Antero, vendo que Olívia os observava, disse ao pai:

— Liguei para aqueles amigos que podem nos ajudar. Lembra-se do que lhe contei? Confio muito neles. Vamos esperar.

— Sim. Foi uma boa ideia. Enquanto isso, vamos rezar. É o que podemos fazer.

Olívia olhava-os sem entender nada. A que amigos se referiam? Certamente pessoas poderosas. Apesar de um pouco assustada, ela pensou que, fosse quem fosse, não iriam conseguir nada. A essa altura eles estariam muito longe, fora do alcance.

Artur e Antero começaram a rezar em silêncio, esperando que o telefone tocasse. Olívia sabia que esperavam em vão, por essse motivo se cansou e foi providenciar o jantar. Começou então para Artur e Antero uma espera difícil e dolorosa, dura de suportar.

Nina desligou o telefone e foi falar com Dantas. Assim que a viu ele notou que ela estava assustada:

— O que foi Nina, aconteceu alguma coisa?

— Sim. Eriberto foi sequestrado esta tarde quando saía da escola. Antero ligou aflito pedindo-nos ajuda espiritual. Era isso que Antônia temia. Ela fugiu do tratamento porque sabia o que estavam tramando contra o menino.

— Sabe como foi?

— Antero estava muito nervoso e não deu detalhes. Lembra-se do meu sonho?

— Sim. Procure lembrar-se dos mínimos detalhes.

— Ela me disse que Antônia iria passar por um momento muito difícil, pediu-me para ajudá-la. Eu não sabia como. Então ela explicou que algo estava para acontecer, eles não sabiam ainda a extensão do fato mas não podiam intervir. Era preciso confiar no bem e esperar.

— Há momentos em que a força das coisas é muito forte e não dá para impedir.

— O que desencadeia esse tipo de coisa? Que forças são essas tão poderosas?

— É a sabedoria da vida atuando sobre as energias das pessoas em conflito para responder a cada um de acordo com suas atitudes. É a justiça divina se manifestando.

— É difícil entender como um menino tão pequeno pode ser vitimado dessa forma.

— Olhando através dos olhos humanos não dá para entender. Mas conhecendo a espiritualidade, sabendo que cada um colhe de acordo com o que plantou, que a criança de hoje já viveu outras vidas nas quais usou seu livre-arbítrio como achou melhor, entendemos que não existe vítima, mas apenas os resultados de suas atitudes.

— Estou angustiada pensando no que eles estão sofrendo.

— Vou ligar para Mercedes e pedir que reúna nosso pessoal. É preciso fazer uma reunião para orarmos e pedir auxílio.

— Eu gostaria de ir.

— Seria ótimo.

Ele ligou, falou com Mercedes, que ficou de chamar os companheiros, e avisou que iria imediatamente.

— Você vai comigo?

— Vou passar em casa e levar Marcos.

— Está bem. Estaremos esperando.

Nina contou a Lúcia o que havia acontecido e pediu-lhe que fechasse o escritório. Depois saiu apressada. O que acontecera com Eriberto a impressionou muito. Pensava em Marcos e imaginava como se sentiria se houvesse acontecido com ele.

Chegando em casa, abraçou-o com carinho.

— Vim buscá-lo para irmos à casa de Marta.

— Aconteceu alguma coisa? Você está nervosa.

— Vamos pedir ajuda espiritual para um menino de seis anos que foi sequestrado esta tarde quando saía da escola.

Marcos ficou sério durante alguns instantes e respondeu:

— Não foi sequestro.

— A polícia disse que foi.

— Não foi. Tenho certeza.

— Como sabe?

— Não sei. Sinto que a polícia está enganada.

— Mas ele foi roubado.

— Mas não sequestrado. Eles não querem pedir dinheiro.

— Será?

— Pode crer, mamãe. Estão todos enganados.

— Você sabe o que foi, então?

— Não. Só sei o que eu disse.

— Vamos embora. Não quero me atrasar.

Eles saíram e Nina sentia o peito oprimido. Quando chegaram à casa de Dantas ela notou que o carro de André estava parado na porta. Respirou fundo e entrou.

Além de Milena e André, algumas pessoas já haviam chegado. Nina cumprimentou a todos e Marta pediu que eles se acomodassem na sala de reuniões. Nina aproximou-se de Marta e disse baixinho:

— Marcos acha que a polícia está enganada. Que ninguém vai pedir dinheiro.

Milena, que estava do lado, comentou:

— Eu também sinto isso.

— Nesse caso, o que teria sido? — indagou Dantas.

Ninguém soube dizer.

— Seria bom que Antero viesse — disse Marta. — Alguém poderia ligar para ele? Peça-lhe para trazer um retrato do menino.

— Eu ligo — respondeu Nina.

— Enquanto isso, vamos nos concentrar e orar, pedindo auxílio aos nossos amigos espirituais.

Nina foi telefonar na outra sala. Antero atendeu no primeiro toque.

— Sou eu, Antero. Estou na casa do doutor Dantas. Ele reuniu os companheiros e vamos fazer uma reunião especial para pedir ajuda. Marta pediu para você vir.

— Eu não posso. Estou perto do telefone esperando que os raptores liguem. Quero estar aqui quando acontecer.

— Eles não vão ligar.

— Como você sabe?

— Assim que contei a Marcos ele sentiu que não foi um sequestro, que a polícia se enganou. Eles não querem dinheiro e não vão ligar. Não dei importância, mas quando cheguei aqui Milena disse a mesma coisa. Ambos sentem que não foi o que todos pensam.

Antero ficou indeciso. Ele confiava na mediunidade de Milena. Depois de alguns instantes disse:

— Eu gostaria de ir, mas... não sei... E se eles ligarem e eu não estiver?

— Você é quem sabe. Marta pediu sua presença.

— O que foi? — indagou Artur, que estava do lado.

— Estão fazendo uma sessão na casa do doutor Dantas. Marta quer que eu vá. Dizem que ninguém vai telefonar. Que a polícia está enganada. Não sei o que fazer.

— Acho que deve ir. Eu ficarei esperando. Se ligarem eu aviso. Tem o telefone de lá?

— Tenho.

— Anote o número e vá. Não adianta ficarmos os dois aqui parados. Pelo menos estará fazendo alguma coisa.

— Nesse caso vou buscar Glória. Ainda não tive coragem de contar-lhe.

— Vá, meu filho. Vou continuar rezando.

Antero saiu e Olívia, vendo-o sair, aproximou-se:

— Ouvi o telefone tocar. Eram os raptores?

— Não.

— Aonde foi Antero?

— Buscar Glória para ir à casa de alguns amigos.

— Ele deveria ficar aqui esperando o telefonema.

— Esse telefonema pode não acontecer.

Olívia sobressaltou-se. Teriam descoberto alguma coisa? Tentando controlar-se perguntou:

— Como sabe?

— Os amigos de Antero são médiuns e disseram que a polícia está enganada e que ninguém vai telefonar.

Olívia inquietou-se:

— Vocês acreditaram nisso? Que bobagem. Não sabia que eram tão ingênuos.

Apesar de aparentar indiferença, Olívia começou a sentir medo. E se eles conseguissem descobrir que fora ela quem tramara tudo? Se haviam descoberto que ninguém iria ligar para pedir dinheiro, poderiam descobrir o resto. Assustada, tentou fingir-se mais preocupada com Eriberto para evitar que desconfiassem dela.

***

Antero chegou em casa já havia escurecido e Glória o esperava com impaciência, arrumada, pronta para ir buscar Eriberto. Vendo-o entrar abatido ela disse:

— Você demorou! Está pálido. Aconteceu alguma coisa?

Os olhos de Antero encheram-se de lágrimas e ele abraçou-a, apertando-a de encontro ao peito, soluçando. Assustada, Glória o acariciava, tentando acalmá-lo. Quando ele finalmente se calou ela disse:

— Estou assustada. Nunca vi você nesse estado. Diga, o que houve?

— Eriberto foi raptado na saída do colégio por um bandido e até agora não sabemos nada dele.

Glória estremeceu e não conseguiu conter o pranto:

— Como foi acontecer isso? Sou eu. Sinto que sou amaldiçoada. Não posso ser mãe nunca. Que destino triste!

— Não diga isso, Glória. Não foi culpa sua. Eu, sim, estou sendo castigado pelo mal que fiz a Antônia.

— Não diga isso. Ela foi embora de sua casa sem dizer nada. Você não sabia que tinha esse filho.

— Vim buscá-la para irmos à casa do doutor Dantas. Eles estão reunidos pedindo ajuda espiritual para Eriberto. Querem que eu vá e vim buscá-la para ir comigo.

— Vamos embora. Eles o ajudaram a saber a verdade, podem nos ajudar a trazer Eriberto de volta são e salvo.

— Isso mesmo. Vamos pensar no melhor.

Eles chegaram à casa de Dantas pouco depois. A criada os introduziu na sala da reunião. Mercedes recebeu-os, colocando-os sentados ao redor da mesa.

A sala, iluminada por pequena lâmpada azul, estava em penumbra e uma música suave se ouvia. Marta pediu:

— Continuemos orando. Pedimos aos pais do menino que o visualizem, como se ele estivesse aqui.

Antero e Glória obedeceram. Antero orava pedindo perdão a Antônia sentindo-se culpado e suplicando que os amigos espirituais trouxessem seu filho de volta. Glória, por sua vez, conversava com Deus, e em sua comovida prece pedia o direito de ser mãe. Julgava-se culpada por nunca ter querido adotar um filho e dizia que, se Deus lhe concedesse a graça de ter Eriberto de volta, prometia ser para ele uma mãe amorosa e dedicada.

Milena quebrou o silêncio e tornou:

— Vamos nos dar as mãos. Neste momento estamos precisando da energia de todos os presentes.

Mercedes pediu:

— Pode nos dizer alguma coisa sobre o paradeiro de Eriberto?

— Ainda não. Estamos acompanhando o caso de perto. Continuemos confiantes, mentalizando o regresso do menino.

— Os sequestradores vão pedir dinheiro para devolvê-lo?

— Não. Trata-se de um problema familiar. É só o que podemos informar por enquanto. Gostaríamos que continuassem orando em vigília até segunda ordem. Pode demorar, revezem-se se for o caso. As pessoas com as quais estamos lidando são imunes às energias mais sutis, mas são sensíveis às energias de encarnados.

Milena calou-se e eles continuaram em oração. O tempo foi passando. A certa altura Mercedes informou que havia mesa para lanche na copa e que seria bom irem se revezando, comendo alguma coisa, descansando por meia hora. Decorrido esse tempo, deveriam voltar para participar enquanto outros sairiam.

O tempo foi passando e tudo continuava igual. Nenhuma notícia. Antero telefonara ao pai, que informou que ninguém havia ligado.

***

Vamos voltar um pouco no tempo e acompanhar o que estava acontecendo com Eriberto. Quando se viu agarrado pelo estranho e jogado dentro do carro, Eriberto começou a gritar. Toninho, que estava dirigindo o carro, gritou:

— Jofre, faça esse pirralho se calar.

Ele tapou a boca do menino, dizendo nervoso:

— Fique quieto já, senão vai apanhar. Não quero ouvir um pio.

Eriberto tentou reprimir o choro e encolheu-se em um canto do banco. Assustado, estremecia de vez em quando, soluçando baixinho.

— É melhor ir mais depressa, antes que a polícia nos persiga.

— Não dê palpite. Sei o que estou fazendo.

Atravessaram a cidade e dentro de meia hora estavam na Via Anchieta. Foram até o Riacho Grande, entraram na cidade e em poucos minutos alcançaram um casebre de beira de estrada. Pararam e desceram, levando o menino pela mão.

Bateram levemente e um rapaz abriu, olhando-os preocupado. Logo atrás, uma mulher de uns trinta anos olhava curiosa.

Eles entraram e Eriberto, vendo-os, começou a chorar dizendo:

— Eu quero ir para casa! Tenho medo. Não quero ficar aqui.

Toninho não disse nada, tirou um lenço do bolso e um vidro pequeno, derramou o conteúdo no lenço e o colocou no nariz do menino, que se debateu um pouco e teria caído se o rapaz não o tivesse segurado.

— É melhor assim. Dormindo ele não nos dará trabalho. Está tudo pronto?

— Sim — respondeu o rapaz com Eriberto no colo. — Tem certeza de que ele vai ficar bem? Parece morto.

— Está muito vivo, dormirá pelo menos até amanhã. Quando ele acordar vocês já estarão longe. Vamos embora.

O rapaz levou o menino até o carro, colocando-o no banco de trás, enquanto a mulher colocava uma bagagem no porta-malas. Eles fecharam o casebre e se acomodaram: os dois homens na frente e o casal no banco de trás, tendo colocado o menino no meio deles.

O rapaz passou a mão pelos ombros do menino, encostando a cabeça dele em seu peito. Toninho olhou e não disse nada. Ligou o carro e em poucos minutos estavam novamente na Via Anchieta, rumo ao litoral. Alcançaram a cidade de Santos. Depois de quase meia hora Toninho parou.

— É aqui. Vamos descer.

Era uma casa de madeira, em um lugar muito pobre. Eles desceram, o rapaz carregava Eriberto no colo. Toninho abriu a porta e todos entraram. O rapaz colocou o menino na cama. A mulher colocou a mala no chão e Toninho falou:

— Nós já conversamos tudo, mas é bom repetir. Não quero enganos. Lembrem-se que, se qualquer coisa sair errado, vocês serão presos. E, se isso acontecer, não devem dizer nada. Se nos delatarem, vamos acabar com os dois. Vocês sabem que sou homem de palavra. Por bem, faço tudo. Mas exijo fidelidade.

— Pode confiar — disse o rapaz. — Vamos fazer tudo certo.

— Vamos ver se entenderam. Repita o que devem fazer.

— Amanhã vou à cidade e compro passagens de ônibus para a cidade de Registro. Lá tem ônibus para o Paraná. Temos que ir para uma cidade do interior. Vamos comprar nosso pedaço de terra e viver nossa vida.

— O que vão fazer com o menino?

— Pensamos em ficar com ele. É mais um braço para o trabalho.

Toninho meneou a cabeça pensativo.

— Não sei se isso é melhor. Ele está crescido e pode dar com a língua nos dentes. Talvez seja mais certo deixá-lo em algum orfanato. Você está com os documentos que eu lhe dei?

— Estou. Eu penso que no orfanato ele pode contar o que aconteceu e o levarão de volta. Se ficar comigo não correremos esse risco.

— Está certo. Fiquem com ele. Vou lhe deixar um vidro de calmante para a viagem. Antes de sair de casa para viajar, dê-lhe vinte gotas em um pouco d'água.

— Ele é pesado. Não vou carregar ele o tempo todo.

— Com vinte gotas ele irá andando. Só ficará sonolento e vai querer se recostar. Se alguém perguntar, diga que ele está doente.

Toninho tirou um pacote e colocou-o sobre a mesa, dizendo:

— Aqui está o dinheiro que lhe prometi. Antes devo dizer-lhe que nunca mais ponham os pés em nosso Estado. Se voltarem, vamos acabar com vocês dois.

— Não pensamos em voltar. Temos problemas com a polícia. Só queremos tocar nossa vida em outro lugar onde ninguém nos conheça e viver em paz.

Toninho e seu companheiro foram embora. Quando ficaram sozinhos, a mulher disse preocupada:

— Acha que fizemos bem ficando com esse menino? E se a família der queixa e a polícia nos encontrar?

— Toninho garantiu que o menino é órfão. Foi adotado por gente da alta. Logo esquecerão e nós vamos poder comprar nosso sítio e recomeçar a vida.

— Eu olho para ele e sinto um aperto no peito. Quando sinto isso, não é bom.

— Lá vem você com suas manias. Pois eu estou muito feliz em receber esse dinheiro. Depois, nós não somos pessoas ruins, não vamos judiar do menino. Se ele for cordato, não terá do que reclamar.

A mulher foi até a cama e colocou a mão na testa de Eriberto e disse:

— Ele está gelado. E se estiver morto?

O rapaz aproximou-se e colocou o ouvido no peito do menino.

— Está respirando. Logo vai acordar. Vamos comer alguma coisa e dormir. Estou pregado. Amanhã tenho que ir à cidade ver as passagens na primeira hora. Você trouxe aquele lanche?

— Trouxe. Vou pôr na mesa.

Tirou de uma sacola pão, mortadela e uma garrafa de água. Ele se lavou e sentou-se para comer.

— Nélson...

— O que foi, mulher?

— Não sei, estou sentindo uma coisa estranha. Parece que vou desmaiar.

— De novo? Fazia tempo que você não tinha isso. Aquele pai de santo não fechou seu corpo?

— Disse que fechou, mas não sei... estou ficando tonta.

— Você está sem comer. Venha, coma um sanduíche.

Ela sentou-se do outro lado da pequena mesa, pegou um pedaço de pão, abriu, colocou algumas fatias de mortadela e começou a comer. Sentiu-se melhor.

— Acho que era fraqueza — disse. — Está passando.

— Eu não disse?

Terminaram de comer e ele tornou:

— Vamos dormir. Amanhã quero levantar às quatro.

— Só tem uma cama. Onde vamos dormir?

— Tem a rede na mala. Pega ela e vamos dar um jeito.

Encontraram jeito de pendurar a rede e ele decidiu:

— Eu fico na rede e você na cama com ele. Você tem o sono mais leve. Se ele acordar, vai perceber.

Ela concordou e deitou-se. Sentia a cabeça pesada e muito cansaço. Logo pegou no sono. Sonhou que fora da casa havia uma mulher querendo entrar e ela estava com medo. A porta estava aberta e ela correu para fechar, depois a janela se abriu e ela apavorada tentou fechá-la, mas uma mão gelada a impediu.

Uma mulher pálida, magra, olhar ameaçador, entrou dizendo:

— Vocês não vão levar meu filho para longe. Ele tem que ficar com o pai.

Apavorada, a mulher tentava justificar-se:

— Ele é órfão. Não tem família. Vamos tomar conta dele.

— É mentira. Ele tem um pai que vai cuidar dele. Você vai levá-lo de volta.

— Não posso. Vamos criar ele.

— O pai e o avô estão sofrendo muito. Sei o que vão fazer com ele. Se não o levar de volta, não terá paz. Eu sou a mãe dele. Estou do lado dele para defendê-lo. Leve-o de volta antes que a polícia os encontre. Vou contar tudo para o delegado e vocês serão presos.

— Não podemos. Aceitamos o dinheiro. Vamos comprar um sítio. Cuidaremos do menino com carinho.

— Não quero! Levem-no de volta assim que o dia amanhecer. Senão vou acabar com vocês dois.

Ela avançou sobre a mulher, que tentou fugir, mas não conseguiu sair do lugar. Quis gritar, chamar o marido, mas não emitiu nenhum som. Tremia apavorada.

O espírito de Antônia agarrou-a pelo pescoço, dizendo com raiva:

— Se não devolverem meu filho vou acabar com vocês. Eu juro!

Muito apavorada, sentindo sufocar-se, a mulher acordou suando copiosamente. Levantou-se de um salto e foi até a rede. Sacudiu o marido dizendo assustada:

— Acorde, Nélson... Acorde.

Ele abriu os olhos sobressaltado:

— O que foi, mulher?

— Esse menino não pode ser nosso.

— Por quê?

— Ele está acompanhado. A alma da mãe dele quis me enforcar.

— Você está nervosa. Foi só um pesadelo.

— Não foi, não. Eu sei quando é alma do outro mundo. Ela disse que é pra devolver ele o quanto antes.

— Nós não vamos fazer isso.

— Estou com medo. Ela jurou que vai nos perseguir. É uma mulher pálida, olhos de fogo. Eu não quero mais ver ela. Temos que dar um jeito nesse menino. Não vamos levar ele junto.

Nélson sentou na rede coçando a cabeça nervoso. Ele não desafiava Bina quando ela falava em alma do outro mundo. Tinha provas suficientes para saber que ela via mesmo.

— Nesse caso, nós vamos deixar ele pelo caminho. Devolver o dinheiro é que não vou. Vamos comprar nosso sítio.

— Ela quer que ele volte para casa.

— Isso não. Toninho vai dar cabo de nós.

— Isso se ele nos achar. Ao invés de ir para o Paraná, vamos para outro lugar, bem longe, onde ele nunca vai nos encontrar.

— Não sei... Preciso pensar. Fizemos tantos planos.

— Eu queria que você a visse. Teria corrido de medo. Foi horrível. Ela pulou em mim, agarrou minha garganta, pensei que tinha chegado minha hora. Não podia respirar.

— Foi só um pesadelo. Você estava nervosa, com medo. Não vai acontecer nada.

— Vai, sim. Não teime. Ela está tomando conta dele e com muita raiva. Se não fizer o que ela quer, nossa vida não vai para a frente. Sei o que estou dizendo.

— Devolver o dinheiro eu não devolvo!

— Ficaremos com ele. Ela não falou no dinheiro. Só quer o menino de volta. Deixamos o menino em algum lugar, vamos para bem longe. O Toninho não vai nos encontrar. Vamos tocar nossa vida para a frente.

— E onde deixaremos o garoto?

— Temos que pensar. Talvez aqui mesmo. Deixamos um lanche, algum dinheiro e pronto. O Toninho não disse que nós podíamos deixar ele em algum lugar? Então. Se um dia ele nos achar, não terá do que reclamar.

— Está certo. Pensando bem, é melhor mesmo nos livrarmos dele.

Nélson abriu a janela e disse:

— É madrugada. Logo vai começar a clarear. Vou comprar as passagens e volto para pegar você.

— Eu vou junto. Não quero ficar aqui sozinha. É melhor irmos embora antes do dia amanhecer. Logo o povo daqui vai começar a acordar. É melhor que ninguém nos veja.

— E o menino?

— Ele fica. Deixamos o lanche, água, alguns trocados e vamos embora. Não vejo a hora de me livrar desse moleque.

Nélson hesitou um pouco, depois decidiu:

— É melhor mesmo que ninguém nos veja. Arrume tudo e vamos embora.

Bina foi até Eriberto, que dormia pesado, ajeitou as cobertas dizendo em voz alta:

— Vamos deixar seu filho aqui. Cuide dele. É o que podemos fazer.

— O que você está resmungando?

— Nada. Estou entregando ele à mãe.

— Cruz-credo. Às vezes você me dá medo.

— Não seja bobo. Sei o que estou fazendo.

Eles colocaram os documentos sobre a mesa ao lado do lanche, apanharam seus pertences e foram embora, deixando a porta apenas com o trinco.

Eriberto, alheio a tudo, continuava adormecido. O espírito de Antônia aproximou-se dele, beijando-o na testa, depois sentou-se na cama ao lado dele. Pretendia ficar ali para protegê-lo.

Ela gostaria de poder conversar com ele durante o sonho, mas viu que não seria possível, porquanto o espírito dele dormia sobre o corpo e ela não conseguiu acordá-lo.

Antônia ficou assustada. Ela só havia visto uma situação igual nas pessoas que haviam morrido fazia pouco tempo. Eriberto estaria morto?

Concentrou sua atenção no peito dele e viu que seu coração continuava batendo. Ele estava vivo. Precisava esperar apenas que ele acordasse. Enquanto isso, rezaria pedindo ajuda.

Pensou nos enfermeiros que cuidaram dela, mas não teve coragem de lhes pedir auxílio. Ela havia fugido do tratamento e temia não ser atendida e, o que seria pior, eles quererem levá-la de volta. Talvez Nina pudesse fazer alguma coisa. Pensou nela com carinho. Era a melhor pessoa do mundo. Começou a pensar nela pedindo que a ajudasse.

Olhando o rosto de Eriberto ela sentia vibrar dentro de si um grande amor, ao mesmo tempo que se arrependia de haver tentado contra a vida. Naquele momento teve consciência de que não assumira sua responsabilidade de mãe. Deus havia lhe dado esse filho para que tomasse conta dele, orientando-o, tornando-o um homem de bem.

Ela fracassara como mulher, como mãe, deixando que os outros interferissem em sua vida. Estava arrependida, mas era tarde. Não podia voltar atrás. O que podia fazer era ficar ao lado dele dali para a frente, amando-o, protegendo-o.

As lágrimas desciam pelo seu rosto e ela beijou-o com amor. Dali para a frente ela cuidaria dele, não deixando que nada de mau lhe acontecesse. Começou a alisar-lhe os cabelos com carinho e emocionada notou que saía de seu peito uma luz cor-de-rosa que envolveu o corpinho de Eriberto.

Percebeu contente que, à medida que essa energia rosa se espalhava sobre ele, sua respiração ia se tornando mais cadenciada.

No período de tratamento que recebera onde estivera até então, haviam lhe ensinado o poder das energias positivas. O sentimento de amor, de compaixão transmite energias muito poderosas. Satisfeita, Antônia sentiu que isso era verdade.

Olhando o filho com amor, derramou sobre ele energias boas e, além de Eriberto respirar melhor, a cor de sua pele estava mais natural. Sentindo-se mais calma, decidiu continuar ali, pensando nele com amor, esperando que acordasse.

***

Na casa de Dantas, eles continuavam orando, revezando-se a cada meia hora conforme lhes fora pedido pelos amigos espirituais. Era madrugada e eles continuavam lá quando Milena levantou-se e disse:

— Vamos reunir todos agora. Aproxima-se um momento decisivo e precisamos somar nossas forças.

Alguém chamou os que estavam descansando, que atenderam prontamente. Vendo-os acomodados, Milena continuou:

— Vamos dar as mãos e fazer um grande círculo.

Eles obedeceram, ela entrou no círculo e prosseguiu:

— Vamos mentalizar Eriberto e Antônia, sua mãe. Quem os conhece pense neles com amor e alegria.

— Enquanto você mantém a corrente de sustentação, eu vou até lá — disse Marta.

Ela colocou uma cadeira dentro do círculo e sentou-se nela. Sua cabeça pendeu, parecendo adormecida. Permaneceram assim por meia hora, depois Marta suspirou, abriu os olhos dizendo:

— Graças a Deus. Agora está tudo bem. Vamos agradecer a Deus pela ajuda que recebemos e encerrar nossos trabalhos de hoje.

Mercedes proferiu ligeira prece de agradecimento e encerrou a sessão. As luzes foram acesas e ela agradeceu às pessoas pela colaboração. Passava das quatro da manhã e eles foram se despedindo, tendo ficado apenas Antero, Glória, Nina, Milena, André e Marcos, que havia adormecido no sofá, mas que acordara quando Milena os chamara de volta.

Antero, ansioso, aproximou-se de Marta:

— E então? Pode me dizer alguma coisa?

— Sim. Ele está bem. Dorme sob efeito de um sonífero.

— Eu vi — interveio Marcos. — Ele está em uma casa de madeira, muito pobre. Tem uma mulher cuidando dele. Ela é alta, magra, cabelos castanhos, alisa a cabeça dele com muito amor.

— Isso mesmo. É o espírito de Antônia que está ao lado dele — esclareceu Marta sorrindo.

— Você viu onde fica esse lugar? Quem os levou lá?

— Não sei onde é, mas notei que a terra é arenosa.

Antero torceu as mãos aflito:

— Nesse caso não podemos ir buscá-lo.

— Acalme-se — respondeu Marta. — O perigo passou. Agora é questão de tempo. O que posso informar é que ele vai ser encontrado e regressar são e salvo.

— Quisera ter essa certeza — tornou Antero.

— Pode confiar — interveio Mercedes. — É o mentor dela quem está informando. Ele costuma ser sincero. Se ele disse que o perigo passou, é verdade.

— Desculpe — disse Antero. — É que estou muito angustiado.

— Dá para entender — tornou Dantas sorrindo.

— Há mais alguma coisa que possa me dizer? Já que você esteve lá, viu a casa onde ele está, se os espíritos estão nos ajudando, não seria mais fácil nos levarem até lá? — indagou Antero.

— Nós vemos assim, mas nossos amigos espirituais pensam diferente. Eles sabem que, se não nos foi permitido saber onde o menino está para irmos buscá-lo, é porque há outros fatores envolvidos no caso que devem ser atendidos. Disseram o que lhes foi permitido e o que consideraram mais importante, que foi saber que o perigo passou e que Eriberto retornará são e salvo. Não é isso o que importa?— respondeu Marta.

— É — concordou Antero.

— Vocês precisam descansar. No momento é o melhor a fazer. Descansar, confiar e esperar os resultados.

Antero se despediu, agradecendo a ajuda e saiu com Glória. Dantas ao despedir-se de Nina disse:

— Hoje não temos nada especial no escritório. Não precisamos ir trabalhar. Lúcia pode cuidar de tudo.

— Está bem, doutor. Vamos esperar notícias do menino.

Ela saiu com Marcos, André e Milena também. Marcos não continha o entusiasmo:

— Mãe, eu o vi dormindo. A casa, tudo. Você disse que o espírito de Antônia estava horrível mas eu não achei. Ela parecia tão amorosa, tão boa mãe. Chorava, tive muita pena dela. Está muito arrependida do que fez.

André, que caminhava do lado, ouviu admirado. Milena sorriu, passou o braço sobre os ombros de Marcos dizendo:

— Você é dos nossos! Juntos vamos formar um grupo maravilhoso.

Ele sorriu:

— É mesmo? Vamos chamar o Renato. Ele vê mais do que eu!

— Mas você tem mais experiência do que ele.

Nina olhou admirada e não respondeu. Despediram-se, combinando que quem tivesse alguma notícia ligaria contando.

André abraçou Marcos com carinho, dizendo:

— Gostaria de ser como você.

— E eu como você — respondeu ele.

— Por quê? — perguntou André, surpreendido.

— Porque não é criança e sabe muitas coisas que eu não sei.

Nina interveio:

— Vamos embora, meu filho. É tarde.

Durante o trajeto de volta, Marcos contou que vira muito mais coisas que esquecera de contar. Nina pensava na tristeza de Antero, que, apesar do conforto que havia recebido dos amigos, ainda continuava sem saber onde e com quem seu filho estava.

Antero e Glória voltaram para a casa de Artur. Olívia já havia se recolhido, mas Artur continuava sentado ao lado do telefone. Vendo-os entrar, levantou-se ansioso. Antero indagou:

— Alguma notícia?

— Nada ainda. E você, como foi?

Em poucas palavras Antero contou o que havia acontecido, finalizando:

— Eles garantiram que o perigo passou e Eriberto voltará são e salvo.

— Queira Deus que seja verdade!

Glória abraçou o sogro dizendo:

— Eu não tenho nenhuma dúvida. Se você houvesse estado lá, acreditaria. Foi comovente. O amor dessas pessoas, a fé, a dedicação, ficando horas orando por uma criança que nem conhecem. Havia no ar alguma coisa que não sei explicar, mas que me pareceu mágica. Apesar do momento difícil que estamos atravessando, parecia que alguém me dizia: confia, vai dar tudo certo!

Artur retribuiu o abraço dela, tentando esconder o rosto para que não o vissem chorando.

Antero juntou-se a eles, abraçando-os:

— Eles nos disseram para confiar e esperar. Você está abatido. Precisa cuidar da sua saúde. Vá descansar, eu ficarei ao lado do telefone.

— Não vou conseguir dormir.

— Tente relaxar. Se alguém ligar, eu o chamarei. Não adianta ficarmos os dois aqui. Você também, Glória, trate de dormir um pouco.

— Nada disso. Vou ficar ao seu lado. Depois que o doutor Artur descansar, será nossa vez. Você também precisa se refazer. Vamos nos revezar.

— Tem razão, Glória — disse Artur. — Vou me estender no sofá.

Josefa, olhos vermelhos e inchados de tanto chorar, que ouvia tudo em um canto da sala, aproximou-se:

— Vocês precisam se alimentar. Vou trazer um lanche.

Antero aproximou-se dela:

— Deixe isso para depois. Quero que procure um retrato de Eriberto. Veja o mais recente. Assim que o dia clarear, irei aos jornais e à televisão, fazer um anúncio, oferecer uma recompensa a quem o trouxer de volta.

— Boa ideia. Se a polícia estiver enganada, se não for um sequestro, pode funcionar.

— Vá descansar, pai. Deixe comigo.

Artur estendeu-se no sofá e procurou não pensar. Precisava poupar suas forças, preparar-se para o que pudesse ainda acontecer.

Josefa trouxe o retrato e entregou-o a Antero, que mais uma vez notou a semelhança dele com Antônia. Apanhou papel, caneta e escreveu os dados do menino.

Glória aproximou-se, sentando-se ao lado dele no sofá.

— Descanse um pouco, Antero. Precisamos estar bem para agir se surgir alguma novidade.

— Tem razão.

Ele a abraçou, Glória descansou a cabeça no peito dele. Logo o dia iria amanhecer e ele precisava estar bem para agir.

***

Eram sete horas quando Olívia acordou, vestiu-se e desceu. Na sala, Artur dormia em um sofá, enquanto Antero e Glória, abraçados, dormiam em outro.

— Que desperdício! — pensou ela. — Tanta coisa por causa de um menino bastardo.

Ela não se comovera com a notícia de que Eriberto era seu neto. Para ela, um filho fora do casamento era um desastre familiar. Ela agira na hora certa. A esta hora ele estava muito longe e nunca mais voltaria. Com o tempo eles iriam esquecer. Logo Glória teria um filho legítimo e ninguém mais se lembraria desse menino.

Olívia fez um movimento que provocou ligeiro ruído e Antero abriu os olhos sobressaltado:

— Dormi demais. Já amanheceu.

Artur abriu os olhos e sentou-se tentando concatenar as ideias.

— Não sei o que aconteceu! Eu apaguei. Fazia tempo que não dormia tão profundamente.

Glória interveio:

— Eu consegui dormir sentada, isso nunca me aconteceu antes!

— Vou me lavar e sair para colocar os anúncios — tornou Antero.

— Não antes de tomar café — disse Olívia.

Antero ia recusar, mas Glória interveio:

— Vamos comer alguma coisa. Depois você vai.

Lavaram-se rapidamente e pouco depois sentaram-se à mesa, na copa. Não estavam com fome, mas sentiram-se melhor depois de comer.

Olívia prestava atenção ao que eles diziam, tentando saber em que pé estavam as coisas. Ouviu os comentários sobre as informações dos espíritos com incredulidade. Mas não disse nada a respeito. Achava bom que eles estivessem entretidos. Assim, o tempo ia passando e, quanto mais passava, mais distante Eriberto estaria.

***

Na pequena cabana no litoral, Eriberto remexeu-se um pouco, começando a acordar. Sentia a boca amarga, a cabeça tonta, não sabia bem onde estava. Aos poucos, porém, foi recobrando a posse de si.

Sentiu sede. Levantou-se, segurando-se na mesa ao lado com medo de cair. Apanhou a garrafa de água, tirou a tampa e bebeu no gargalo sofregamente.

Estava calor e ele olhou em volta procurando pelas pessoas. Não viu ninguém. Aonde teriam ido? Cautelosamente foi até a pequena cozinha, abriu a torneira da pia e lavou o rosto, molhou os cabelos. Não tinha toalha para enxugar-se.

Voltou ao quarto e enxugou o rosto com o lençol. Sentiu fome. Abriu o pacote sobre a mesa, pegou um pedaço de pão, colocou mortadela e começou a comer.

Lembrou-se de tudo quanto lhe acontecera e teve medo. Eles tinham saído, mas poderiam voltar. Foi até a porta, abriu e espiou. O sol estava claro e pôde ver um pouco mais longe algumas pessoas caminhando.

Precisava ir embora antes que eles voltassem. Viu algum dinheiro sobre a mesa, pegou e colocou no bolso. Calçou os sapatos e saiu. Começou a caminhar depressa para afastar-se ao máximo daquele lugar, mas não sabia para onde ir.

Um homem que caminhava em sentido contrário, carregando uma cesta, passou por ele, olhou-o e parou. Assustado, Eriberto apressou o passo.

— O que é isso, menino? Não tenha medo.

Eriberto começou a correr. Estava pálido, assustado, bateu de frente em uma mulher que carregava um pacote que se rompeu e alguns pães espelharam-se no chão. Ela o segurou dizendo:

— O que é isso, menino, não olha por onde anda?

Ele tremia:

— Largue-me, por favor. Quero ir para casa.

Ela olhou-o admirada e perguntou:

— Por que estava correndo daquele jeito?

— Quero ir para casa. Aqueles homens podem voltar. Tenho medo. Eles têm um revólver deste tamanho. Deixe-me ir, por favor.

Ela abraçou-o assustada. Um menino tão pequeno! Suas roupas estavam sujas, mas eram de boa qualidade. O que teria lhe acontecido?

— Não tenha medo. Não vou lhe fazer mal. Acalme-se.

— Eu quero meu tio Artur.

Eriberto chorava e ela alisava-lhe a cabeça comovida. Olhou em volta e não viu ninguém.

— Conte-me o que aconteceu.

— Quando eu saí da escola com Josefa, um homem com um revólver apareceu, colocou-me em um carro e me fez cheirar uma coisa e eu dormi. Acordei agora. Não tinha ninguém, a porta estava aberta e eu fugi. Quero ir para casa. Por favor.

Ela o interrogou, tentando descobrir o endereço de sua casa, mas ele não sabia. Continuava apavorado com medo de os homens voltarem. Ela não podia deixar um menino tão pequeno sozinho na rua.

— Venha comigo.

— Vai me levar para casa?

— Vou levar você para minha casa. Lá vamos descobrir onde você mora e você vai para casa.

— Promete?

— Prometo. Vamos passar de novo na padaria e comprar pão para o lanche de meus filhos que precisam ir à escola logo mais. Depois vamos para casa e cuidarei de você.

Ela segurou a mão dele, que a acompanhou contente. Logo estaria em casa de novo. Compraram pão e foram para a casa dela.

Era uma casa pequena, ela foi ao quintal e chamou os dois meninos:

— Vão se lavar e aprontar-se para a escola. Depressa, vou servir o almoço.

Eles entraram na cozinha e olharam com curiosidade Eriberto sentado em uma cadeira.

— Quem é, mãe? — indagou o menor.

— É um menino que está perdido e vou ajudá-lo a ir para casa. Vamos logo, não podem perder a hora.

Eles obedeceram e ela apressou-se a esquentar o almoço e preparar a merenda para a escola.

— Está com fome? — perguntou, olhando para Eriberto.

— Não, senhora. Eu comi o pão com mortadela que eles deixaram na casa. Estou com sede.

Ela apontou um filtro de barro a um canto da pia e respondeu:

— Pode beber ali. Depois vá se lavar no tanque do quintal. Leve a toalha.

Ele pegou a toalha que ela lhe estendia e foi. O cheiro gostoso da comida o fez sentir-se em casa. Quando voltou, pouco depois, ela apanhou um pente e penteou seus cabelos.

— Agora você está lindo.

— Obrigado. A senhora é muito boa.

— Pode me chamar de Eunice.

— Sim, senhora.

Ela notou que o garoto era muito bem-educado. Deveria ser de uma família rica. Os pais deveriam estar aflitos à sua procura.

Os dois meninos voltaram de uniforme, cabelo penteado, sentaram-se à mesa onde a comida já estava servida, olhando curiosos para Eriberto.

— O nome dele é Eriberto — tornou Eunice. Depois, voltando-se para Eriberto, continuou: — Este é o João, o outro é o Antônio.

— Muito prazer — disse Eriberto.

Eles o olharam admirados. Não estavam habituados a esse tratamento.

— Vamos comer.

Ela serviu a todos e sentou-se para comer. Enquanto eles conversavam fazendo perguntas a Eriberto, ela pensava na melhor forma de resolver o caso dele.

Os dois meninos foram para a escola e Eunice, colocando a louça na pia, disse para Eriberto:

— Vou arrumar a cozinha e depois vamos ao posto policial. Eles vão nos ajudar a encontrar sua família. Enquanto isso, vou pegar a caixa de brinquedos para você.

Foi ao quarto, apanhou uma grande caixa de papelão, colocou-a no chão da sala dizendo:

— Pode brincar à vontade. Assim que eu terminar vamos tentar achar sua família.

Eriberto sorriu alegre e sentou-se no chão, ao lado da caixa, para ver o que tinha. Eunice voltou à cozinha e pensou:

— Talvez seja melhor esperar o Mário. Ele pode ir à polícia comigo.

Seu marido só chegaria depois das sete. Ela ligou o rádio como fazia todos os dias enquanto estava cuidando dos serviços da casa. Uma música alegre encheu o ar e ela cantarolou alegre.

Terminou a louça e estava passando pano no chão da cozinha quando interromperam a música e o locutor pediu atenção para uma notícia especial.

— Notícia de desaparecimento. Um menino de seis anos saiu da escola no bairro dos Jardins, em São Paulo, caminhava com sua babá quando perto de sua casa foram abordados por um indivíduo armado que levou o menino, colocando-o em um carro e desaparecendo em seguida. Até agora os criminosos não fizeram contato com a família. O pai está desesperado. O nome dele é Eriberto.

Eunice gritou assustada:

— É ele! Meu Deus, é ele!

Sentiu as pernas bambas e sentou-se, tentando recuperar o fôlego. Quando se acalmou um pouco, lembrou-se de que não havia prestado atenção ao número do telefone ou o endereço.

Foi ter com Eriberto, que absorto brincava com um carrinho.

— Eles estão procurando você! Deu no rádio!

O menino a olhou procurando entender.

— Aqueles homens estão me procurando?

— Não. Sua família.

— Eles sabem onde estou?

— Não. Mas nós vamos dizer a eles.

Eunice pensou um pouco e resolveu ir até a padaria tentar telefonar. Seu Manuel a ajudaria. Foi até lá com Eriberto.

Seu Manuel era o dono da padaria. Falou com ele contando o que havia acontecido e ele emocionado disse:

— Vou ver na lista o número dessa rádio e vamos ligar já. Imagino como os pais dele devem estar desesperados.

Ele estava nervoso e demorou um pouco para achar o número. Ligou, informando que o menino que havia desaparecido estava com dona Eunice, que o encontrara na rua.

Depois de falar com duas pessoas e dar todas as informações, deu o endereço da casa de Eunice.

— Eles virão à sua casa imediatamente. Vão avisar a família.

— Que bom! Obrigada, seu Manuel.

— Fico feliz de ajudar num caso desses. Estou pensando na alegria dos pais dele quando souberem.

— Nem fale. O que eu faço agora?

— Vá para casa esperar. Vou dar um doce para o menino.

Seu Manuel arrumou alguns doces em uma bandeja e entregou o pacote a Eunice dizendo:

— É por conta da casa. A senhora vai ter visitas. É melhor se prevenir.

— Obrigada, seu Manuel. Nossa casa é de pobre, mas sempre tem um café para os amigos. Quando eles chegarem, eu gostaria que o senhor também estivesse. Meu marido só chega às sete.

— Está bem. Vou estar atento. Assim que chegarem eu vou.

Eunice segurou a mão de Eriberto dizendo:

— Vamos, meu filho. Você logo estará com sua família.

Eriberto sorriu feliz. Foram para casa e, enquanto esperavam, Eunice fez café fresco e colocou na térmica. Tinha roupas para passar, mas estava sem disposição. Sentou-se na sala ao lado de Eriberto e ficou conversando com ele, tentando descobrir mais sobre sua vida.

***

Antero havia saído de casa às sete e meia da manhã, procurado algumas emissoras de rádio e televisão, providenciado os anúncios. Depois, foi à delegacia saber se havia alguma notícia.

— Estamos esperando que eles liguem — disse o delegado.

— E se não ligarem?

— Ele desapareceu ontem. Temos que esperar vinte e quatro horas. Se não aparecer nem ninguém ligar, começaremos a procurar.

Antero não se conteve:

— Enquanto isso eles podem estar muito longe.

— Não creio. Tenho experiência. Eles vão ligar. O senhor tinha algum inimigo?

— Não. Nem ninguém de minha família. Somos pessoas de paz.

— Então só pode ter sido sequestro. É dinheiro que eles querem. Iriam levar o menino a troco de quê? Fique sossegado, sei o que estou dizendo.

Antero não insistiu e foi para casa. Não podia contar ao delegado o que os espíritos haviam dito.

Passava da uma quando chegou à casa de seus pais. Foi logo informado de que não havia nenhuma notícia.

— Estávamos esperando você para almoçar. Vou mandar servir — disse Olívia.

— E Glória? — indagou Antero.

— Está lá em cima no quarto do menino. Disse que ia arrumar as coisas dele.

— Vou falar com ela.

Antero subiu ao quarto de Eriberto, onde Glória estava colocando as roupas de Eriberto em uma mala. Ao entrar ali ele sentiu-se emocionado e seus olhos encheram-se de lágrimas.

Vendo-o, Glória abraçou-o dizendo:

— Vamos levar tudo que é dele para nossa casa. Quero deixar tudo pronto para quando ele voltar. Assim, não precisará ficar aqui nem mais um dia.

— Não sei quando será isso. Não tivemos ainda nenhuma notícia.

— Estive conversando com Josefa. Ela vai morar conosco.

— Temos que falar com mamãe sobre isso.

— Sua mãe vai dar graças a Deus. Josefa me contou que dona Olívia não a suporta e implica com o menino. Ele não tem sido feliz aqui.

— Não diga isso. Meu pai o adora.

— Mas passa muito tempo fora trabalhando. Ela aproveita para maltratar o menino.

Antero sentiu um aperto no peito. Ia retrucar, mas mudou de ideia. Muitas vezes ele surpreendera a mãe maltratando não apenas os empregados, mas Antônia, que era da família, e sendo áspera com Eriberto, referindo-se a ele de modo ofensivo.

De boa índole, ele não queria aceitar que sua mãe era uma mulher arrogante e má. Pela primeira vez começou a pensar que sua tolerância com as atitudes dela poderiam ter prejudicado Antônia. Se sua mãe fosse diferente, talvez ela não houvesse saído de casa e tudo teria se arranjado de outra forma.

Ela não parecia preocupada com o destino de Eriberto. Glória tinha razão. Quando o encontrassem, eles o levariam direto para sua casa.

Olívia apareceu na porta do quarto dizendo:

— O almoço está servido. Arrumar as coisas dele é perda de tempo.

— Por que está dizendo isso? Sabe de alguma coisa? — indagou Glória, olhando-a fixamente.

— Claro que não. Eu disse isso porque não sabemos quando ele vai aparecer, se aparecer.

— A senhora parece feliz por ele ter desaparecido — respondeu Glória nervosa.

— O que está acontecendo com você? Nunca falou assim comigo! É claro que estou preocupada com o menino. Mas sou controlada.

— Vamos parar com isso. Estamos todos nervosos. É melhor irmos almoçar — interveio Antero.

Olívia saiu dali pensando em Josefa. Ela havia ido com Glória arrumar as roupas do menino. Com certeza falara mal dela para sua nora. Essa era outra que ela queria ver longe de sua casa. Quanto antes, melhor.

— Eu já terminei mesmo — disse Glória. — Vamos descer. Gostaria que o motorista colocasse essas malas em nosso carro.

Antero concordou e eles desceram. Almoçaram em silêncio. Depois foram para a sala esperar as notícias. Antero ligou o rádio para ouvir os anúncios, enquanto Artur ligou a televisão.

Vendo o retrato de Eriberto no noticiário das duas horas, Artur se emocionou. Seu menino! Onde estaria? Pensou em Antônia. Que destino triste o deles!

Glória aproximou-se dele colocando a mão em seu ombro:

— Ele vai voltar, doutor Artur. Deus é grande. Estou certa disso.

— Quisera ter a sua fé.

— Ele vai ser o filho que eu não tive. Vou cuidar dele com muito amor.

— Você é muito boa, minha filha.

— Não é bondade. Ele vai me dar muito mais do que eu a ele.

— Estou certo de que será uma boa mãe.

Antero aproximou-se:

— Já estão anunciando na rádio.

— Passou agora na televisão — disse Artur.

— Agora só nos resta esperar. Vou ligar para o escritório. Ver como estão as coisas e saber se alguém ligou — tornou Antero.

Começou para eles a angustiante espera. Haviam tomado todas as providências e não lhes restava mais nada, senão esperar.

Passava das quatro quando o telefone tocou. Antero atendeu ao primeiro toque.

— Quero falar com o senhor Antero.

— Sou eu, pode falar.

— Aqui fala da rádio Tupi, acho que encontraram seu filho.

— Ele está bem?

— Parece que sim.

— Onde está ele?

— Na cidade de Santos. Uma senhora o encontrou vagando na rua e o recolheu. Ouviu nossa rádio e ligou dando o endereço. Nossos repórteres já estão a caminho.

— Irei imediatamente. Dê-me o endereço.

Glória estendeu a ele papel e caneta. As mãos dele tremiam e Glória disse:

— Eu anoto. Pode falar.

Ele foi repetindo o endereço e ela anotou tudo. Artur, emocionado, estava junto deles.

— Graças a Deus. Eriberto foi encontrado. Parece que está bem.

— Eu vou com você — disse Artur.

— Eu também — disse Glória.

— Não, você vai para casa arrumar tudo. Leve Josefa. Nós vamos com o carro do papai.

Olívia, pálida, ouvia tudo na porta da sala. Procurou dissimular a contrariedade. Não podia despertar suspeitas. Tratou de fingir contentamento. Aproximou-se dizendo:

— Finalmente! Que bom que o encontraram. Ele está bem?

— Está — respondeu Artur satisfeito. Vendo Josefa mais atrás, tremendo de emoção, ele continuou dizendo a ela: — Arrume suas coisas. Você vai para a casa de Antero esperar Eriberto.

Ela concordou com a cabeça. Estava emocionada demais para falar. Correu para acabar de arrumar sua mala.

Artur foi se vestir e Antero, enquanto verificava se estava com documentos, dinheiro, disse à mãe:

— Vamos levá-lo diretamente para nossa casa. Josefa vai junto para cuidar dele.

— Vou sentir falta dele — disse ela.

— Você já fez o bastante por ele. É meu filho e minha responsabilidade. Se eu soubesse antes, já o teria levado.

Artur já estava pronto e eles saíram apressados. Queriam chegar em Santos antes de anoitecer. Josefa rapidamente arrumou seus pertences e foi com Glória para casa.

Olívia, quando se viu sozinha, deu livre curso à irritação. Toninho havia fracassado. Isso não podia ficar assim. Dera-lhe muito dinheiro e já havia preparado o restante para dali a alguns dias. Iria falar com ele. Teria que devolver o dinheiro.

Planejou ir procurá-lo imediatamente, mas pensou melhor e resolveu esperar alguns dias até que o caso estivesse esquecido. A polícia fora chamada e ela não podia despertar suspeitas.

***

Eram quase seis horas quando o carro de Artur estacionou em frente à padaria do seu Manuel, que fora dada como referência. A rua estava movimentada e as pessoas aglomeravam-se um pouco adiante.

Antes que Antero descesse do carro, um rapaz aproximou-se:

— O senhor é o pai do menino? A casa de dona Eunice é ali em frente. Os repórteres já chegaram.

Antero agradeceu e levou o carro até a casa indicada. Os dois desceram ansiosos, abrindo espaço entre as pessoas, um fotógrafo tirou algumas fotos, fazendo perguntas, mas eles nem prestaram atenção. Queriam ver Eriberto.

Entraram. O menino brincava com os dois filhos de Eunice, olhando admirado para as pessoas curiosas que estavam em volta. Vendo Artur, correu para ele dizendo:

— Tio Artur! Tio Artur!

Artur abriu os braços, Eriberto atirou-se neles. Artur o abraçou com alegria. Quando conseguiu dominar a emoção perguntou:

— Você está bem?

— Estou. Dona Eunice é muito boa.

Só então viu Antero ao lado, sorriu para ele:

— Você também veio!

Antero estendeu os braços e o menino mergulhou neles contente. Por alguns instantes Antero não conseguiu falar. Era seu filho e estava em seus braços!

Os dois repórteres aproximaram-se querendo entrevistá-los, mas Artur tornou:

— Mais tarde. Antes queremos conhecer a dona da casa e saber o que aconteceu.

Eriberto, já no chão, segurou a mão de Artur, dizendo contente:

— Venham, vamos falar com ela.

Eunice, olhos cheios de lágrimas, estava muito emocionada. Seus dois filhos foram ficar ao lado dela.

— Esta é dona Eunice — disse Eriberto —, estes são meus amigos João e Antônio. Eles me ensinaram a jogar bola.

Artur estendeu a mão para Eunice, dizendo emocionado:

— Obrigado por ter cuidado tão bem do nosso menino. Seremos gratos pelo resto da vida. Este é meu filho Antero.

— A senhora não sabe o bem que nos fez. Que Deus a abençoe.

— Ele é um menino educado e gentil. Nós gostamos muito dele.

Depois ela contou como o encontrara correndo, assustado, e ele lhe contara sobre o sequestro.

— Meu marido está trabalhando e só vai chegar às sete. Eu ia esperar ele chegar para ir comigo à polícia. Então, ouvi a rádio e fiquei tão nervosa que não anotei o telefone que eles deram. Não temos telefone, fui à padaria falar com seu Manuel. Ele é muito nosso amigo, foi ele quem ligou para a rádio e deu nosso endereço.

Antero e Artur abraçaram Manuel agradecidos.

— Ele deu uma bandeja de doces para nós — disse Eriberto sorrindo. — Eu já comi dois.

Todos riram e Manuel procurou disfarçar a emoção. Depois pediram a Eriberto para contar novamente tudo desde que Josefa o pegou na saída da escola.

Em poucas palavras ele contou e Antero perguntou onde ficava a casa em que ele estivera dormindo.

— Eu não quero ir lá. Tenho medo — reagiu ele.

— Você não vai mais lá — disse Artur. — Vamos mandar a polícia.

— Esta história não está clara — disse Antero.

— Concordo — interveio Manuel. — Por que eles iam roubar o menino e depois ir embora sem pedir resgate nem nada? Se quiserem, vou telefonar à polícia. O delegado daqui é meu amigo.

— É bom mesmo — respondeu Antero.

Ele saiu e os repórteres queriam informações sobre a família. Artur olhou para Antero sem saber o que dizer. Ele não queria chocar Eriberto revelando que Antero era seu pai. Por esse motivo, desconversou:

— Estamos cansados. Passamos a noite em claro e o dia não foi nada fácil. Temos que esperar a polícia e obedecer aos quesitos legais. Mais tarde eu prometo que conto tudo.

— É que o meu jornal quer publicar esta matéria na edição de amanhã cedo. Eu preciso fechar ainda hoje.

— Prometo que antes de ir embora eu anoto tudo para você.

O marido de Eunice entrou assustado. Ela o apresentou a todos e contou o que tinha acontecido. Ele estava acanhado, mas satisfeito. Sua esposa fizera uma boa ação.

Artur, observando o rosto dele cansado, notando o barulho que as pessoas estavam fazendo, tomou uma decisão. Escreveu as informações sobre a família, revelando a paternidade de Antônia e Antero, entregou aos repórteres dizendo:

— Eis o que prometi. Agora peço que saiam, deixem-nos sozinhos.

— Queremos esperar a polícia, ver a casa — disse um deles.

— O senhor Mário chegou cansado do trabalho e tem o direito de jantar em paz. Saiam todos, só vou trocar algumas palavras com eles e sairemos em seguida. Vamos esperar o delegado lá fora.

Mário quis protestar, mas Antero o impediu:

— Papai tem razão. Estamos invadindo sua casa.

— Estou contente por vocês estarem aqui, terem encontrado seu filho. Se acontecesse comigo, acho que ficaria louco.

— Vão esperar lá fora — pediu Artur, escancarando a porta. Todos foram saindo. Assim que ficaram sozinhos ele a fechou dizendo: — Eu queria ficar a sós com vocês para cumprir o que prometi.

— O que foi? — indagou Mário.

— Uma gratificação a quem desse notícias do nosso menino.

— Nós não queremos nada! Eu fiz isso por ele e faria por qualquer outro — disse Eunice.

— Eu sei, dona Eunice. A senhora é uma pessoa boa. Além de cuidar dele, deu carinho, amor. Isso não tem preço — tornou Antero.

— Não mesmo. Não há no mundo dinheiro que pague o que a senhora fez. Mas nós estamos gratos, comovidos com sua atitude, queremos retribuir de alguma forma — disse Artur.

— A que horas você sai para o trabalho? — indagou Antero.

— Às seis.

— E volta às sete da noite.

— É verdade. Trabalho longe de casa. Tenho que sair cedo.

— Esta casa é alugada?

— Sim. É para onde vai boa parte do meu salário.

— Têm dois filhos na escola — continuou Antero. — Você é um trabalhador muito esforçado.

— Faço com gosto, minha riqueza é minha família.

Artur sorriu, tirou o talão de cheques do bolso, sentou-se, preencheu um cheque, dobrou-o entregando-o a Mário e dizendo:

— Você não vai mais pagar aluguel. Compre uma casa.

Ele abriu o cheque com as mãos trêmulas e quis falar, mas não conseguiu. Eunice olhou o cheque e não se conteve:

— Tudo isso? Meu Deus, estamos ricos!

— Quero que saibam que somos seus amigos de verdade. Não queremos perder vocês de vista. Deixaremos aqui nosso endereço, mas dentro em breve voltaremos para visitá-los. Quero trazer Glória, minha esposa. Ela ficará feliz em conhecê-los.

Manuel abriu a porta e espiou.

— Não quero interromper, mas o delegado está vindo. Quer cuidar do caso pessoalmente.

— Entre, seu Manuel — disse Eunice.

— Quando eu contei tudo, ele também achou o caso estranho. Quer investigar porque acha que eles podem querer pegar o menino de novo.

— Deus nos livre! — exclamou Eunice.

— Isso não vai acontecer — garantiu Antero. — Cuidaremos muito bem dele.

— É bom mesmo investigar. Só descansarei quando prenderem os raptores e descobrirmos a verdade — reforçou Artur.

A polícia chegou logo e eles pediram que levassem Eriberto para indicar a casa. Apesar de a noite já haver escurecido as ruas, Eriberto localizou a casa e a polícia entrou, permitindo apenas a presença de um investigador.

Eles ficaram esperando do lado de fora. Sob a fraca luz do quarto, eles examinaram tudo, não encontrando nenhuma prova significativa, apenas os documentos falsos. Fecharam a casa, pregando a porta e a janela para que ninguém entrasse e prometeram continuar a investigação na manhã seguinte.

Apesar de bastante cansados, eles tiveram que ir até a delegacia registrar a ocorrência. Passava da meia-noite quando iniciaram a viagem de volta.

Eriberto dormia no banco de trás, enquanto Antero dirigia o carro ao lado de Artur. Apesar de cansados, eles estavam satisfeitos. Conforme os amigos espirituais haviam dito, tudo acabara bem.

O que eles não perceberam é que o espírito de Antônia estivera ao lado de Eriberto o tempo todo, protegendo-o com amor, e ainda estava lá, velando seu sono, acariciando sua cabeça de quando em quando.

Eram quase duas horas da manhã quando o carro de Artur entrou na garagem na casa de Antero. As luzes ainda estavam acesas, indicando que Glória e Josefa esperavam acordadas.

Ouvindo o ruído do carro, elas desceram imediatamente. Vendo a ansiedade delas, Antero disse logo:

— Ele está dormindo no carro. Está muito bem.

— Graças a Deus! — exclamou Glória, emocionada.

Josefa abriu a porta do carro, segurou a mão de Eriberto, que dormia profundamente, beijando-a com carinho. Sua emoção a impedia de falar. Vendo que ela se preparava para carregá-lo, Antero interveio:

— Deixe comigo, Josefa. Vou colocá-lo na cama.

Ele entrou com Eriberto no colo e levou-o para o quarto, colocando-o na cama. Josefa aproximou-se, colocando a mão sobre a testa do menino.

— Ele está muito bem. A mulher que o recolheu cuidou dele. Está alimentado e limpo — informou Antero.

— Mas esta roupa não é dele — respondeu Josefa.

— É de um dos filhos de dona Eunice. As dele estavam sujas.

— Vamos deixá-lo dormir — tornou Artur. — Ele precisa descansar. Vou para casa. Amanhã virei para conversarmos.

Ele despediu-se satisfeito. Notou o carinho com o qual Glória arrumara o quarto e ficou contente. Agora ele estava onde sempre deveria ter estado. Pensou em Antônia. De agora em diante, ela poderia descansar em paz.

Contudo, Antônia não pensava em ir embora. Sentia-se feliz velando por ele. Era como se ela estivesse fazendo agora o que não tivera coragem de fazer quando ele nasceu.

Ela não viu que um casal de espíritos iluminados a observavam emocionados. Eles haviam ido lá dispostos a levá-la de volta. Contudo, perceberam que a energia dela havia melhorado muito. Exercendo sua função de mãe, vibrara tanto amor que as feridas que ainda trazia no corpo astral por causa do suicídio haviam diminuído muito.

— Vamos dar-lhe um pouco mais de tempo — pediu a mulher.

Ao que ele respondeu:

— Está bem. Só um pouco mais.

Eles continuaram observando em silêncio, enquanto o espírito de Antônia notava com satisfação o carinho com que Josefa ajeitava Eriberto na cama. Vencido pelo cansaço, ele continuava dormindo.

Glória colocara a cama de Josefa no quarto de vestir conjugado com o de Eriberto. Ela pretendia reformar a casa, para dar mais conforto a ambos.

Antero, segurando a mão de Glória, aproximou-se do leito de Eriberto dizendo:

— Venha, Josefa. Vamos agradecer a Deus por haver nos trazido Eriberto de volta.

Eles ajoelharam-se ao lado da cama e com a voz trêmula Antero fez emocionada prece de agradecimento, por Deus haver lhes dado esse filho e devolvê-lo são e salvo.

A um canto, Antônia emocionada acompanhava a oração. Os dois espíritos de luz haviam se aproximado do grupo, e mãos estendidas oravam com eles. Uma luz muito clara desceu do alto e os envolveu.

Quando eles deixaram o quarto, Glória comentou:

— Estou tão feliz que todo o meu cansaço foi embora.

— Eu nunca me senti tão bem.

— Ele já sabe que você é o pai?

— Ainda não. Amanhã conversaremos com ele, contando. Papai ficou de vir assim que acordar para nos ajudar.

Abraçados, eles foram para o quarto, e logo estavam dormindo em paz. Josefa deitou-se e logo adormeceu. Antônia ficou ali, tomando conta do corpo dele adormecido.

O dia estava amanhecendo quando ela viu que o espírito de Eriberto, de mãos dadas com Josefa, entrava no quarto. Vendo-a, eles pararam curiosos.

Feliz por poder falar com ele, Antônia aproximou-se, abraçando-o.

— Quem é você? — indagou o menino.

— Antônia, sua mãe — respondeu ela, emocionada.

— Você morreu — disse ele assustado.

— Meu corpo morreu. Mas eu continuo viva em outro lugar. Quero dizer que eu o amo muito e vou ficar ao seu lado para protegê-lo. Nada de mau vai mais acontecer.

— Eu queria muito conhecer você.

— Agora você já conhece.

Josefa os olhava espantada.

— Sou muito grata a você pelo que tem feito pelo meu filho. Deus a abençoe. — E, voltando-se para Eriberto, continuou: — Lembre-se de que eu o amo e sempre amarei.

Beijou-o na testa com carinho e Josefa lembrou-se de que a mãe de Eriberto estava morta. Ficou com muito medo. Segurou a mão dele dizendo:

— Venha, temos que voltar.

Eriberto acomodou-se em seu corpo adormecido, enquanto ela foi para o quarto próximo e acordou em seguida. Ainda assustada, levantou-se e foi ter com Eriberto. Vendo que ele dormia em paz, ela considerou:

— Foi só um sonho. Não tenho com que me preocupar.

E voltou a deitar para tentar dormir mais um pouco.

***

A notícia correu célere. O noticiário da noite anterior e da manhã seguinte falava do caso de Eriberto. Olívia leu os jornais logo cedo. Pelo noticiário, a polícia não tinha nenhuma pista.

Que ideia idiota a deles, abandonando o menino tão perto. Por que teriam feito isso? Toninho garantira que o casal era de confiança. Mas ele não perdia por esperar. Teria que devolver parte do dinheiro.

Artur acordou às dez e meia, vestiu-se e desceu para o café. Vendo-o, Olívia disse contente:

— Ainda bem que tudo voltou ao normal. Ele contou como foi?

— Contou.

— Eu li no jornal. Foi assim mesmo?

— Ainda não vi o noticiário, mas deve ter sido.

— Acabei nem vendo o menino. Vocês o levaram direto para a casa de Antero.

— Eles acharam melhor. Afinal, Eriberto deveria estar com eles desde o começo. Quero tomar um café. Preciso sair.

— A mesa ainda está posta. Vou mandar servir.

— Se demorar, tomo qualquer coisa na rua.

— Pode sentar-se que já vai ser servido.

Ele foi à copa, sentou-se. O café estava na térmica e ele se serviu. Olívia sentou-se ao lado dele querendo puxar conversa.

— Não vai me contar os detalhes?

— Os jornais já devem ter dito tudo.

Ela remexeu-se na cadeira, hesitou um pouco, depois considerou:

— Você acredita que Glória esteja sendo sincera? Que está satisfeita de recolher em sua casa o filho do marido com outra mulher? Ninguém gosta de ser traída.

Artur procurou controlar a irritação.

— Glória é uma boa moça. Deseja muito ser mãe.

Olívia meneou a cabeça negativamente. Antes que ela continuasse, Artur disse sério:

— Não julgue os outros por si. Eles estão felizes e tudo está certo do jeito que está. Agora preciso sair.

Antes que ela protestasse por ele não haver comido nada, ele levantou-se e se afastou. Durante o trajeto para a casa de Antero ele pensava que a cada dia estava ficando mais difícil suportar a maldade de Olívia.

Seus comentários faziam-lhe mal. Até quando suportaria? Quando chegou à casa de Antero, eles já haviam tomado café e Eriberto, sentado no colo de Glória, ouvia atento uma história que ela estava lendo em um livro de figuras coloridas.

A cena carinhosa comoveu Artur. Vendo-o entrar, ela parou de ler e o menino correu a abraçá-lo.

Antero entrou na sala dizendo:

— Estávamos a sua espera.

— Temos que conversar com Eriberto. Ele precisa saber de tudo.

Segurando a mão de Eriberto, Artur fê-lo sentar-se no sofá e sentou-se a seu lado. Antero e Glória acomodaram-se nas poltronas na frente deles.

Artur tirou do bolso uma foto de Antônia, mostrou-a ao menino dizendo:

— Esta é sua mãe, que morreu quando você era muito pequeno.

O menino apanhou a fotografia, olhando-a ansioso por alguns instantes. Depois algumas lágrimas rolaram pelo seu rosto.

— Ela era bonita, não acha? — continuou Artur sorrindo.

— Muito — respondeu Eriberto, sem desviar os olhos da foto. — Eu queria muito que ela não tivesse morrido.

— Nós também.

— Então era ela mesmo. Eu sabia que era ela.

Antero interessou-se:

— Era ela quando?

— Esta noite eu sonhei que ela estava no meu quarto. Ela disse que está me protegendo.

Artur olhou-o preocupado:

— Você não a conhecia, como sabe que era ela?

— Porque ela disse que era minha mãe e é igual ao retrato. Pergunte a Josefa. Ela estava comigo e também viu.

— Está bem — concordou Artur continuando: — Nós vamos contar a história dela, que é também a sua e de Antero. Não contei antes porque você era ainda pequeno e não ia entender. Agora, está crescido e é hora de saber.

— Eu já fiz seis anos! — disse o menino, levantando a cabeça com altivez.

— Isso mesmo. Sua mãe era filha de minha irmã Bernardete, que morreu quando Antônia estava com catorze anos e ficou sozinha no mundo.

— E o pai dela?

— Também já havia morrido. Então, eu era seu tio e a levei para morar em nossa casa. Naquele tempo, Antero não havia se casado com Glória. Sem contar para ninguém, Antônia começou a namorar Antero. Mas o namoro não deu certo. Antônia não se dava muito bem com Olívia e resolveu morar em outro lugar. Antero, que conhecia Glória desde criança, começou a namorá-la e se casaram.

Eriberto ouvia atentamente. O assunto era delicado e Artur escolhia as palavras com cuidado.

— Eu ia sempre visitar Antônia e fiquei sabendo que ela ia ter um filho e que Antero era o pai.

Artur calou-se e Eriberto olhou para Antero admirado. Antero não se conteve, aproximou-se do menino, abraçou-o dizendo:

— Eu sou seu pai, Eriberto!

— Você nunca me disse! — exclamou ele admirado.

— É que eu não sabia. Mas sempre gostei de você e fiquei muito feliz ao descobrir que é meu filho.

Artur interveio:

— Quando você nasceu, Antero já havia se casado e sua mãe não queria que ele soubesse. Ela pensava que Glória não ia gostar.

Glória aproximou-se:

— Mas ela estava enganada. Eu estou muito feliz em saber disso.

— Depois que ela morreu, levei você para nossa casa, mas não contei nada a Antero porque eu tinha prometido a Antônia que nunca contaria.

— Uma pessoa que conhecia a história me procurou para me contar que você era meu filho. Eu e Glória ficamos felizes e queremos que você nos aceite como pais e fique morando aqui — disse Antero. — Eu e Glória vamos cuidar de você e fazer tudo para que seja feliz. Você quer?

Eriberto sorriu contente:

— Eu quero. Mas tio Artur também vem?

— Eu sou seu avô. Não vou morar aqui, mas virei vê-lo sempre.

Eriberto ficou pensativo por alguns instantes, depois exclamou alegre:

— Que bom! Agora eu já tenho pai, mãe e até avô! Preciso contar a Josefa.

Ela, que observava tudo parada na porta da sala, entrou sorrindo:

— Estou sabendo. Que coisa boa!

Ele correu para ela, abraçando-a com carinho.

— Eu tenho você! Agora não falta mais nada.

— Isso mesmo. Venha, vou lhe mostrar uma coisa que descobri.

— O que é?

— Um trenzinho que anda, apita e solta fumaça.

— Oba! Eu quero ver.

Ele saiu com Josefa e Artur tornou:

— Ele está feliz. Graças a Deus. Agora vamos cuidar da vida. Preciso ir para o consultório.

— Eu para a empresa. Mas antes ainda tenho que tomar algumas providências.

— O que pensa fazer?

— Vou tirar Eriberto do colégio. Receio que os sequestradores queiram tentar novamente.

— De fato. É estranho que tenham levado o menino para abandoná-lo em seguida.

— Talvez tenham se confundido e levado o menino errado. Seja como for, eles podem querer completar o que não conseguiram.

— Seria bom falar com o delegado.

— O daqui? Nem pensar. Não se mostrou nem um pouco preocupado com o caso. É perda de tempo. Já o de Santos ficou de investigar.

— Na delegacia eles têm muitas ocorrências e pouco tempo para atender a todas. Para nossa tranquilidade eu gostaria muito de descobrir os culpados e vê-los na cadeia.

— Eu também.

Glória havia saído da sala. Vendo que estavam apenas os dois, Antero continuou:

— Vamos investigar por conta própria.

— Como assim?

— Vou contratar um detetive. Mas fica entre nós dois.

— Faça isso mesmo. Agora preciso ir. Qualquer coisa, estarei no consultório.

— Eriberto aceitou bem a situação.

— Ele nunca se queixou, mas gostou de descobrir que tem pais.

Artur despediu-se e Antero foi para o escritório. Havia alguns recados de amigos, mas ele ligou primeiro para Nina. Ela era responsável por tudo de bom que estava acontecendo em sua vida.

Contou-lhe tudo e finalizou:

— Agora vou ligar para dona Mercedes. Informe o doutor Dantas como estão as coisas. Diga-lhe que estou muito grato a todos. Estou certo de que tudo ficou bem graças à ajuda espiritual. Hoje à noite irei com Glória à sessão.

— Estou feliz por vocês.

— Espero que seu caso também se resolva e que todos fiquem felizes, como nós estamos.

— Obrigada, Antero.

— Eu estava preocupado em contar a verdade a Eriberto. Não sabia como ele iria reagir ao saber que tinha um pai que durante tantos anos se omitiu. Eu lhe disse que não sabia de nada, mas mesmo assim temia que me cobrasse. Mas não foi o que aconteceu.

— Não? Como ele reagiu?

— Ficou feliz por ter mãe, pai e até avô. Meu pai chegou a comentar que, embora ele nunca houvesse se queixado, sentia falta da presença dos pais.

— Seu caso é diferente do meu.

— Você me disse que ia contar tudo a Marcos.

— Eu vou. Mas tenho medo. Eu menti pra ele.

— Coragem. Ele vai ficar feliz e você aliviada. Acabe logo com esse tormento.

— Vamos ver.

Nina desligou o telefone pensativa. Não acreditava que seu caso tivesse boa solução. Sabia que teria de ceder, uma vez que André tinha direito de se relacionar com Marcos. Mas jamais ficaria feliz em dividir seu afeto com André.

Durante o resto da tarde Nina não conseguia esquecer as palavras de Antero: "Coragem. Ele vai ficar feliz e você aliviada. Acabe logo com esse tormento."

De fato, ela se atormentava com esse assunto, sabia que precisava conversar com Marcos, mas continuava adiando.

Quando acabou o expediente, Nina foi para casa. Ao entrar, Marcos correu para ela dizendo:

— Mãe, eu vi o Eriberto na televisão. O pai e o avô dele também. Eu sabia que ele seria encontrado logo. Marta me contou que ele pensava que era órfão e que o pai dele não sabia que tinha esse filho. Será que ele já sabe que Antero é seu pai?

Nina sentiu um aperto e ficou angustiada. Procurou tornar a voz natural ao responder:

— Antero me ligou dizendo que ele já sabe de tudo.

— Puxa! Ele deve estar muito feliz!

— Você acha?

— Claro. Antes ele não tinha ninguém. Agora tem pai, mãe, avô, uma família.

— É verdade. Agora vou tomar um banho e me arrumar para ir à sessão.

— Eu também vou. Você prometeu.

— Está bem.

Pouco antes das sete, Nina chegou com Marcos à casa de Dantas. Ela relutara em ir por causa de André, mas por outro lado sentia que precisava muito da ajuda espiritual. Estava angustiada, insegura, inquieta. Aquele ambiente de paz e harmonia iria serenar seu coração.

Quando eles entraram, André e Milena já estavam lá. Eles se levantaram para cumprimentá-los e Nina notou o prazer com que Marcos os abraçou. Todos comentavam alegres o caso de Eriberto e, quando Antero entrou com Glória, foi rodeado por todos desejosos de abraçá-los.

Ambos estavam sensibilizados com o carinho deles e principalmente com a lembrança de que há apenas dois dias eles haviam estado lá, angustiados, desesperados, temendo pela vida de Eriberto. Era hora de agradecer.

Antero relatou os detalhes do caso e verificaram que todas as informações dos médiuns se confirmaram. Marcos, ao saber que o menino havia sido encontrado em Santos, exclamou:

— Eu vi que a terra era arenosa. Devia ter concluído que ele estava no litoral.

Marta abraçou-o dizendo séria:

— Quando você tiver uma vidência, deve relatar apenas a cena que viu. Não deve interpretar ou querer ir além, porque pode se enganar. Bons médiuns se perdem fazendo isso e acabam desacreditados.

Estava na hora de começar a sessão e todos se sentaram em seus lugares. Mercedes fez comovida prece de agradecimento pelo regresso de Eriberto são e salvo. Depois da leitura do tema e os estudos da noite, as luzes foram apagadas novamente e o espírito de Bernardete se comunicou através de Milena.

— Desejo agradecer a ajuda que nos deram permanecendo em vigília naquela noite. Assim, conseguimos influenciar as pessoas que estavam com o menino. Devo dizer que o espírito de Antônia estava ao lado dele todo o tempo, tentando protegê-lo. Ela estava disposta a tudo para impedir que eles fizessem o que pretendiam. Havia na casa uma mulher que queríamos influenciar. Como ela é muito materialista, precisávamos das energias dos encarnados, que somadas às nossas conseguiriam sensibilizá-la. Por tudo isso pedimos que em dado momento todos se juntassem para vibrar. Unindo nossas forças, com a ajuda de nossos maiores, conseguimos que Antônia em sonho se encontrasse com essa mulher, conscientizando-a de seus erros. Ela ficou muito assustada e quando acordou convenceu o companheiro a desistir do menino. Eles o abandonaram e foram embora com o dinheiro, que afinal era o que eles queriam.

— Dinheiro? — tornou Antero. — Nós não demos nada.

— Pode nos dizer alguma coisa sobre isso? — indagou Mercedes.

— Ainda não. Acompanhamos à distância e agora o menino está salvo, permitimos que Antônia nos visse e a convencemos a voltar para seu tratamento. Ela está mais calma, pediu-nos mais um ou dois dias para ficar com o filho e prometeu que depois voltará conosco. Devo dizer que a encontramos melhor, apesar de haver fugido do hospital. Segundo observamos, durante o tempo em que ficou ao lado do filho, sem saber o que iria acontecer, temendo por sua vida, envolveu-o com tanto amor, que todo o sentimento que havia represado desde o seu nascimento fluiu, envolvendo-os. E o sentimento desse amor puro e intenso a permitiu ligar-se com os seres mais elevados, o que mudou completamente sua situação espiritual.

— O amor cobre a multidão de pecados — sentenciou Mercedes emocionada.

— É verdade. Esse contato com vibrações superiores a fez sentir que pode ser feliz. Arrependeu-se do que fez e está disposta a assumir os resultados de suas atitudes. Sabe que o sentimento de amor que carrega no coração lhe dará forças para aprender o que precisa e seguir em frente. Serei eternamente grata por tudo quanto fizeram por minha filha. Deus os abençoe.

Milena calou-se e eles continuaram orando em silêncio. Pouco depois um rapaz começou a falar sobre os benefícios do perdão incondicional, afirmando que quem perdoa recebe mais graça do que quem é perdoado.

Mercedes fez ligeira prece de agradecimento e encerrou a reunião. Depois de comentarem as mensagens, tomarem a água que estava sobre a mesa, foram se despedindo.

André conversava com Marcos animadamente, enquanto Nina os observava com certa preocupação. Antero aproximou-se de Nina, que conversava com Mercedes, dizendo:

— Esperei porque desejo fazer-lhe um convite. No sábado vamos fazer um jantar para celebrar a vinda de Eriberto. Gostaríamos que estivessem conosco.

— Iremos com prazer — respondeu Mercedes sorrindo.

Voltando-se para Nina ele perguntou:

— Você irá com Marcos, não é?

— Iremos, sim.

Marcos, que estava se aproximando, exclamou:

— Oba! Eu quero muito conhecer Eriberto.

Atrás dele estavam André, Marta e Milena.

Antero reiterou o convite dizendo que fazia questão de que todos fossem. Depois se despediram, Nina foi com Marcos para o carro. André aproximou-se com Milena e antes que ela entrasse no carro ele convidou:

— Vamos comer alguma coisa, gostaríamos que fossem conosco.

— Obrigada, mas temos que ir embora. Preciso acordar cedo amanhã.

Marcos interveio:

— Eu também estou com fome. Vamos, mãe?

Nina olhou para o filho, para André, os dois esperavam com olhar súplice.

— Está bem. Mas não vamos demorar.

— Eu conheço um lugar muito bom. Vamos no meu carro — disse André satisfeito.

— Não. Iremos atrás de você.

No carro ao lado de Marcos, Nina tornou:

— Vamos ver se está com fome mesmo.

— Estou, sim. Mas eu gosto mesmo é de conversar com eles. Sinto que somos amigos.

— Vocês se conheceram há pouco tempo.

— Acho que somos amigos de outras vidas.

Nina não respondeu. As coisas estavam acontecendo e o cerco estava se apertando cada vez mais. Ia chegar um momento em que não poderia mais esconder a verdade.

No restaurante, André mostrou-se alegre, falando sobre os países que havia visitado, seus costumes, e Marcos ouvia com entusiasmo. Como sempre, Nina teve de reconhecer que André era um conversador brilhante. Tão envolvente em suas narrativas que por algum tempo Nina chegou a esquecer a situação deles.

Passava da meia-noite quando ela consultou o relógio e decidiu ir embora.

— É tarde! Temos que ir.

— Que pena, mãe! A conversa está tão boa!

— Você nunca se contenta. É hora de ir.

André pediu a conta e saíram. Ao se despedir, Marcos disse a André:

— Você bem que podia continuar o assunto amanhã lá em casa.

Apanhada de surpresa, Nina estremeceu, mas interveio:

— O doutor André é um homem ocupado. Vamos nos ver sábado na casa de Antero. Esqueceu?

— Vai demorar a chegar o sábado — reclamou o menino.

— Vai passar bem depressa — garantiu Milena, sorrindo e beijando Marcos na testa. — Se sentir saudades, tem meu telefone. Pode ligar.

— Você vai se arrepender de dizer isso — tornou Nina sorrindo. — Ele vai abusar.

— Será um enorme prazer falar com ele. Temos muitos assuntos em comum.

Nina abraçou Milena se despedindo e estendeu a mão a André, que a segurou, levando-a aos lábios com delicadeza. Depois disse:

— Durma bem, Nina.

Ela sentiu o rosto queimar e imediatamente entrou no carro. Marcos sentou-se a seu lado, olhando-a com ar divertido. Durante o trajeto, vendo que ela não dizia nada, ele tornou:

— Mãe, acho que o André está interessado em você.

Nina tentou dissimular o embaraço.

— De onde você tirou essa ideia?

— Eu vi como ele olha para você e como ele beijou sua mão.

— O doutor André é um homem bem-educado. Em sociedade é moda beijar a mão de uma mulher ao se despedir.

— Eu sinto que ele gosta de você.

— Mas eu não gosto dele. Nunca mais diga isso.

Ele olhou-a admirado:

— Está bem. Não direi mais nada. Mas que ele gosta de você, isso gosta.

Nina não respondeu. Uma vez em casa, deitada para dormir, Nina recordou-se de tudo quanto acontecera naquela noite.

Marcos tinha razão. Os olhos de André brilhavam quando a fixavam. Onde quer que estivesse, surpreendia o olhar dele sobre ela.

Esforçou-se para esquecer esse assunto e dormir. Contudo, as cenas de momentos antes se repetiam diante de seus olhos e era muito tarde quando ela, vencida pelo cansaço, conseguiu adormecer.

Na manhã seguinte, assim que Antero chegou à empresa, fechou-se em sua sala e ligou para Otávio, um amigo dos tempos de colégio. Embora houvessem seguido carreiras diferentes, a amizade permaneceu.

Otávio tornara-se juiz de direito muito conceituado. Atendeu imediatamente, e depois dos cumprimentos disse:

— Eu ia mesmo ligar para você. Que história foi aquela de filho, rapto, que eu vi nos jornais? Nunca soube que você tivesse um filho. Aconteceu mesmo?

— Sim. É uma longa e triste história, cujos detalhes vou lhe contar depois. Eu também não sabia que tinha esse filho. Descobri há poucos dias que o menino adotado por meu pai era meu filho com Antônia.

— Eu me lembro de sua paixão por ela.

— Pois foi. Eu quis assumir, contei tudo a Glória, que concordou. No dia em que íamos buscá-lo, ele foi raptado na saída da escola. Você deve ter lido nos jornais.

— Eu li. Mas achei aquela história muito esquisita. Quem sequestra visa obter dinheiro. Tem alguma coisa errada nesse caso.

— Foi o que pensei. Por esse motivo estou ligando. Preciso da sua ajuda. Pretendo continuar investigando por conta própria. Pode indicar-me alguém que possa fazer isso para mim?

— Posso. Mas não por telefone. Você pode dar um pulo aqui?

— Irei imediatamente. Dentro de quinze minutos estarei aí.

Antes de sair, telefonou para o delegado em Santos para saber como estavam as investigações e descobriu que ele havia conversado com o dono das diversas casinhas entre as quais estava a que Eriberto estivera. Ele as alugava para temporada. Descreveu o homem que a alugara por uma semana, pagara adiantado, como era praxe, dizendo que era para um casal amigo e seu filho.

O delegado deu a descrição do homem, que Antero anotou, e prometeu continuar investigando. De posse desses dados, Antero desligou e foi imediatamente ao escritório do amigo.

Lá, contou tudo nos mínimos detalhes e finalizou:

— Dá para notar que alguma coisa está errada. Não posso deixar as coisas como estão.

— Concordo. Você tem de descobrir quem foi, mandar para a cadeia. Eles podem voltar.

— É o que eu penso. Não creio que a polícia tenha interesse em continuar com as investigações. Eles têm outros casos mais urgentes para atender. Eriberto foi encontrado e está bem.

— Eu tenho um amigo que pode oferecer o que precisa. É discreto e eficiente. É bom agir logo. Quando eles pegaram o menino, já deviam saber tudo sobre vocês. Pode se tratar de pessoas próximas, conhecidas, e estarem observando todos os passos da família. Eu recomendo sigilo absoluto. Ninguém pode saber o que você pretende fazer.

— Apenas meu pai sabe e combinamos que não vamos contar nada a ninguém.

— Está certo. Vou ligar para ele.

Meia hora depois o homem chegou e, depois das apresentações, Antero colocou-o a par de todos os detalhes e o contratou. Marcelo Ribeiro era um rapaz de trinta anos, alto, claro, que inspirava confiança, olhando nos olhos da pessoa com quem conversava.

Anotou tudo, os nomes das pessoas da família, dos amigos próximos, dos empregados, e a descrição do homem que alugara a casa de Santos.

— Você se lembra de mais alguma coisa? Às vezes um pequeno detalhe esquecido pode solucionar um caso.

Antero hesitou um pouco, depois declarou:

— Bem, há um detalhe que não mencionei porque se trata de uma crença íntima na qual até há pouco tempo eu não acreditava, mas que precisei aceitar diante das provas que tive.

— Conte, o que foi? — indagou Otávio.

Antero, que em sua narrativa havia omitido a parte espiritual, relatou tudo, inclusive como Nina ficara sabendo que o menino era seu filho até a ajuda durante o sequestro. E finalizou:

— Até agora tudo o que os espíritos disseram se confirmou, mas ontem eles mencionaram uma coisa que não consigo entender.

— O que foi? — indagou Marcelo.

— Que o casal abandonou o menino porque tinham o dinheiro, que era o que eles realmente queriam. Mas nós não pagamos nada. Seria a primeira vez que eles se enganaram.

— É caso para pensar — disse Marcelo.

— Se eles acertaram em tudo, isso também pode ser verdade.

— Se for verdade, muda completamente o caso — comentou Marcelo.

— Como assim?

— Alguém pode ter pago a eles para levarem o menino.

— Quem faria uma maldade dessas com uma criança? — perguntou Antero assustado.

— Alguém que não goste de vocês. Alguma vingança.

— Nós não temos inimigos. Meu pai é médico muito estimado e eu nunca tive inimigos.

— Nesse caso, alguém que não goste do menino e queira afastá-lo da família.

A única pessoa que implicava com Eriberto era sua mãe. Esse pensamento passou rapidamente pela cabeça de Antero, mas ele o repudiou horrorizado. Ela nunca seria capaz disso.

— Eu gostaria de conhecer o resto da família e seus amigos mais próximos — disse Marcelo.

— Seria bom. Você pode apresentá-lo como um amigo. Marcelo é muito bom na análise das pessoas.

— Posso. Mas garanto que lá não vai encontrar nada.

— Mesmo assim, eu gostaria de tentar.

Antero concordou e combinaram que no fim da tarde o levaria para casa e apresentaria a todos como um amigo de passagem pela cidade.

— Esse detalhe do dinheiro é importante.

— A médium pode ter se enganado. Isso pode acontecer.

— Eu sei que pode. Mas por outro lado esse detalhe torna o caso mais lógico. Se não pediram resgate é porque alguém já havia lhes dado dinheiro.

— Eu não havia pensado nisso. Acha que conseguirá encontrar os raptores? Não temos muitos elementos.

— Acho que os espíritos estão interessados em que eles sejam localizados. E isso me deixa quase certo de que vão nos dar a ajuda necessária para encontrá-los.

— Não sabia que você acreditava em espíritos — comentou Otávio.

— Acredito e acho que você também deveria acreditar. Eles existem e à sua maneira interferem nos fatos. Eu, quando preciso, tenho uma amiga médium que me ajuda.

Antero sorriu satisfeito. Marcelo era a pessoa certa para cuidar do caso. Combinaram que no fim da tarde ele passaria pela empresa e Antero o levaria à sua casa.

***

Eram seis e meia quando ele entrou com Marcelo em sua casa e apresentou-o a Glória como um velho amigo residente no Rio de Janeiro, que, de passagem pela cidade, ficaria durante alguns dias.

Eles conversavam na sala quando Josefa entrou com Eriberto. Marcelo mostrou-se encantado com o menino, afirmando que tinha um filho da idade dele. Conforme haviam combinado, Antero pediu licença a ele dizendo que ia tomar um banho e chamou Glória para acompanhá-lo. Marcelo apanhou um livro de história infantil que havia sobre a mesinha e perguntou:

— Você gosta desta história?

— Muito. Glória está lendo para mim.

Eriberto apanhou um carrinho que estava em um canto e continuou conversando:

— Meu pai comprou esse carro. Ele anda, acende os faróis e tem buzina.

— Que beleza! — exclamou Marcelo.

Eriberto, entusiasmado, começou a brincar com o carrinho enquanto Josefa acompanhava discretamente. Marcelo aproveitou o momento e aproximou-se dela.

— Você está com ele há muito tempo?

— Desde que nasceu, isto é, desde que o doutor Artur o levou para casa.

— Deve gostar muito dele.

— Adoro. Fiquei quase louca quando o levaram, mas nada pude fazer.

— Estou curioso, como foi?

Josefa relatou o que havia acontecido. Depois de ouvir com atenção, Marcelo tornou:

— Avalio o desespero dos pais de Antero.

— O doutor Artur ficou mesmo desesperado, já dona Olívia...

— O que tem ela?

— Bem, ela não gosta de crianças. Não se importou muito.

— Era o neto deles.

— A gente não sabia que ele era filho do doutor Antero. Era segredo. Ficamos sabendo depois. Mas mesmo assim ela não ligou. O menino tinha medo dela. O senhor precisava ver o que ela fazia com ele. Desculpe, eu não deveria estar falando isso. O doutor Antero pode não gostar. Eu adoro o doutor Artur e aqui, então, dona Glória é um amor. Eu e Eriberto estamos felizes aqui. Por favor, não diga nada a eles.

— Não se preocupe. Não direi nada a eles. Pelo jeito você não gosta dela...

Josefa olhou em volta e vendo que estavam sozinhos disse:

— Ela tratava o menino com desprezo, não o deixava comer na mesa nem tolerava a presença dele. Na frente do doutor Artur, ela disfarçava. Eu sofria muito com isso. Eu adoro esse menino. Ele é meigo, amoroso, isso me doía.

— Você é uma boa moça, Josefa.

Glória voltou à sala dizendo a Marcelo:

— Desculpe deixá-lo sozinho, mas Antero parece criança, quer tudo na mão.

— Não se incomode. Sou de casa.

A pedido de Glória, Josefa levou Eriberto para lavar as mãos porque o jantar ia ser servido assim que Antero descesse. Marcelo conversou com ela, que lhe contou sobre seu desejo de ser mãe, sua frustração e a alegria que a presença de Eriberto lhe trouxera.

— Admiro sua atitude. Afinal ele é filho de Antero com outra mulher.

— Eu sei. A mãe dele era prima de Antero. Apesar de amá-lo muito e estar grávida, renunciou a tudo para não atrapalhar nosso casamento. No lugar dela, eu não sei se seria capaz disso. Ela morreu e eu quero esquecer o que passou e ser uma boa mãe para ele, que não tem culpa de nada.

— Você foi generosa.

— Nada disso. Eu recebi muito mais do que dei. Eu estava triste, pensando que não merecia ser mãe. Então a vida me trouxe Eriberto, provando que me considera capaz de assumir essa responsabilidade. Sinto-me valorizada e feliz.

Antero apareceu na sala e a conversa generalizou-se. Em seguida o jantar foi servido. Uma hora depois Marcelo despediu-se. Antero ofereceu-se para levá-lo ao hotel.

Uma vez no carro, Marcelo tornou:

— Meu carro ficou no estacionamento de Otávio.

— Eu o deixarei lá. Dei tempo para conversar com todos, mas penso que ainda não tem nada para me dizer.

— Não. Mas a conversa foi bastante proveitosa. Amanhã gostaria de conhecer seus pais.

— Posso levá-lo ao consultório dele.

— Eu prefiro ir à casa deles. Quero conhecer os criados.

Antero concordou. Deixou-o no estacionamento depois de combinarem um horário para a noite seguinte.

Marcelo chegou em casa e pouco depois o telefone tocou. Era Otávio:

— E então, como foi?

— Bem. Seu amigo tem uma família invejável. Amanhã vou conhecer os pais dele. O que pode dizer-me sobre eles?

— Doutor Artur é um encanto. Não posso dizer o mesmo de dona Olívia. É uma mulher esnobe, implicante, manipuladora. Mas socialmente é muito respeitada. Acho que está perdendo tempo com eles. Não seria melhor investigar o homem que alugou a casa em Santos?

— Confie em mim, Otávio.

— Eu confio. Se tiver alguma novidade, ligue-me.

Marcelo desligou o telefone pensativo. Pegou a lista onde anotara os nomes de todos e foi riscando os de Glória e Josefa. Elas estavam acima de qualquer suspeita.

***

No dia seguinte, assim que André chegou ao escritório, encontrou Breno.

— Você já leu os jornais de hoje?

— Não.

— A lei do divórcio foi aprovada. Leia.

André interessou-se, apanhou o jornal e leu. Depois perguntou:

— O que achou?

— Boa, muito boa. Tenho certeza de que com o tempo será aperfeiçoada.

— Eu preferia que o divórcio fosse imediato. Dessa forma teremos de esperar dois anos para obtê-lo.

— Eu vou entrar imediatamente com um pedido de separação judicial. O tempo passa depressa e logo estarei divorciado e poderei me casar legalmente com Lúcia.

André ficou pensativo durante alguns minutos. Ele também estava separado, mas não tinha esperanças de Nina o aceitar de volta. Mas, ainda assim, queria ver-se livre de Janete o quanto antes.

— Acho que farei a mesma coisa.

— Tenho certeza de que Anabela vai concordar, foi ela quem resolveu se separar. Mas Janete não vai aceitar.

— Ela não pode fazer nada. Estamos separados e não pretendo voltar. Terá que aceitar. Vou entrar na Justiça.

— Acho que o melhor seria conversar com ela e conseguir que ela concorde.

— Preferia não vê-la nem discutir esse assunto de novo.

— Resolver de comum acordo sempre será mais fácil e menos penoso.

André pensou um pouco e decidiu:

— Vou conversar com meus pais. Eu me separei, eles ficaram cobrando explicações. Chegou o momento de fazer isso.

— Sua mãe vai tentar demovê-lo.

— Eu sei. Mas agora não sou mais aquele jovem inexperiente. Sei o que quero fazer de minha vida e não vou me deixar influenciar por ninguém. Vou procurá-los por uma questão de respeito. Sei que, no fundo, ambos desejam que eu seja feliz.

***

Naquela manhã, Dantas chegou cedo ao escritório e reuniu-se com Nina para falar sobre o divórcio. Depois de estudarem o corpo da lei, Dantas disse:

— É melhor contratarmos uma ou duas pessoas. Já imaginou quantos casais desquitados, separados há anos, vivendo uma situação marginal perante a sociedade, vão querer legalizar sua situação?

— De fato. Eu mesma conheço alguns — respondeu Nina, sorrindo.

Dantas ficou calado durante alguns instantes, olhando fixamente para Nina, depois disse:

— André está separado de Janete.

— Lúcia me contou.

— Tenho observado como ele olha para você. Acho que ele ainda a ama.

Nina corou e desviou os olhos.

— Não creio. O que ele quer é se aproximar de Marcos. Depois, não está habituado a ser contrariado. Sempre teve tudo que quis. Quer derrubar minha resistência, vencer-me.

— Não pense assim, Nina. Não deixe que o orgulho continue destruindo sua vida. Vocês são jovens, têm muitos anos pela frente. Eu sei que você nunca deixou de amá-lo.

— André não é confiável.

— Tenho conversado muito com ele, que me abriu o coração. André mudou, Nina. Não é mais aquele jovem inexperiente. Agora sabe o que deseja da vida e eu sei que ele quer você e o Marcos.

— Ele disse isso?

— Falou da vontade de ser verdadeiro, assumindo o que sente, de dar um rumo melhor à sua vida, do amor que sente por Marcos e de como gostaria que você o perdoasse. Eu estou habituado a lidar com as pessoas e garanto que André está sendo sincero, cheio de pensamentos elevados.

— Antigamente eu acreditava que ele fosse assim. Bom, nobre, sincero. Mas quando menos esperava ele me abandonou, deixando sobre meus ombros a responsabilidade de uma criança.

— Ele se arrepende amargamente. Várias vezes me garantiu que, se pudesse voltar atrás, não faria mais isso.

— Quem me garante que se eu o aceitar ele um dia não fará de novo?

— Ninguém pode garantir nada. Não sabemos o que nos reserva o amanhã. Quem pode garantir que você também não vai mudar e pensar diferente do que pensa hoje?

Nina baixou a cabeça pensativa. Dantas continuou:

— Ele merece uma nova oportunidade. Quer reparar o mal que lhes fez. Eu nunca lhe disse nada porque conheço seus princípios e sei que não quer se relacionar com um homem casado. Mas agora tudo mudou. Ele será livre. Aliás, a meu ver, ele já está livre. Separou-se, mesmo sabendo que você não o aceitaria.

— Não sei o que dizer. Estou insegura.

— Não fique, Nina. Pense com calma. Deixe de lado seu orgulho, sua mágoa. Pense que naquele tempo ele não conseguiu agir diferente. Fez o que achou melhor. Mas agora amadureceu, reconhece que errou. André é um belo homem, Nina, por dentro e por fora.

— Não sabia que o senhor o tinha em tão bom conceito.

— Como eu disse, temos conversado. Eu o aprecio pelas suas qualidades assim como aprecio você. Desejo muito que sejam felizes.

Nina aproximou-se dele e beijou-o na face com carinho:

— Obrigada. Sou muito feliz por ter um amigo como o senhor.

— Converse com Marcos, diga a verdade. Seu filho é um menino inteligente, vai compreender.

— Vou pensar, doutor.

Depois que deixou a sala de Dantas, Nina teve dificuldade para trabalhar. As palavras dele reapareciam em sua mente, fazendo-a refletir. A lembrança do tempo em que viveram juntos, os momentos de amor, de felicidade, de entendimento voltavam, fazendo-a experimentar novamente as emoções daqueles tempos.

Reconheceu que nunca mais fora feliz depois da separação. Sua vida tornara-se árida, difícil, alimentada pelo orgulho. Mesmo o amor que sentia por Marcos era um misto de dor e tristeza devido às circunstâncias e suas conquistas tão significativas não lhe deram a realização interior que desejava.

Sem disposição para trabalhar, na hora do almoço Nina foi para casa. Marcos estava saindo para a escola e ela beijou-o com carinho. Depois que ele saiu, Nina não quis almoçar e foi para o quarto. Precisava pensar, decidir o que fazer de sua vida.

***

André chegou à casa dos pais e Andréia o abraçou dizendo:

— Finalmente você se lembrou de nós.

— Como vai, mãe?

— Preocupada com você.

Ele fingiu não ouvir e abraçou o pai, perguntando por Milena.

— Essa é outra que anda estranha. Deu para sair todos os dias sem dizer aonde vai — reclamou Andréia.

— Milena está muito bem — respondeu Romeu satisfeito. — Graças a você e aos seus amigos.

— Folgo em saber. Vim almoçar com vocês.

— Antes temos que conversar — disse Andréia.

— Nada disso — interveio Romeu. — Estou com fome. Vamos comer primeiro. Depois conversaremos.

Andréia dissimulou a contrariedade e foram almoçar. Quando terminaram, André pediu:

— Vamos ao escritório.

Os olhos de Andréia brilharam, era isso mesmo que ela queria. Uma vez acomodados, André disse:

— Vim aqui para uma conversa franca com vocês.

— Quero saber que ideia foi essa de se separar de Janete.

— Esse é um assunto que diz respeito somente a mim e a ela. Mas em consideração a vocês, e ao que espero de ambos, vou falar sobre isso. Nosso casamento foi um erro. Nós somos muito diferentes, não temos a menor chance de sermos felizes juntos.

Andréia ia interromper, mas Romeu fez um gesto brusco dizendo:

— Deixe-o falar, Andréia.

Ela calou-se, amuada. Nos últimos tempos Romeu andava tomando algumas atitudes indelicadas com ela, não atendendo mais ao que ela queria. André continuou:

— Quando eu era estudante, apaixonei-me por uma moça que não pertencia a nosso nível social. Era linda, inteligente, doce, e eu a amei com todas as forças do meu coração. Aluguei uma pequena casa e fomos viver juntos. Eu prometi a ela que nos casaríamos assim que eu me formasse.

— Eu sabia e fiz tudo para que a deixasse! — disse Andréia, sem poder conter-se.

— Fez. Envolveu-me todo o tempo em eventos e festas onde jogava Janete em meus braços. Mas não a culpo. Quero acreditar que imaginava estar me fazendo um bem.

— Ainda bem que reconhece isso — concordou ela.

— A culpa do que aconteceu foi exclusivamente minha. Eu deveria ter sido responsável o bastante para fazer o que meu coração queria. Mas não foi assim. Infelizmente. Eu era muito jovem e sentia prazer em desfilar com Janete nos lugares da moda, fazer inveja aos amigos quando ela aparecia na porta da faculdade em um carro de luxo para me buscar. Deixei-me levar pela vaidade e hoje me arrependo disso profundamente.

— Mas Janete é uma boa moça, linda, rica, tem tudo para fazer um homem feliz — disse Andréia com convicção.

— Mas eu não a amava. Eu amava Nina. Quando soube que ela estava esperando um filho meu, fiquei apavorado. Como iria explicar isso para Janete, para vocês, deixar de lado um casamento tão vantajoso? Eu sucumbi.

— Você fez o melhor que podia fazer. Escolheu certo.

— Engana-se, minha mãe. Escolhi errado e estou sofrendo hoje em consequência dessa atitude.

— Continue, meu filho — interveio Romeu com interesse.

— Eu fui canalha. Casei com Janete achando que continuaria com Nina depois de casado. Queria ficar com as duas.

— Que horror! — disse Andréia assustada.

— Eu queria. E subestimei o caráter de Nina. Ela não quis. Deixou nossa casa no dia seguinte e desapareceu. Desesperado, procurei-a como louco durante alguns anos sem saber o que havia sido feito dela. Uma vez a vi na rua, linda, bem arrumada, tentei conversar, mas ela não me deu chance. Entrou em um táxi e desapareceu.

André falava mergulhado em suas lembranças, contou como a encontrara mudada, transformada em uma advogada de sucesso, a descoberta do filho, seu esforço para conseguir aproximar-se dele.

Andréia ouvia admirada, sem encontrar palavras para intervir. Depois que terminou de contar tudo, Andréia comentou:

— Foi por causa dela que você deixou Janete.

— Não foi. Nina nunca me perdoou. O motivo foi outro. A vida tem seus próprios caminhos. Tentando ajudar Milena, eu recebi mais ajuda do que ela. Descobri os valores espirituais que nos levam à conquista da felicidade. Cheguei à conclusão de que minha infelicidade de hoje é o resultado de haver tomado decisões erradas, incompatíveis com meus verdadeiros sentimentos. Hoje, o que eu mais quero é encontrar a paz interior, a alegria de viver que perdi, conquistar o amor de meu filho e o perdão de Nina.

Havia um brilho especial nos olhos de André que fez Romeu levantar-se e abraçar o filho, dizendo emocionado:

— Estou orgulhoso de você. Espero que consiga o que deseja.

Andréia, cabeça baixa, não dizia nada. O tom de André denotava sua sinceridade e ela de repente sentiu-se pequena, mesquinha, com seus valores de aparência.

Romeu aproximou-se dela, abraçando-a:

— Aceitar que também erramos nos humaniza e amadurece.

Andréia suspirou, levantou os olhos e perguntou:

— Você vai reconhecer esse filho?

— Vou. Só estou esperando Nina contar a ele que estou vivo. Hoje foi aprovada a lei do divórcio. Vou falar com Janete para fazermos a separação judicial. Em dois anos estaremos divorciados.

— Ela vai sofrer muito — disse Andréia.

— Talvez. Mas tenho certeza de que logo se conformará. Depois do divórcio poderá refazer sua vida, encontrar alguém que a ame e possa fazê-la mais feliz do que eu. Sei que ela também se sentia infeliz. A separação vai beneficiar a ambos.

Quando André deixou a casa dos pais, estava satisfeito, sentindo que nunca havia se entendido com eles tão profundamente. Deixara falar seu coração, colocara seus sentimentos e havia sido compreendido.

Decidiu conversar com Janete. Havia adiado esse momento, mas sentia que estava pronto para enfrentá-lo. Foi procurá-la.

Ela estava no quarto se preparando para sair quando a criada a avisou da presença dele. Imediatamente foi ao espelho, arrumar-se. Sentia as pernas bambas ao descer as escadas.

Vendo-a entrar na sala, André levantou-se:

— Como vai, Janete?

— Bem — respondeu ela, tentando controlar a voz.

— Vim para conversar sobre nossas vidas.

O tom formal dele deixava perceber que o assunto era sério...

— Sente-se, por favor.

— Eu desejo formalizar nossa separação.

Ela empalideceu, mas esforçou-se para manter o controle.

— Eu sei que você está se encontrando com sua antiga namorada dos tempos de estudante. Quer me deixar por causa dela.

— Não. Quero me separar de você porque entendi que não temos nada em comum. Que nunca seremos felizes juntos.

— Quer que eu acredite? Você mudou muito depois que tornou a encontrar-se com ela.

— Para ser sincero, apesar de haver casado com você, nunca a esqueci. Nina foi o amor de minha vida. Digo isto para deixar claro que nosso casamento foi um erro. Nossa convivência tem sido de aparência e tanto eu quanto você não estávamos felizes. Meus encontros com Nina têm sido por outro motivo. Nunca reatamos nosso caso. Ela não me perdoa pelo fato de havê-la trocado por você.

— Não tente me enganar. Que outros motivos teria para justificar esses encontros?

— Ela estava grávida quando a deixei. Só agora descobri que temos um filho. Ele está com quase dez anos e eu pretendo assumir sua paternidade.

Janete abriu a boca, fechou-a de novo, sem saber o que dizer. Um filho! Era demais! Que vergonha quando suas amigas descobrissem! Além de abandonada, a prova de sua traição ia ser documentada.

Quando conseguiu recuperar-se um pouco, disse:

— Você não fará isso comigo! É demais!

— Apressei nossa separação para preservá-la desse fato.

— Acredita que com isso os comentários maldosos não vão me envolver? Eu, traída, abandonada, como um objeto que não serve mais?

— Lamento que esteja se sentindo assim. Mas eu também não sabia que ele existia. Nina nunca me procurou e não quer que eu assuma o menino.

Janete perdeu o controle, rompeu em um pranto nervoso e André esperou um pouco até que ela se acalmasse. Depois, sentou-se ao lado dela no sofá, segurou sua mão dizendo:

— Sinto muito. Apesar das nossas diferenças, eu gosto de você e a respeito. Você sabia que eu vivia com Nina e apesar disso fez tudo para ficar comigo. Você errou e está sofrendo as consequências. Mas mesmo sabendo disso, sei que sou mais culpado do que você, que me iludi, deixei meu amor de lado, preferi um casamento de conveniência. É duro descobrir isso. Nós dois erramos. Nosso casamento começou errado e nunca poderia dar certo.

Ele fez uma pausa, enquanto Janete chorava baixinho. Depois continuou:

— Amanhã pretendo entrar com um pedido de separação judicial. É o primeiro passo para o divórcio. Felizmente, nossa legislação já permite. Vamos legalizar nossa situação e cada um de nós poderá refazer sua vida, como desejar.

— Nunca mais confiarei em ninguém.

— Estamos vivendo um momento difícil, mas estou certo de que vamos superar.

— Estou arrasada. O que os outros vão dizer?

— O que os outros pensam não me interessa. Eles não têm nada a ver com minha vida. Você deve fazer o mesmo. Assuma que nosso casamento foi um erro, diga isso a quem quiser ouvir, fale mal de mim, se estiver com raiva. Mas seja verdadeira. Diga o que está sentindo.

Assumindo uma atitude honesta, tenho certeza de que calará a boca dos maldizentes.

— O que será de minha vida depois de tudo isso?

— Faça uma viagem, procure novos amigos, trate de se fazer feliz. É o que eu pretendo fazer.

Ela suspirou sem saber o que dizer. Apesar dos fatos, André estava sendo mais amigo do que antes e essa atitude deixou-a mais calma.

André levantou-se:

— Pense no que conversamos e não me guarde rancor. Vamos viver nossas vidas em paz. Quando receber a citação judicial, avise-me. Estou pronto para esclarecer qualquer dúvida. Quanto aos nossos bens, tudo será como você quiser.

Ele estendeu a mão, que ela apertou:

— Pelo que disse, devo deduzir que não há nenhuma possibilidade de voltar atrás.

— Não. Tudo quanto eu lhe disse reflete meus mais profundos sentimentos. Pensei muito antes de tomar essa decisão.

— Está certo.

Ele saiu e Janete foi para o quarto, pensando em tudo quanto André lhe dissera. Apesar do medo que sentia por ter que enfrentar uma situação desagradável, estava conformada. O tom de André, a maneira como ele se colocara, dava-lhe a certeza de que não havia mais nada a fazer. Estava tudo acabado. Falaria com seu pai, iria viver na Europa até que todos esquecessem.

Uma semana depois, Olívia estava sentada na sala lendo quando Artur chegou. Ela admirou-se:

— Você em casa a esta hora? Aconteceu alguma coisa?

— Sim. Hoje tive uma surpresa desagradável e espero que você tenha uma boa explicação.

— Do que se trata?

— Fui ao banco e vi que havia uma retirada de cinquenta mil em nossa conta. Pensei que estivesse errado, reclamei, mas o gerente mostrou-me o cheque. Pode me dizer o que fez com o dinheiro?

Ela empalideceu. Isso não podia ter acontecido. Artur não tinha o hábito de checar o extrato bancário. Era ela quem controlava tudo. Tentou dissimular o nervosismo:

— Deve ter sido engano. Irei imediatamente ao banco cuidar disso.

— Quer dizer que não retirou esse dinheiro?

— Bem, eu fiz uma retirada para alguns pagamentos. Precisei renovar nossa roupa de cama, baixela. Fiz algumas compras, mas não gastei tudo isso. Vai ver que o funcionário lançou errado. Eles estão sempre se enganando.

— Nesse caso, vou falar com o gerente. Isso não pode acontecer.

— Deixe comigo. Garanto que vou resolver o quanto antes. Você não costuma ir ao banco, o que foi fazer lá?

— O doutor Adalberto me ofereceu aquela casa linda que ele tem em Campos do Jordão. Pensei em comprá-la.

— Eu não gosto de lá. É frio demais, é longe.

— Pois eu adoro e já estou negociando a compra.

Olívia não respondeu logo. Precisava encontrar um jeito de resolver esse caso. Se ele pedisse para ver suas compras, ela não teria nada para mostrar e sua mentira seria descoberta.

Tentou contornar:

— Se você gosta, compre. Foi bom você ter ido ao banco, mas não precisava deixar o consultório por causa disso. Deixe comigo. — Olhou o relógio no pulso e continuou: — A esta hora o banco já fechou. Mas amanhã logo cedo irei até lá corrigir o erro. Eles terão que repor o dinheiro.

— Eles me apresentaram provas do saque. Como pode ser isso?

— Você conferiu os dados da pessoa? Eles podem ter confundido os nomes.

— De fato, eu não vi. Fiquei tão surpreso que vim direto para cá.

— Não se preocupe. Logo tudo estará em ordem. Deixe comigo.

— Nesse caso, vou voltar ao hospital. Preciso ver alguns pacientes.

Depois que ele saiu, Olívia pensou e decidiu. Foi ao quarto, abriu o cofre onde guardava suas joias, apanhou algumas, colocou-as em uma bolsa e saiu.

Pediu a seu motorista que a deixasse na loja onde habitualmente comprava suas roupas, despediu-o mandando que voltasse duas horas depois. Assim que se certificou de que ele não estava mais, saiu, tomou um táxi e foi até a seção de penhores da Caixa Econômica.

Conseguiu apenas metade da quantia que havia dado a Toninho. Decidiu procurá-lo e reclamar parte do dinheiro. Era justo, afinal ele não cumprira o combinado. Uma vez lá, entrou e foi conduzida ao "escritório" de Toninho. Assim que a viu ele disse:

— Eu sabia que você viria.

— Desta vez você fracassou. Não cumpriu o que prometeu.

— Não tive culpa. Tudo foi bem planejado. Os malandros me enganaram. Não cumpriram nosso ajuste.

— Eu quero meu dinheiro de volta. O menino está em casa.

Toninho levantou-se irritado:

— Isso não é possível. Eu paguei eles. Fiquei sem nada.

— Não acredito que você tenha dado tudo a eles. Não tente me enganar.

— Estou falando a verdade. E tem mais, quero o restante que me prometeu.

— Isso não é possível. Meu marido está desconfiado. Ficou sabendo que retirei o dinheiro do banco e quer saber para quê.

— Se não me pagar o resto que me deve, eu vou fazer ele saber que foi você quem planejou tudo — ameaçou ele.

Olívia empalideceu, levantou-se nervosa:

— Se fizer isso você será preso. Vou dizer que você roubou o menino para me chantagear. Você irá para a cadeia!

— Não interessa a nenhum de nós que a polícia entre no negócio. Trate de me mandar o resto que me deve e esqueceremos isso.

— Isso é que não. Não é justo. Agora mesmo fui penhorar as minhas joias para tentar repor o dinheiro no banco. Está faltando a metade. Não posso arranjar mais. Meu marido está desconfiado.

— Eu sabia que essa história era perigosa. Eu quero o resto do dinheiro. Mas em nome da nossa amizade de tantos anos posso esperar até que possa me pagar. É o que posso fazer.

Ele a olhava de um modo diferente e de repente Olívia teve medo. Decidiu ir embora.

— Está bem. Vou ver o que posso fazer.

Despediu-se e saiu. Assim que ela se foi, Toninho chamou Jofre:

— Estamos correndo perigo. O marido dela anda desconfiado. Ela está falando demais.

— O que manda, chefe?

— Vá atrás, quando estiver longe daqui, faça o serviço. Pegue a bolsa dela, está com dinheiro.

Ele saiu rápido e viu Olívia passar dentro do táxi. Imediatamente, pegou a caminhonete e foi atrás. O táxi parou e, enquanto ela pagava, ele estacionou e desceu. Quando ela ia entrando na loja, ele a abordou:

— Não diga nada, senão morre.

Olívia o reconheceu, sentiu a ponta de uma arma encostada em seu corpo e obedeceu:

— O que quer de mim?

— Precisamos conversar. Venha, entre no carro.

Trêmula, ela obedeceu. Ele mostrou o revólver dizendo:

— Se gritar, eu acabo com você.

Depois, pegou uma corda no porta-luvas, tirou a bolsa que ela segurava assustada, amarrou suas mãos.

— O que você quer? Eu disse para o Toninho que ia arranjar o resto do dinheiro. Ele me deu um prazo.

— Ele quer conversar com você de novo.

Olívia pensou que Toninho desejava assustá-la. Ele era seu amigo de infância. Não iria fazer-lhe mal. Acalmou-se um pouco. Ele ligou o carro e dirigiu em silêncio. Vendo que estava escurecendo e eles estavam deixando a cidade, ela disse nervosa:

— Você não está indo à casa do Toninho. Para onde está me levando?

— Fique calada, senão amarro um lenço em sua boca.

— O que vai fazer comigo?

— Eu disse para ficar calada. É bom não me deixar nervoso.

O coração dela batia descompassado. Ele continuava dirigindo e a noite caíra de todo. Ela não sabia onde estava. Sabia apenas que era um lugar escuro, onde não havia ninguém para socorrê-la.

***

Artur chegou em casa depois das oito e procurou por Olívia. A criada informou-o de que ela havia saído e ainda não voltara. O motorista o procurou na sala:

— Doutor Artur, estou muito preocupado com dona Olívia. Ela desapareceu.

Artur assustou-se:

— Desapareceu, como?

Ele contou que à tarde a levara na loja de roupas e, quando fora buscá-la conforme o combinado, ela não estava. As moças da loja informaram que ela nem sequer havia estado lá.

— Como não esteve lá? Você não a deixou na loja?

— Deixei, vi quando ela entrou.

— Esta história está mal contada.

— Eu também estranhei.

Artur pensou um pouco e depois disse:

— Vamos esperar. Pode ser que ela tenha encontrado alguma amiga e tenha se esquecido de avisar.

— Acho difícil. Ela nunca fez isso. Não estou gostando, patrão. Acho bom o senhor avisar a polícia. Pode ter lhe acontecido alguma coisa.

— Vamos esperar mais um pouco. Se ela não chegar, tomarei as providências necessárias.

Ele saiu e Artur lembrou-se do saque na conta do banco. Isso teria alguma coisa a ver com a demora de Olívia? E se ela houvesse mentido e retirado mesmo aquele dinheiro? Estaria sendo vítima de alguma chantagem?

Inquieto, ele ligou para Antero e colocou-o a par de tudo.

— Os sequestradores podem tê-la levado. Vou falar com Marcelo e iremos imediatamente para sua casa.

Artur ficou angustiado. Essa história não teria acabado? Assim que eles chegaram, disse nervoso:

— Ela ainda não apareceu nem telefonou.

Marcelo olhou-os sério e tornou:

— Eu já tomei providências. Eu ia ligar para Antero, quando ele me ligou.

— Você sabe o que está acontecendo? — indagou Artur aflito.

— Bem, o que tenho a dizer não é nada bom.

— Fale logo, Marcelo. O que sabe? — disse Antero assustado.

— Eu coloquei meus homens seguindo dona Olívia.

— Para protegê-la? Ela estava correndo perigo? — perguntou Artur.

— Para averiguar os fatos. Dentre todas as pessoas com quem conversei, ela era a única que não gostava de Eriberto.

— Não está pensando que ela… — começou Artur nervoso.

— Não estou afirmando nada. Hoje quando ela saiu, foi seguida. Foi a uma loja, despediu o motorista, fingiu que entrou. Depois que ele foi embora, ela saiu, tomou um táxi e foi à Caixa Econômica Federal, onde empenhou várias joias.

— Então ela sacou mesmo o dinheiro do banco. Estaria sendo vítima de chantagem?

— Não sei. Ela saiu de lá, tomou outro táxi e foi a uma casa modesta na periferia, um lugar muito perigoso. Pelo que meu auxiliar observou, ela deve ser conhecida nessa casa. Entrou, ficou alguns minutos e saiu. O táxi continuava esperando e ela entrou. Meu auxiliar ia seguir o táxi quando notou que um homem saiu da casa, pegou uma caminhonete e foi atrás deles. Seguiu-os discretamente. O táxi parou em frente à loja de roupas, a caminhonete parou atrás. Ela desceu, pagou o motorista e, quando ela ia entrar na loja, o homem da caminhonete a abordou e obrigou-a a entrar no carro. Ele estava armado. Meu auxiliar informou pelo rádio, mandei que não os perdesse de vista. Avisei a polícia, que imediatamente tomou as providências.

— Meu Deus, ela foi sequestrada mesmo! — disse Artur aflito.

— A esta hora a polícia já deve estar na casa da periferia. Vou até o carro saber notícias.

Pouco depois ele voltou dizendo:

— Os carros da polícia estão seguindo a caminhonete, esperando o momento propício para a abordagem. É preciso cuidado. Não podem pôr em risco a vida dela.

Artur deixou-se cair na poltrona passando a mão nos cabelos aflito.

— Meu Deus! Porque ela não me contou que estava sendo chantageada? Não percebeu o perigo que estava correndo?

Marcelo olhou e não disse nada. Ele estava desconfiado de que a verdade era muito diferente. Resolveu esperar que os fatos fossem esclarecidos.

Começou então para eles a angústia da espera. Antero ligou para Marta pedindo orações. Sentia-se angustiado, mas confiava na proteção espiritual.

De vez em quando Marcelo ia até o carro para saber notícias. Ficou sabendo que eles estavam parados em uma estrada, haviam sido cercados pela polícia. Jofre colocara o revólver na cabeça de Olívia e ameaçava matá-la caso eles se aproximassem.

— Vou até lá — disse Marcelo.

— Vou com você.

— Se quer ir é bom saber que terá que ficar calado e não interferir.

— Eu também vou — interveio Artur.

— Não, pai. Eu preferia que fosse até minha casa, fazer companhia a Glória e Eriberto. Vamos confiar em Deus, que nunca nos desamparou.

— Não vou aguentar ficar esperando sem poder fazer nada nem saber o que está acontecendo. Eu vou com vocês.

— Vou levá-los comigo, mas terão que se conformar em observar de longe.

Eles saíram no carro de Marcelo. Meia hora depois chegaram ao local. Os carros da polícia haviam acendido os faróis e colocado um holofote sobre a caminhonete. Via-se perfeitamente Jofre com a arma encostada na cabeça de Olívia.

Artur sentiu uma tontura e Antero o amparou:

— Eu disse que era melhor você não vir.

— Vou me controlar. Pode deixar.

Um policial com um megafone tentava convencer Jofre a se entregar.

— Seu chefe está preso. É melhor se entregar. Deixe a senhora ir. Prometo que não vamos atirar.

— Vão embora. Deixem-me passar, senão ela morre.

— Se fizer isso você também vai morrer. É isso o que quer? Vamos, desista. Acabou. Baixe a arma e entregue-se. É o melhor. Prometo que não vamos atirar.

O tempo foi se arrastando, mas, absortos em convencê-lo a entregar-se, eles nem se davam conta. O dia estava amanhecendo quando demonstrando cansaço Jofre começou a ceder negociando sua rendição.

Depois de prometer que não iam atirar, finalmente ele entregou a arma. Olívia, pálida, não conseguia sair do lugar. Artur e Antero queriam socorrê-la, mas o policial não permitiu.

— Eles vão para a delegacia.

— Minha esposa está mal, quero levá-la para casa.

— Não pode. Antes ela terá de depor na delegacia.

Os dois foram até Marcelo:

— Faça alguma coisa — pediu Artur. — Ela precisa ser socorrida. Depois do que passou, é uma falta de humanidade.

— Não estou entendendo, Marcelo. Ela é a vítima — disse Antero nervoso.

— Temos que cumprir todas as formalidades. Vamos embora.

Os dois viram que Olívia foi colocada em uma viatura e estavam indignados.

Na delegacia, Antero ficou sabendo que sua mãe estava detida para averiguações e não permitiam que eles falassem com ela. Vendo a aflição deles, Marcelo sugeriu:

— É melhor chamar seu advogado. Ele vai poder entrar e saber o que está havendo.

Antero pensou em André. Imediatamente ligou para ele pedindo ajuda e ele prometeu ir.

Quando André chegou à delegacia, Antero o esperava na porta:

— Desculpe acordá-lo a esta hora. Mas seu nome não me saía do pensamento. Precisamos de sua ajuda.

— O que aconteceu?

Em poucas palavras Antero contou o que houve. E finalizou:

— Não estamos entendendo. Ninguém nos dá explicações e ela está detida.

André pediu uma folha de papel e escreveu uma procuração para cuidar do caso. Artur assinou e ele foi falar com o delegado.

Ficou lá durante quase meia hora e quando saiu estava muito preocupado. Os dois o rodearam ansiosos.

— E então, o que está havendo? — indagou Artur.

— Infelizmente as notícias não são as melhores. Eles prenderam os dois sequestradores de Eriberto, mas eles disseram que dona Olívia foi a mandante.

— Não pode ser! — disse Artur.

— Eles devem estar mentindo! — comentou Antero.

— Infelizmente todos os detalhes a estão comprometendo. Toninho, o sequestrador, disse que conhecia dona Olívia havia muito tempo. Ela, inconformada em dividir a herança da família com Eriberto, contratou-o. Deu-lhe dinheiro para levar o menino para bem longe, inclusive falsificaram documentos de identidade para que ele nunca mais fosse encontrado.

Lágrimas corriam pelas faces de Artur, que não encontrava palavras para responder. Antero, pálido, ouvia arrasado. Vendo-os em silêncio, André continuou:

— Hoje à tarde o senhor descobriu o saque do dinheiro e ela foi empenhar joias para repor o dinheiro. Como não era suficiente, ela foi até o sequestrador reclamar que eles não haviam cumprido a promessa e deveriam devolver parte do dinheiro. Acho que ela os ameaçou, dizendo que o senhor havia desconfiado, então, quando ela saiu, Toninho mandou seu cúmplice segui-la e acabar com ela.

Eles continuavam ouvindo em silêncio e André depois de ligeira pausa finalizou:

— O resto vocês sabem, quem salvou a vida dela foi Marcelo, que em boa hora vocês contrataram. Ele estava desconfiado da participação dela.

— Estou chocado. Ela não gostava do menino, mas nunca pensei que fosse capaz de fazer o que fez. Será que o sequestrador não está mentindo?

— É o que a polícia quer averiguar. Mas a mulher que mora na casa do sequestrador disse que não é o primeiro serviço que ele presta a dona Olívia. Um investigador, conversando com alguns vizinhos, soube que ela ia lá de vez em quando e Toninho se vangloriava de ser amigo dela. Bem, o caso é sério. Eu estou à disposição, porém não sou criminalista. Seria bom que contratassem um advogado da área.

— Eu preciso conversar com ela, ver como está, saber a verdade — disse Artur. — Não irei embora antes disso.

— Vou conversar com o delegado, ver o que posso fazer.

Enquanto André foi tentar conseguir que eles pudessem vê-la, Antero disse triste:

— Pai, isso não pode ser verdade.

— Espero que eles estejam mentindo, mas por outro lado havia momentos em que ela de fato parecia odiar Eriberto. Isso me magoava muito e eu procurava esquecer, mas muitas vezes ela ficou indignada por eu o ter registrado e o tornado nosso herdeiro. Ela dizia que eu estava lesando você.

— Ela também comentava isso comigo.

— Agora estou com medo. Eles podem estar dizendo a verdade.

André voltou dizendo:

— O delegado está tomando as declarações dela e disse que quando ele acabar permitirá que falem com ela.

— Obrigado. Vou esperar — tornou Artur.

Enquanto esperavam, Antero telefonou para Glória dizendo que tudo estava resolvido, mas não teve coragem de falar sobre a suspeita que pesava sobre Olívia.

Duas horas depois, finalmente eles puderam entrar para falar com Olívia. No corredor, Artur viu Toninho, que estava sendo levado, e disse nervoso:

— Eu conheço você! Trabalhou na minha casa há muitos anos.

Ele olhou-o colérico e disse entre dentes:

— Sua mulher desgraçou minha vida, mas eu não vou pagar sozinho pelas ideias dela.

Artur ia responder, mas os policiais o levaram rapidamente. André os acompanhou até a sala onde Olívia estava, pálida, olhos arregalados, trêmula, nervosa. Vendo-os entrar, atirou-se nos braços do marido dizendo:

— Por favor, salvem-me. Tirem-me daqui. Não aguento mais.

— Acalme-se, Olívia. Estamos fazendo o possível, mas parece que está encrencada. Ainda há pouco encontrei Toninho no corredor. Ele era seu protegido, você o conhecia desde a infância.

— Aquele desgraçado. Está me acusando. Eu fui boa para ele.

Artur olhou-a sério e disse com voz fria:

— Que outros serviços ele fez para você?

— Ele contou também isso?

— Contou tudo — mentiu Artur.

— Eu devia saber que ele não prestava. Aquele desgraçado. Se ele pensa que vai me vencer, está enganado. Vou acabar com ele. Sei de muita coisa que ele fez e vou contar tudo. Ele quer medir forças e vai se dar mal.

Olhos arregalados, ela estava furiosa. Antero parecia a estar vendo pela primeira vez.

— Ele mostrou as provas e contou todos os seus segredos — disse Artur.

Ela olhou-o assustada, com raiva, e não conseguiu se controlar:

— Eu vou acabar com aquele desgraçado! Você é o culpado de tudo! Levou aquele bastardo para nossa casa, ele roubou sua atenção, seu amor. Você gostava mais dele do que de mim. Além do nosso nome, ia levar metade da fortuna de Antero. Eu deveria ter mandado acabar com ele, assim nunca teria voltado. Você é o maior culpado. Você vai me pagar.

Fora de si, ela atirou-se sobre Artur, arranhando seu rosto, gritando seu ódio. André e Antero tentaram segurá-la, mas não conseguiram. Alguns policiais entraram e a custo conseguiram imobilizá-la.

Artur e Antero, mudos de espanto e de horror, observavam. André tentou ampará-los:

— Vamos sair daqui. Vocês precisam de ar.

Os dois deixaram-se conduzir em silêncio até o pátio. Quando conseguiu falar, Antero disse:

— Mamãe enlouqueceu.

— Não, meu filho. Ela sempre foi louca. Eu é que não quis ver e agora estou pagando caro.

André fez o que pôde para auxiliar. Artur, embora convencido da culpa de Olívia, pediu a seu amigo psiquiatra que a fosse atender na delegacia. André pediu e obteve permissão para que ela fosse internada.

Só no fim da tarde eles conseguiram interná-la após haver assinado um termo de responsabilidade. O delegado disse que, apesar do estado dela, iria indiciá-la como mandante do sequestro de Eriberto.

Era quase noite quando os três chegaram à casa de Antero. Estavam arrasados, cansados, deprimidos. André intimamente pedia ajuda aos amigos espirituais para auxiliá-los a suportar os acontecimentos.

Quando entraram, Marcos estava na sala brincando com Eriberto, que vendo-os correu para o avô dizendo alegre:

— Veja o carrinho que o Marcos me deu! Ele tem buzina.

Acariciando o menino, ele respondeu:

— É lindo!

— Veja, pai. Eu controlo e ele anda!

Antero ergueu o menino beijando-o com carinho. Intimamente deu graças a Deus por ele haver sido salvo. André aproximou-se de Marcos dizendo alegre:

— É bom ver você. Estava com saudades.

— Eu também. Mamãe está lá dentro, na cozinha.

Glória entrou na sala, cumprimentou a todos. Notou logo que alguma coisa de muito ruim havia acontecido, mas não perguntou nada. Enquanto eles conversavam contando os acontecimentos, Marcos segurou a mão de André e o levou até a cozinha.

Vendo-os entrar de mãos dadas, Nina se surpreendeu.

— André!

Marcos, com um olhar de cumplicidade, deixou-os sozinhos e foi ouvir as novidades na sala.

— Depois do que passamos hoje, ver Marcos e você é um prêmio.

— Não sabia que você estava com eles. Marta pediu oração a todos os amigos e, a mim, disse para vir aqui, porque Glória iria precisar de apoio. Estamos aqui desde ontem à noite.

Ele chegou bem perto dela dizendo:

— Vendo você, de avental, na cozinha, lembrei-me dos tempos em que estávamos juntos em nossa pequena casa.

Ela fez um gesto de contrariedade e ia responder, mas André não lhe deu tempo. Apertou-a nos braços, procurou seu lábios, beijando-a demoradamente. Ela tentou resistir, mas não conseguiu.

Seu coração disparou, suas pernas tremeram, correspondeu àquele beijo sem pensar em mais nada. Durante alguns minutos eles continuaram se beijando. Por fim, ele disse:

— Que saudade, Nina! Eu a amo como no primeiro dia! Sinto que você ainda me ama. Nosso amor é mais forte do que tudo.

Ela respirou fundo, tentando desvencilhar-se:

— Mas você ainda é casado.

— Não sou mais. Ontem Janete assinou a separação judicial e viajou para a Europa. Sou um homem livre.

Ele a apertou de encontro ao peito, beijando-a com amor.

— Nina, diga que me perdoa.

— Há muito que o perdoei. Reconheço que meu orgulho impediu que eu lutasse pelo nosso amor.

— Casaremos assim que o divórcio sair.

— Já perdemos muito tempo. Não vamos esperar mais.

Os olhos de André brilharam e ele a abraçou dizendo ao seu ouvido:

— Agora só falta contar a verdade a Marcos.

— Espero que ele me perdoe.

— O que você vai me contar que ainda não sei?

Vendo Marcos parado em sua frente olhando curioso, Nina perdeu o jeito. Foi André quem respondeu:

— Sua mãe vai lhe contar uma história de amor que teve um final feliz.

— Eu sei. Vocês vão se casar. Eu sabia que um dia isso ia acontecer.

— É isso mesmo, meu filho.

Glória entrou na cozinha dizendo:

— Doutor André, eu ainda estou chocada. Obrigada pelo que fez por nós. Estou com pena do doutor Artur. Ele está arrasado.

Nina não sabia de nada e André contou tudo em poucas palavras.

— O que vai acontecer com ela agora? — perguntou Glória.

— Não sei. Aconselhei-os a contratar um criminalista. Ele vai analisar os fatos, talvez alegar perturbação mental, mas, seja como for, ficou claro que ela é culpada e terá que responder por esse crime. De que forma, vai depender do desdobramento do caso.

Nina abraçou Glória dizendo:

— Nós vamos embora. Vocês precisam descansar.

— Estou preocupada com o doutor Artur. Quero ver se o convenço a ficar aqui esta noite.

— Seria bom. O carinho de vocês, e principalmente a presença de Eriberto, vai ajudá-lo a reagir — tornou André.

— Esse filho foi a melhor coisa que nos aconteceu. Ele me aceitou de coração, chama-me de mãe, o que me comove muito. Foi coisa dele. Eu não sugeri nada. Acho que ele me aceitou.

— Deus o colocou em seus braços e ele está feliz. Agora nós temos que ir. Eu terminei o jantar. Eles precisam se alimentar — disse Nina sorrindo.

— Vocês vão jantar conosco.

— Fica para outro dia. Precisamos ir.

Glória abraçou-a com carinho:

— Obrigada, Nina. Deus a abençoe por ter ficado comigo nesses momentos tão difíceis.

— Eu vou com vocês — disse André.

Eles saíram e André ofereceu-se para levá-los, mas, como Nina estava de carro, ele tornou:

— Vou acompanhá-los até lá.

Quando chegaram, ele desceu do carro e esperou. Ela entrou, abriu a porta e Marcos o convidou a entrar.

— André deve estar cansado — disse Nina sorrindo.

— Ele vai entrar pelo menos um pouco — tornou Marcos.

André entrou, sentaram-se na sala e Nina pediu:

— Marcos, vá pedir a Ofélia para fazer um café.

Ele saiu e Nina continuou, baixando a voz:

— É melhor ir embora. Eu vou contar tudo a ele, mas prefiro que não esteja presente.

— Promete que falará hoje mesmo?

— Prometo.

André tomou o café e despediu-se. Nina foi para o quarto, chamou Marcos e sentou-se na cama ao lado dele.

— Marcos, você gosta do André?

— Gosto. Você vai se casar com ele?

— Eu gosto dele, mas não é de agora. Eu o conheci antes de você nascer. Ele foi o grande e único amor de minha vida.

— Por esse motivo você nunca aceitou nenhum pretendente?

— Foi. Apesar da mágoa que eu guardava dele, nunca pude amar outro homem.

Marcos sentiu que alguma coisa importante ia acontecer, segurou a mão dela e, olhos brilhantes, esperou. Nina começou a falar do seu relacionamento com André, da felicidade que sentiam, dos planos para o futuro que haviam feito. Depois a gravidez, a atitude indiferente dele, o abandono.

Marcos abraçou-a ansioso e perguntou:

— Mãe, esse filho que você estava esperando, sou eu?

— Sim. É você.

— Quer dizer que ele é...

— André é seu pai!

Marcos apertou-a de encontro ao peito e emocionado não conteve o pranto. Nina beijou-o várias vezes na face com amor dizendo:

— Perdoe-me. Eu menti. Ele não morreu.

Quando ele parou de soluçar, olhos molhados, olhou-a sério. Ela continuou:

— Eu achei melhor dizer que ele estava morto. Eu não queria que soubesse que ele nos havia abandonado. Achei que você sofreria menos pensando isso.

— O que aconteceu depois?

Nina falou de seus sentimentos, de sua raiva, da mágoa que guardava no coração, da vontade de vencer na vida para vingar-se do desprezo dele. Não omitiu nenhum detalhe. Seu reencontro, a constatação de que a vingança não lhe trouxe a alegria esperada, e depois a parte espiritual, o arrependimento dele, o empenho em enfrentar tudo para assumir a paternidade. A consciência de que seu casamento foi um erro, a separação para poder assumir livremente o amor do filho. Do orgulho que a impedira de lutar pelo amor deles. E, por fim, a descoberta de que o amor deles era mais forte do que tudo.

— Estou abrindo meu coração a você, meu filho. Quero que me perdoe por ter omitido a verdade. Mas agora sei que André ama você, seu maior desejo é viver ao nosso lado. Ele fala em casamento, mas o divórcio só vai sair daqui a dois anos. Quero ouvir sua opinião.

— Mãe, eu gosto dele desde que o conheci. Bem que me pareceu familiar. O lugar dele é aqui. Nós somos a família dele de coração. Milena disse que ele está morando em um hotel. Ele precisa vir morar aqui, com sua família. Vamos buscá-lo agora mesmo.

Nina abraçou o filho com carinho, ele continuou:

— Bem que eu estava desconfiado. Do jeito que vocês se olhavam!

— Eu sei me controlar muito bem.

— Mas o brilho dos olhos! Mãe, por que demorou tanto para me contar? Quer dizer que Milena é minha tia?

— Esse é o lado bom. Quanto a seus avós eu não sei.

— Deixe comigo. Pelo que sei, sou o único neto. Vai ser fácil.

Nina sorriu feliz.

— Então, vamos buscar o meu pai?

— Ainda não. Temos que ver se ele quer se mudar para cá.

— Ele virá correndo. Vou telefonar para ele.

— O que vai dizer?

— Que você precisa falar com ele. Eu tenho o número do telefone.

Ele ligou, a telefonista atendeu e disse que André havia saído, perguntou se ele queria deixar um recado.

— Anote aí. Pai, estamos esperando você em casa. Marcos.

Ela disse que anotou e ele desligou.

— Ele vai se emocionar.

— É bom, assim virá correndo.

— Então, é melhor nós dois nos arrumarmos para esperá-lo.

Marcos saiu e Nina, emocionada, tomou um banho, arrumou-se, depois foi à cozinha verificar o que havia para o jantar.

Ofélia olhou-a com satisfação e comentou:

— A senhora está linda! Finalmente as coisas estão onde deveriam estar.

Nina sorriu e não respondeu. Estava emocionada, nervosa. E se André não viesse? E se não recebesse o recado?

Marcos arrumou-se e foi sentar-se ao lado dela na sala. Seus olhos ansiosos de vez em quando olhavam pela janela. Passava das nove quando finalmente a campainha tocou. Marcos correu a abrir.

André, vendo-o, abraçou-o emocionado dizendo:

— Meu filho! Finalmente tenho você em meus braços.

Os dois ficaram alguns instantes abraçados e Nina, em pé ao lado, não se atrevia a interromper. Depois, os dois a olharam e estenderam os braços para ela, que se atirou neles emocionada.

Ofélia, na porta da sala, observava-os, olhos brilhantes de alegria. Sem dizer nada, enquanto eles permaneciam abraçados, ela passou por eles e fechou a porta.

Os três ficaram assim, unidos, sentindo a magia daquele momento em que suas almas se encontraram, selando um amor que vencera todas as barreiras e se mostrara mais forte do que tudo.

Eles não viram que uma luz muito branca os envolvia, enquanto alguns espíritos oravam pela felicidade deles. Entre eles estavam Bernardete e Antônia.

— Eles venceram algumas etapas e a vida lhes dará uma merecida trégua — disse Bernardete.

— Nina merece. Sempre lhe serei grata por tudo o que fez por nós — respondeu Antônia.

— Eu também. Precisamos ir. Agora que você está em paz, precisa cuidar do seu futuro, estudar, trabalhar muito para refazer sua vida. Sua hora de ser feliz um dia virá. Mas antes terá que aprender algumas coisas e saber esperar.

Enquanto André, Nina e Marcos, abraçados no sofá, faziam planos para o futuro, as duas, abraçadas, acompanhadas pelos espíritos de luz, elevaram-se e desapareceram no céu estrelado. Na casa de Nina, tudo estava em paz.

Fim

Sucessos de ZIBIA GASPARETTO

Romances mediúnicos, crônicas e livros. Mais de 17 milhões de exemplares vendidos. Há mais de 20 anos, Zibia Gasparetto é uma das autoras nacionais que mais vendem livros.

Romances
Ditados pelo espírito Lucius

- Ela confiou na vida
- O poder da escolha
- O encontro inesperado
- Só o amor consegue
- A vida sabe o que faz
- Se abrindo pra vida
- Vencendo o passado
- Onde está Teresa?
- O amanhã a Deus pertence
- Nada é por acaso
- Um amor de verdade
- Tudo valeu a pena
- Tudo tem seu preço
- Quando é preciso voltar - nova edição
- Ninguém é de ninguém
- Quando chega a hora
- O advogado de Deus
- Sem medo de viver
- Pelas portas do coração - nova edição
- A verdade de cada um - nova edição
- Somos todos inocentes
- Quando a vida escolhe - nova edição
- Espinhos do tempo
- O fio do destino - nova edição
- Esmeralda - nova edição
- O matuto
- Laços eternos
- Entre o amor e a guerra
- O morro das ilusões
- O amor venceu

Crônicas mediúnicas
Espíritos diversos

- Voltas que a vida dá - nova edição
- Pedaços do cotidiano
- Contos do dia a dia

Crônicas
Ditadas pelo espírito Silveira Sampaio

- Pare de sofrer
- O mundo em que eu vivo
- Bate-papo com o Além
- O repórter do outro mundo

Peças
Zibia Gasparetto no teatro

Coleção que reúne os romances de maior sucesso da autora adaptados para o palco e que promete dar vida às histórias.

- O advogado de Deus (adaptado por Alberto Centurião)
- O amor venceu (adaptado por Renato Modesto)
- Esmeralda (adaptado por Annamaria Dias)
- Laços eternos (adaptado por Annamaria Dias)
- O matuto (adaptado por Ewerton de Castro)
- Ninguém é de ninguém (adaptado por Sergio Lelys)

Outros livros
de Zibia Gasparetto

- A hora é agora!
- Recados de Zibia Gasparetto
- Conversando Contigo!
- Eles continuam entre nós - volumes 1 e 2
- Reflexões diárias
- Pensamentos (com outros autores)
- Pensamentos - A vida responde às nossas atitudes
- Pensamentos - Inspirações que renovam a alma

Sucessos de LUIZ GASPARETTO

Estes livros vão mudar sua vida! Dentro de uma visão espiritualista moderna, vão ensiná-lo a produzir um padrão de vida superior ao que você tem, atraindo prosperidade, paz interior e aprendendo, acima de tudo, como é fácil ser feliz.

- Gasparetto responde! (com Lúciu Morigi)
- Afirme e faça acontecer
- Revelação da luz e das sombras (com Lúcio Morigi)
- Atitude
- Faça dar certo - nova edição
- Prosperidade profissional
- Conserto para uma alma só (poesias metafísicas)
- Para viver sem sofrer
- Se ligue em você (adulto) - nova edição

Série AMPLITUDE

- Você está onde se põe
- Você é seu carro
- A vida lhe trata como você se trata
- A coragem de se ver

Livros *Ditados pelo espírito Calunga*

- Calunga revela as leis da vida
- Um dedinho de prosa
- Tudo pelo melhor
- Fique com a luz
- Verdades do espírito
- O melhor da vida

Livros infantis

- Se ligue em você – 1, 2, e 3
- A vaidade da Lolita

Sucessos de SILVANA GASPARETTO

Obras de autoconhecimento voltadas para o universo infantil. Textos que ajudam as crianças a aprenderem a identificar seus sentimentos mais profundos, tais como: tristeza, raiva, frustração, limitação, decepção, euforia etc., e naturalmente auxiliam no seu processo de autoestima positiva.

- Fada Consciência 1 e 2

Não deixe de ouvir e ver

LUIZ ANTONIO GASPARETTO EM CD

Autoajuda. Aprenda a lidar melhor com as suas emoções para conquistar um maior domínio interior.

Série PALESTRAS

- Meu amigo, o dinheiro
- Seja sempre o vencedor
- Abrindo caminhos
- Força espiritual
- A eternidade de fato
- Prosperidade
- Conexão espiritual
- S.O.S. dinheiro
- Mediunidade
- O sentido da vida
- Paz mental
- Romance nota 10
- Segurança
- Sem medo de ter poder
- Simples e chique
- Sem medo de ser feliz

- Sem medo da vida
- Sem medo de amar
- Sem medo dos outros

LUIZ ANTONIO GASPARETTO *EM MP3*

- Tudo tem seu preço / Terminar é recomeçar / A lei do fluxo – 3 palestras
- Eu e o universo / Resgatando o meu eu / Estou onde me pus – 3 palestras
- Se dando a vez / Sem drama / Regras do amor inteligente / Fique seguro em si – 4 palestras
- Caminhando na espiritualidade – curso em 4 aulas
- Poder da luz interior – 4 palestras

LUIZ ANTONIO GASPARETTO *EM DVD*

- Pintura mediúnica – Narração de Zibia Gasparetto
  Luiz Gasparetto e os mestres da pintura em um evento realizado no Espaço Vida e Consciência, em São Paulo, em novembro de 2009.
- Magia da luz
- Série Infinito: Onde reencarnar é uma lei / Continua...

Rua Agostinho Gomes, 2.312 – SP
55 11 3577-3200

contato@vidaeconsciencia.com.br
www.vidaeconsciencia.com.br